Le Mariage de mon meilleur ami

par Karen McCullah Lutz

Traduit de l'américain par Cécile Leclère

FIRST
Editions

ISBN 2-75400-079-8

Dépôt légal : 3e trimestre 2005
Imprimé en France
Création graphique : Kumquat
Traduction : Cécile Leclère

Nous nous efforçons de publier des ouvrages qui correspondent
à vos attentes, votre satisfaction est pour nous une priorité.
Alors, n'hésitez pas à nous faire part de vos commentaires :
Editions Générales First
27, rue Cassette
75006 Paris – France
Tél. : 01 45 49 60 00
Fax : 01 45 49 60 01
e-mail : firstinfo@efirst.com

En avant-première, nos prochaines parutions, des résumés de tous
les ouvrages du catalogue. Dialoguez en toute liberté avec nos auteurs
et nos éditeurs. Tout cela et bien plus sur Internet à : www.efirst.com

1

Personne, dans l'État de Californie, sur la planète, dans l'univers tout entier n'avait moins envie de voir *Les Feux de l'amour* que Zadie Roberts. Pourtant elle était là, coincée dans la salle d'attente du garage Jiffy Lubes sur Ventura Boulevard, contrainte et forcée de regarder Jack Cavanaugh interpréter « Nate Forrester », mauvais garçon au cœur d'or. Zadie fixa l'écran : Jack Cavanaugh ôtait son casque de moto et secouait sa brune chevelure ébouriffée avec son air aguicheur. Elle se leva pour changer de chaîne. Mais elle se vit opposer un refus catégorique de la part d'une femme noire, âgée d'une quarantaine d'années, occupée à se vernir les ongles en alternant deux couleurs – un doigt rose, l'autre rouge : « N'y pense même pas. Cet homme est ma seule raison de me lever le matin. »

Zadie soupira et se rassit. Elle n'avait pas la moindre envie d'expliquer à cette femme qu'elle avait autrefois été fiancée à Jack Cavanaugh. Qu'un jour, elle s'était retrouvée devant le portail d'une église, vêtue d'une grande robe blanche, à attendre que Jack Cavanaugh daigne faire son apparition. Avant d'être forcée d'entendre, de la bouche de la mère de Jack, accro aux cachetons : « Eh bien, chérie, on dirait qu'il ne va pas venir. »

Putain, ce que Zadie pouvait haïr Jack Cavanaugh !

Elle avait fait sa connaissance avant qu'il devienne une star du petit écran, du temps où il n'était que simple serveur au Chin Chin. Un serveur au regard de braise qui disait : « En moins de deux je t'enlève ta culotte et je te donne du plaisir comme tu n'en as jamais eu, même en rêve. » C'étaient ces yeux qui lui avaient valu ce boulot dans *Les Feux...* Le boulot en question lui avait valu un ego démesuré. Et désormais, pour le plaisir, Zadie pouvait se brosser.

Elle avait gâché deux années avec lui. Deux années et des milliers de dollars. Elle avait payé le mariage qui n'avait pas eu lieu. Et les cours de théâtre qui avaient montré à Jack comment prendre cet air aguicheur. Elle, qui gagnait quarante-sept mille dollars par an dans une ville où la plupart des gens qui descendaient Sunset Boulevard dans leurs 4 x 4 Cadillac et leurs coupés Mercedes en gagnaient autant en un seul mois. Au moins. Voilà pourquoi Jack Cavanaugh était la dernière personne qu'elle avait envie de voir pendant qu'elle attendait qu'on termine la révision de sa Toyota. À moins que le destin de son personnage ne soit de mourir dans d'atroces souffrances.

Zadie laissa échapper un soupir et jeta un coup d'œil à sa montre. Elle avait encore du temps à tuer avant de retrouver Grey. Il ne sortait jamais du travail avant 19 heures, parce qu'il était dans « l'Industrie ». Et pour une raison qu'elle ne s'expliquait pas, les gens dans l'Industrie (autrement dit, dans le cinéma) travaillaient tous les jours de 10 heures à 19 heures. Pourtant, si vous appeliez le bureau de Grey à 9 heures, son assistante était là pour répondre au téléphone ; elle prétendait qu'il se trouvait en réunion.

Les avocats spécialisés dans le droit du spectacle sont toujours en réunion, en ligne ou en train de déjeuner dans un restaurant excessivement cher avec leurs clients outrageusement riches.

Grey était un type bien, fait étonnant, pour un type dans l'Industrie. Après la pitoyable disparition de Jack, c'était Grey qui avait passé la nuit aux côtés de Zadie, à la servir en tequila et à la nourrir de Pringles. C'était Grey qui l'avait laissée vomir sur son tapis d'Orient. Et c'était aussi avec lui qu'elle avait rendez-vous pour leur rituel du jeudi soir : bières light et pommes de terre en robe des champs chez Barney, un pub situé sur Santa Monica Boulevard. On y mangeait pour pas cher et le juke-box jouait des chansons de Rick Springfield. Franchement, qu'est-ce qu'une fille pouvait vouloir de plus ? À part un mari et une jolie maison sur les collines de Hollywood.

Zadie baissa les yeux vers la pile de copies sur ses genoux, en regrettant qu'elles n'aient pas un thème plus palpitant que les stratégies rhétoriques dans l'œuvre de Marcel Proust. Mais telle était la nature des devoirs d'anglais de terminale à Yale-Eastlake, école privée réservée aux adolescents aussi intelligents que riches. Lors de ses fiançailles avec Jack, ses élèves avaient offert à Zadie une nuisette La Perla, pour leur lune de miel. À son retour au lycée le lundi suivant le mariage (sans être mariée), ils étaient si désolés pour elle qu'ils lui avaient payé un astiquage complet de sa voiture et une journée de thalasso dans un hôtel de luxe. Ses élèves l'adoraient. Ce n'était pas le cas de Jack, visiblement.

Avant Jack, Zadie, comme toute jolie femme de trente et un ans, avait eu un certain nombre de relations. Elle avait eu son compte de rendez-vous galants. Et de sexe. Et de baisers avec des inconnus à la sortie du restaurant. Mais elle ne voulait plus embrasser d'inconnus. Elle ne voulait plus embrasser personne pour l'instant. Elle voulait une bonne bière et des patates avec plein de bacon, dégoulinant de fromage fondu.

À l'instant où Jack (dans le rôle de Nate Forrester) était sur le point d'échanger un baiser avec une rousse anorexique aux sourcils gravement surépilés, le mécanicien vint annoncer à Zadie qu'il fallait changer un joint quelconque. Sa voiture avait toujours besoin d'un truc nouveau. Depuis que son crédit était remboursé, la somme exacte qu'elle lui consacrait chaque mois passait désormais dans des réparations diverses et variées. Les dieux de l'automobile avaient une dent contre elle.

« Je dois le changer immédiatement ? demanda-t-elle.

— Non. Mais dans les quinze jours. » Il se foutait complètement que sa voiture tombe en panne. Elle le sentait. Avec son physique dopé aux stéroïdes, il avait l'air de ne penser qu'à une chose : aller à la salle de sport. Mais il était hors de question qu'elle passe une seconde de plus dans cette salle d'attente, aussi s'en remit-elle au destin. Plutôt tomber en panne sur Mulholland Drive que de continuer à regarder Jack faire le joli cœur.

Zadie arriva en avance chez Barney et prit place sur une des banquettes en Skaï rouge. L'enseigne kitsch et les lustres pourris pendus au plafond étaient immuables. Les graffitis aussi. Depuis qu'elle venait là, il était écrit sur la porte des toilettes des femmes : « J'ai léché les testicules de Vince Vaughn. »

Grey n'arriverait pas avant une demi-heure. Elle se commanda un pichet de bière et s'approcha du juke-box, sur lequel passait un titre de Def Leppard. Elle mit un dollar et choisit : *Summer Nights*. Puis *Jessie's Girl*. Lorsque la douce voix de John Travolta sortit des enceintes, elle se tourna vers les motards assis au bar.

« Désolée, les gars, mais j'ai eu une journée de merde. » Ils prirent un air renfrogné et se remirent à boire leur bière. Zadie s'en foutait. Elle avait besoin de réconfort. Elle avait été forcée de regarder Jack à la télé et maintenant, le moindre souvenir de sa grande humiliation lui revenait à la vitesse grand V : le jour où elle avait dû expliquer à ses parents que le mariage était annulé parce que Jack avait « disparu ». Le jour où elle avait lu la pitié sur le visage de ses cousines. Où elle s'était retrouvée face aux parents de Jack qui bredouillaient, les yeux baissés, en essayant de lui trouver des excuses. Où elle s'était rendu compte que l'absence des garçons d'honneur signifiait que Jack avait pris sa décision assez tôt pour leur annoncer, à eux, mais pas à elle. Le jour où elle avait compris que l'homme qu'elle aimait faisait si peu cas de ses sentiments qu'il se fichait complètement de lui infliger ce supplice.

Zadie vida son verre de bière et s'en servit un autre. Elle se foutait pas mal d'être saoule avant que Grey arrive. Il l'avait vue dans de bien pires états : de la morve plein le visage, des traînées de mascara jusqu'au menton, et au beau milieu de l'épisode de vomi déjà mentionné. Grey avait vu tout ce qu'il y avait de plus moche, mesquin et dégoûtant en elle, c'était pour cela qu'il était son meilleur ami. Un mec capable de vous regarder dégueuler vos Pringles est une perle rare. Et un jour qu'ils partaient en virée à Tijuana, où les attendait une folle soirée bien arrosée, il l'avait même laissée écouter toute la bande originale de *Grease* dans la voiture et était allé jusqu'à exécuter avec elle la chorégraphie sur *Greased Lightning*, à travers le toit ouvrant. Des amis comme ça, on n'en trouvait pas à tous les coins de rue.

Elle avait rencontré Grey au dix-huitième anniversaire d'une de ses élèves. C'était une de ces fêtes démesurées typiquement hollywoodiennes, organisée par un père protestant éprouvant le besoin d'égaler la bar-mitsvah de la fille de son meilleur ami : il avait donc engagé KC and the Sunshine Band pour jouer dans son jardin de Bel Air et invité toutes les connaissances de sa fille, les siennes, ainsi que toutes les personnes qu'il souhaitait impressionner. Grey était l'avocat du père. Et Zadie, le professeur préféré de sa fille. Ni l'un ni l'autre ne connaissaient personne, ils avaient fini tous les deux sous le belvédère, à descendre des verres de vodka en inventant une vie à chacun des invités. La femme était une vendeuse d'armes qui se faisait passer pour une sainte nitouche. L'associé, une star du porno essayant de faire croire qu'il avait un MBA. Rien de tout cela n'était vrai, mais cela rendait ces gens d'autant plus intéressants.

Après la soirée, ils avaient échoué dans une cafétéria, où ils s'étaient goinfrés de cheeseburgers. À 2 heures du matin, ils faisaient des allers-retours sur Sunset Boulevard en montrant du doigt les putes. Zadie ne s'était pas autant amusée depuis longtemps. À l'époque, elle était fiancée à Jack et Grey vivait avec Angela, agent artistique chez William Morris. Quinze jours plus tard, Grey avait surpris Angela en train d'embrasser un chanteur de hip-hop asiatique au Viper Room et huit semaines après, Jack avait plaqué Zadie devant l'autel.

S'ils avaient été vraiment pathétiques, ils auraient fini dans le même lit. Mais comme ils ne l'étaient qu'à moitié, ils avaient simplement fini autour d'une table, à boire et à manger. Souvent. À dire des vacheries et à s'apitoyer sur leur sort. Beaucoup. Une activité pour laquelle ils étaient extrêmement doués. De toute façon, Grey était un cas. C'était un maniaque de la prononciation. Il était surfeur, mais sa voiture était immaculée ; et si vous osiez laisser tomber une bouteille d'eau vide par terre, il se garait sur le bas-côté. Il avait un jour rompu avec une fille parce qu'elle buvait trop de café. Un cas. Et Zadie ne couchait plus avec les cas. Elle avait déjà donné.

Grey arriva, avec l'air de vouloir tuer quelqu'un. Enfin, autant que Forest Gump puisse avoir l'air de vouloir tuer quiconque. Grey respirait tellement la santé qu'on l'imaginait mal pouvoir faire preuve de méchanceté. Il s'écroula sur la banquette, laissa tomber sa mallette sur le sol et s'empara du verre de Zadie, qu'il descendit d'une traite avant de le poser bruyamment sur la table.

« Rappelle-moi pourquoi je fais ce métier ? » Ses yeux bleus se plissèrent, comme s'il avait réfléchi à la question pendant tout le trajet.

« Parce que ça paye bien.

— Pas assez pour être obligé d'écouter un acteur me raconter qu'il devrait toucher un million cinq alors qu'il n'a eu que trois cent cinquante mille pour son dernier projet, qui a fait un bide et pour lequel il aurait dû se faire flinguer. Je hais les acteurs. » Il fit signe à la serveuse d'apporter un autre pichet. « Et pourtant je suis leur esclave. Il y a quelque chose qui cloche dans ma vie.

— Si tu attends que je te dise que les acteurs sont des gens bien, tu frappes à la mauvaise porte.

— C'est ma faute. J'aurais pu me spécialiser dans le droit de l'environnement. Mais bon, ce n'est pas ça qui m'aurait payé une maison. Ni une voiture. Seulement une jolie studette et une carte de bus. Pourquoi le choix entre le bien et le mal a-t-il toujours des conséquences sur le confort personnel ? Moi, j'aime bien ma télé satellite. J'ai besoin de ma piscine. Mais pour me payer tout ça, je suis forcé d'écouter des illettrés, ayant arrêté l'école au lycée et incapables de prononcer le mot « sushi », m'expliquer pourquoi ils devraient gagner vingt millions par film. »

Lorsqu'on leur apporta le pichet, Zadie commanda deux assiettes de pommes de terre et remplit leurs verres. Manifestement, la soirée allait être longue. Elle était déjà bien remontée, mais si Grey s'y mettait lui aussi, ils seraient là jusqu'à la fermeture. Cette idée convenait bien à Zadie. C'était mieux que de rentrer chez elle regarder *Urgences*.

« J'ai fantasmé sur un de mes élèves aujourd'hui. » Elle aimait bien commencer par une phrase choc.

« Quoi ?!

— Il a dix-huit ans. C'est légal. Il est mannequin pour Calvin Klein. Je me suis même masturbée en pensant à lui. »

Grey la regarda sans rien dire, puis leva son verre dans sa

direction. Ils trinquèrent, il ôta sa veste de costume et desserra sa cravate. « Je veux des détails.

— Il s'appelle Trevor. Il fait la couverture du catalogue torse nu, avec un treillis à la taille si basse qu'on voit ses muscles en forme de V au niveau de l'aine. Et il faudrait que je fasse semblant de ne pas voir ça ? »

Grey parut très amusé. « Est-ce que tu deviens toute nerveuse quand tu lui parles en classe ?

— Non, je suis une professionnelle. Aujourd'hui, je lui ai rendu son devoir en lui suggérant de lire *Les Clochards célestes* s'il avait aimé *Sur la route*. Et j'ai maté ses fesses quand il s'est levé. » Elle but une gorgée de bière. Une bonne bière bien fraîche et des potins bien salaces. La combinaison parfaite.

« Et où a eu lieu cette masturbation ? demanda Grey.

— À ton avis ? Dans ma voiture. En rentrant chez moi. »

Grey fit un grand sourire. « Je te vénère. Je te l'ai déjà dit ? Tu es la seule femme que je connaisse qui soit capable d'avouer qu'elle s'est masturbée en descendant Coldwater Canyon Avenue. »

Elle leva les yeux au ciel. « Tu peux garder tes compliments. J'ai regardé *Les Feux de l'amour* aujourd'hui. Par accident.

—Et ? » Il avait l'air inquiet. Zadie aimait bien qu'il s'inquiète pour elle. C'était une inquiétude amicale, contrairement à celle de ses parents, si lourde qu'elle lui ôtait parfois toute volonté de vivre.

« J'ai vu Jack embrasser une autre femme avec ce même regard mièvre qu'il avait quand il m'embrassait, autrement dit, il jouait un rôle depuis le début – enfin, ce n'est pas comme si je ne le savais pas. » Jack avait continué à jouer un rôle même après la fin de leur relation. Quand il s'était enfin décidé à l'appeler, deux semaines après le mariage avorté, il avait prétendu qu'il se trouvait dans une prison mexicaine le jour J. Pour finir, il avait quand même avoué avoir été pris d'un doute et être resté avec ses potes à Las Vegas, où s'était déroulé son enterrement de vie de garçon. Il estimait mériter une certaine gratitude de la part de Zadie pour avoir reconnu ses torts, mais tout ce qu'il méritait selon elle, c'était un bon coup de pied au cul. Elle ne lui avait plus jamais adressé la parole. Un jour, avec Grey, ils étaient passés devant son immeuble et avaient jeté une bouteille de bière devant sa porte, mais elle n'en était pas très fière. Sinon, il y avait la fois où elle avait fait appel à un site web qui expédiait des merdes de chien par la poste. Colère folle et douleur profonde avaient tendance à faire à sortir les gens de leurs gonds.

Grey se jeta sur sa pomme de terre à l'instant où leurs assiettes arrivèrent sur la table. Zadie avait du respect pour les hommes qui osaient encore manger des féculents après 17 heures. Une espèce en voie de disparition à Los Angeles.

« Oui, mais toi au moins, tu ne l'as jamais pris en flag'. » Il faisait référence à l'incident du Viper Room, qu'il avait toujours avec lui, comme une fiole de poison mental.

« Tu sors avec la fille la plus parfaite du monde. Qu'est-ce que ça peut faire qu'Angela t'ait trompé ? Tu t'en es remis, que je sache. » Elle versa une cuillérée de sauce ranch sur ses pommes de terre. Tout était meilleur avec de la sauce ranch. Sa vie était merdique, mais tant que la merde était servie avec de la sauce ranch, elle survivrait.

« On n'oublie jamais ceux qui nous baisent. Comme si j'avais besoin de t'expliquer. » Tout à fait vrai. Mais Zadie n'aimait pas reconnaître que Jack avait encore du pouvoir sur elle. Dans les faits, il n'en avait pas. Pas sur son cœur. Seulement sur son ego. Qui en avait pris un coup le jour où elle avait ôté son voile et fait comme si tout allait bien.

« Tu as parlé à Helen ? » Il avait dit ça de façon décontractée, mais son visage avait pris un air tendu, comme s'il était constipé ou s'il angoissait à l'idée de lui annoncer quelque chose.

« Ne me dis pas que vous avez rompu. » Helen était la cousine de Zadie. À l'automne dernier, cette dernière avait traîné Grey au mariage de la sœur d'Helen, Denise. Cet heureux événement avait eu lieu un mois à peine après son non-mariage, et Zadie avait besoin de lui pour atténuer la douleur. Cependant, cela n'avait pas été très efficace, puisque Grey avait emballé Helen sur la piste de danse, durant la réception. Comment se faisait-il que des gens se mariaient, emballaient et pas elle ? Ç'aurait dû être interdit. Mais ce n'était pas seulement un flirt. Grey et Helen étaient sortis ensemble pour de bon. Et ils étaient tombés amoureux. Et ils étaient partis en week-end à Napa. On n'emmenait pas une fille à Napa sans avoir une idée derrière la tête.

« Remarque, se faire larguer à une dégustation de vins, il y a pire, dit Zadie. Au moins, tu peux noyer ton chagrin dans un bon merlot. » Elle plaisantait, mais elle se rendit soudain compte que cette possibilité n'était pas à exclure et se sentit mal d'avoir dit ça. Grey était amoureux, et elle ne souhaitait de cœur brisé à personne, bien qu'Helen ne soit pas exactement sa parente préférée. Il y avait à cela plusieurs raisons, dont la plus importante était qu'Helen n'avait jamais rien fait de mal dans sa vie et ne perdait pas une occasion de le rappeler à qui voulait bien l'entendre.

« Nous sommes fiancés. » Il avait dit ça en enfournant une pleine fourchette de fromage fondu dans sa bouche. Comme s'il annonçait qu'il échangeait sa Saab contre une Volvo.

Zadie le dévisagea. « Excuse-moi, mais j'ai eu l'impression que tu venais de dire qu'Helen et toi étiez fiancés. Cela dit, je dois faire erreur, parce que si c'était le cas, tu me l'aurais annoncé à l'instant où ça se serait produit, et pas quatre jours plus tard, alors que ce foutu juke-box est en train de passer *Hurts so good*.

— Je n'allais pas t'appeler depuis Napa, ça aurait été trop bizarre. Elle m'aurait entendu et je ne peux pas te parler quand elle est là. Elle n'arrête pas de prendre le téléphone et

de me regarder de travers quand elle m'entend te traiter de
« loser ».

— Vous êtes fiancés. Helen et toi. Vous allez vous marier.

— Oui. »

La tête de Zadie se mit à bourdonner. Sûrement parce que
tout le sang présent dans son corps se précipitait en direction de
son cerveau pour le protéger de cette nouvelle. « Et quand aura
lieu cet heureux événement ?

— Bientôt. Elle m'a dit avoir réservé l'hôtel le jour où je lui ai
dit que je l'aimais. Elle a déjà acheté sa robe.

— Connaissant Helen, elle l'a sûrement depuis qu'elle a dix-
huit ans. Pour son douzième anniversaire, elle avait reçu un album de mariage, il n'y a plus qu'à le remplir. »

Grey fronça les sourcils. « Tu as l'air en colère.

— Je ne vois pas pourquoi. Mon meilleur ami épouse ma cousine et mon seul semblant de vie amoureuse est de me toucher en
fantasmant sur un ado que je suis censée éduquer. Quelles raisons aurais-je d'être bouleversée ? » Zadie se massa les tempes.

Grey remplit son verre. « Tu exagères. Tiens, je voulais justement te présenter mon pote, Mike. Je vais l'inviter au mariage. Je
pense qu'il te plaira. »

Cette fois, Zadie s'énerva pour de bon. « Si tu me parles encore
une seule fois de ce Mike…

— Quoi ? C'est un mec génial.

— Il paraît, dit-elle.

— Alors pourquoi tu refuses de le rencontrer ?

— Parce que je ne veux pas qu'on me case par pitié. Hors de
question de sortir avec tes potes un peu nazes parce que tu ne me
crois pas capable de me trouver quelqu'un toute seule. »

Elle fit signe à la serveuse de leur apporter un autre pichet.
La soirée, qui s'annonçait très longue, venait de tourner court.
Il ne lui restait plus qu'à boire assez pour s'écrouler, ivre morte,

avant 22 heures. Elle s'imagina Grey, obligé de la porter jusqu'à sa voiture. Puis lui faire monter les escaliers de son appartement de Sherman Oaks. Et la lâcher parce qu'elle était trop lourde. La relever, puis lui faire passer la porte, la laisser s'écrouler face contre son canapé avec sa petite corbeille en osier de chez Bed Bath & Beyond juste à côté de sa tête. Il ne faut pas vomir dans de l'osier. Ça fuit. Pendant que chez elle, des pommes de terre en robe des champs à demi digérées dégoulineraient sur le sol, Grey irait retrouver Helen pour lui faire un câlin devant la cheminée. L'idée lui était insupportable. Elle entendait Helen d'ici, avec ses jugements catégoriques sur tout : « Pourquoi faut-il toujours que Zadie ait un comportement aussi autodestructeur ? Ça fait six mois que Jack l'a quittée. Elle aurait déjà dû s'en remettre. Ce n'est qu'un minable acteur de second rôle dans un feuilleton. Pas de quoi en faire toute une histoire ! »

« Je n'essaie pas de te caser par pitié, reprit Grey. Je te présente quelqu'un parce que j'ai envie que tu sois heureuse.

— Si tu veux me voir heureuse, épargne-moi les rendez-vous avec des inconnus. »

Le juke-box joua *Glory Days* ; elle fondit en larmes. Sa jeunesse était derrière elle. La taille 36 aussi. Elle ne supportait plus l'idée de rencontrer un homme, par crainte qu'il ne la quitte. Elle n'aurait plus de meilleur ami pour prendre soin d'elle. Il allait avoir une femme, qui allait lui prendre tout son temps. Une épouse parfaite. Une femme de vingt-huit ans dont les cheveux n'avaient même pas besoin d'être rehaussés de quelques mèches.

« Je ne te verrai plus jamais, c'est ça ? »

Grey la fixa en plissant les yeux. « Qu'est-ce que tu racontes ?

— Tu seras occupé à acheter tes meubles chez IKEA, à remplir les dossiers de préinscription en crèche, à calculer les jours d'ovulation. On ne viendra plus jamais dîner ici, hein ?

C'est ma dernière pomme de terre. Mon dernier pichet. Mes derniers jours de gloire.

— Bon, ça y est, tu es saoule. En temps normal, je n'y vois aucun inconvénient, mais vu ton humeur, je me demande vraiment si c'est la meilleure solution.

— Je t'emmerde, Grey. Je ne suis pas saoule. » Sur ce, Zadie se leva, attrapa son sac à main et se dirigea vers la porte. Bien sûr qu'elle était saoule, mais elle n'avait pas envie qu'on le lui fasse remarquer. En tout cas, pas son meilleur ami qui venait de la trahir en se fiançant alors qu'elle, non. Elle passa devant les motards. « Vous êtes contents ? Je m'en vais. » Ils lui jetèrent un regard bovin quand elle claqua son verre sur le bar.

Elle sortit et le portier lui héla un taxi. Elle appellerait la dépanneuse le lendemain en prétextant un problème de joint de culasse pour faire remorquer sa voiture jusqu'à Sherman Oaks. Peut-être était-ce une bénédiction que Jack soit apparu à la télé dans la salle d'attente de ce garage, la forçant à prendre la fuite. Et peut-être était-ce une bénédiction qu'elle soit encore célibataire. Avec un peu de chance, la fille qui avait léché les testicules de Vince Vaughn était toujours en ville, comme ça elle aurait quelqu'un avec qui sortir quand tout le monde serait marié.

2

Au réveil, Zadie avala deux Aspirines, s'arrangea pour qu'on aille récupérer sa voiture et se prépara un café. À chaque gueule de bois, elle maudissait le fait que l'école commence aussi ridiculement tôt. D'ailleurs, ses élèves n'avaient pas l'œil particulièrement vif non plus à 8 heures. Qu'y aurait-il de mal à ce que les cours débutent à midi ?

Son appartement était déjà surchauffé par le soleil qui se répandait à travers sa baie vitrée. Elle ouvrit la porte coulissante pour laisser passer l'air, aussi infime soit-il, sur les sept cactus en pot qu'elle gardait sur sa loggia, à côté d'un transat de toile délavée et d'un barbecue rouillé dont elle ne servait jamais. Sa mère avait insisté, disant qu'elle aurait sûrement besoin de faire griller quelque chose un jour, mais ce jour n'était pas encore arrivé. Le plus souvent, Zadie se faisait livrer des plats thaïs ou achetait des salades toutes faites à l'épicerie. Pourquoi cuisiner alors que des professionnels le font si bien à votre place ?

Le chat galeux du voisin bondit sur le transat depuis le sommet du mur séparant leurs balcons. Il fila ensuite dans l'appartement de Zadie, dont il fit rapidement le tour. Elle donna un coup de torchon dans sa direction.

« Psitt ! Va-t-en. Il n'y a rien pour toi ici. »

Lorsque le chat fut bien sûr d'avoir inspecté chacun des cinquante-cinq mètres carrés, il ressortit sur le balcon et sauta par-dessus le mur. Zadie referma derrière lui. Ce n'était pas qu'elle n'aimait pas les chats, mais il avait chié au moins deux fois sur son transat et elle n'avait pas très envie qu'il redécore son canapé blanc cassé. Elle l'avait acheté avec l'argent obtenu après la revente de sa bague de fiançailles. À chaque fois qu'elle s'asseyait dessus, toute sa rage revenait comme au premier jour. Mais, au moins, sa colère la rendait plus forte. Enfin, pas au point d'agir véritablement, mais en tout cas cela lui donnait plus d'énergie que le désespoir.

La gamme d'émotions qu'elle ressentait ces derniers temps allait de la fureur à la dépression en passant par la torpeur ; elle aurait voulu rectifier cela, mais elle ne savait pas trop comment s'y prendre. Tout le monde lui disait qu'il lui faudrait du temps. Le livre que lui avait offert sa mère, intitulé *Comment survivre à une rupture*, conseillait de tenir un journal et de coucher ses sentiments sur le papier. Comment pouvait-elle avoir besoin de consigner ce qu'elle ressentait, voilà qui la dépassait complètement. Elle regrettait de ne pas pouvoir se servir de ces machins de purification indiens qu'utilisait sa colocataire à la fac pour se débarrasser de l'énergie négative ; elle aurait pu l'agiter à l'intérieur de sa tête jusqu'à ce que ses sentiments disparaissent. Elle ne voulait pas « faire son deuil » ni « laisser le temps agir ». Elle voulait appuyer sur la touche « effacer ».

Avant Jack, elle envisageait les relations amoureuses avec optimisme. Et ça, malgré tous les minets désinvoltes et les fifils à leur maman névrosés avec qui elle avait pu sortir. Elle avait toujours été certaine que le grand amour était là, quelque part. Enfin, jusqu'à ce qu'elle le trouve et qu'il s'avère être un gigantesque connard. Désormais, essayer de trouver le grand amour ne la tentait plus vraiment. Que ferait-elle d'un deuxième canapé ?

Heureusement, Jack n'avait jamais emménagé. Les chiens étaient interdits dans l'immeuble de Zadie et il possédait un labrador sable qu'il avait sauvé de la fourrière et qu'il aimait plus que sa propre mère. Et que Zadie, manifestement, avec le recul. Elle n'était pas allée vivre chez lui parce que son studio était trop miteux. Ils avaient prévu de se trouver un logement ensemble, mais un mois après leurs fiançailles, Jack avait décroché le rôle dans *Les Feux de l'amour* et acheté un appartement dans une copropriété. Zadie était censée emménager chez lui après leur lune de miel. Elle pouvait se féliciter de ne pas avoir lâché son bail.

En arrivant à l'école, Zadie se gara sur le parking des professeurs et traversa la pelouse, longeant le jardin zen agrémenté d'une exquise cascade. Sa salle de classe se trouvait dans le bâtiment principal, qui avait été conçu par I. M. Pei et dont le feng shui avait été soi-disant étudié par un Français qui avait un singe minuscule posé en permanence sur l'épaule. Il avait sûrement été payé plus que Zadie ne gagnait en cinq ans.

Les fenêtres de sa salle donnaient sur une mangeoire pour les colibris qui recevait la visite des petits salopiots les plus gloutons du règne ornithologique. Au-delà, il y avait un vallon rempli d'arbres exotiques, et entre les deux, de ci, de là, quelques superbes demeures. Elle se consolait en se disant que si ses élèves s'ennuyaient pendant ses cours, ils avaient au moins une belle vue.

Lorsque Trevor arriva pour la dernière heure, Zadie fit un effort particulier pour détourner les yeux, mais il portait un tee-shirt moulant et un de ces petits bobs très mignons par-dessus ses longs cheveux blonds de surfeur. Elle vivait un enfer. Que pouvait-il y avoir de pire qu'avoir envie de coucher avec un gamin de dix-huit ans ? Ça devait être les hormones. Elle n'avait jamais été attirée par un de ses élèves avant lui. Existait-il une pilule pour faire cesser ça immédiatement ?

« *Les Raisins de la colère.* Vous en avez pensé quoi ? » Elle parcourut l'océan de visages adolescents proprets.

Danielle leva la main. « C'était un peu déprimant. » Danielle était la fille d'un responsable de chaîne de télévision. À tous les coups, le concept de « désert de poussière » devait largement dépasser son entendement.

« Qu'est-ce qui t'a déprimée ? » Zadie aimait bien Danielle, elle espérait secrètement qu'elle n'allait pas dire quelque chose que Zadie ne pourrait pas s'empêcher de répéter à ses collègues professeurs après quelques margaritas.

« Ils n'ont pas de maison. Ils ne trouvent pas de travail. Ils n'ont rien à manger. Tout est déprimant, là-dedans ! »

Dieu merci, elle n'avait pas dit : « Ils n'avaient pas de sac Prada. » Il fallait s'attendre à tout avec les gosses de riches. Certains avaient des parents qui s'assuraient que leurs enfants sachent comment fonctionnait le reste du monde, et d'autres à Malibu jusqu'à leurs seize ans et qu'ils soient assez vieux pour faire un tour en voiture dans le quartier.

Après une discussion sur la pauvreté et ses effets sur l'esprit humain, Zadie libéra ses élèves en leur demandant de lire cinq chapitres de plus pendant le week-end, sur lesquels porterait l'interrogation du lundi. Lorsque la sonnerie retentit, Jorge approcha de son bureau.

« C'est la première de mon père, ce soir et pour fêter ça, on va skier à Mammoth tout le week-end. Je n'aurai pas le temps de lire. »

Zadie était habituée aux excuses, certaines étaient créatives, d'autres lamentables, mais le père de Jorge était un réalisateur ultraconnu qui avait quitté la mère de Jorge quand celui-ci avait cinq ans et avait eu trois autres épouses depuis : le fait que Jorge se rende à la première était important. Un ado a-t-il souvent l'occasion de se sentir fier de ses parents ? Quant au fait qu'il passe le week-end à skier avec son père, c'était tout simplement énorme. L'homme était un vrai connard qui ne jurait que par ses trois plus jeunes enfants, conçus avec ses trois plus jeunes femmes.

« *Les Raisins de la colère* peuvent attendre, dit Zadie. Amuse-toi bien avec ton père. »

Jorge lui fit un sourire. « Merci. Je le lirai lundi, promis. » Il se dépêcha de suivre ses camarades hors de la classe. Tous étaient sortis, sauf Trevor.

Comme il approchait de son bureau, Zadie se passa la main dans les cheveux, pour les arranger un peu. Les adolescents ne devraient pas être autorisés à mesurer un mètre quatre-vingt.

« Merci de nous avoir fait lire ce roman. Ça m'a permis de me rendre compte que je n'avais vraiment pas à me plaindre, dit-il.

— C'est toujours utile de mettre les choses en perspective », répondit Zadie. Ah bravo ! ça, c'était profond ! Elle essaya désespérément de trouver autre chose à ajouter, mais il lui souriait et elle fut incapable de penser à quoi que ce soit.

« C'est possible de changer le sujet de mon devoir trimestriel ? Je voudrais faire Steinbeck au lieu de Kerouac.

— Pas de problème, fit Zadie.

— Cool. Merci. » Il sortit, ce qui donna l'occasion à Zadie de remarquer que son tee-shirt épousait ses muscles d'une façon particulièrement seyante. Elle se força à détourner le regard.

Avant de quitter le lycée, Zadie passa dix minutes assise au volant de sa voiture avant de démarrer. Elle eut honte en repensant qu'elle s'était masturbée hier sur le chemin du retour. Et elle était furieuse de l'avoir raconté à Grey en guise de mise en bouche pour leur traditionnelle soirée tous les deux. Comment avait-il pu la laisser déballer son fantasme à la Mrs Robinson alors qu'il était sur le point de lui annoncer ses fiançailles ? Ce n'était pas qu'elle ne voulait pas le voir heureux. Et elle savait bien qu'il était amoureux. Elle ne souhaitait donc pas qu'ils rompent. Mais elle n'avait tout simplement pas prévu qu'ils se fianceraient si vite. Qu'est-ce qu'Helen pouvait bien lui trouver ? C'était le pire danseur de l'univers. Il était incapable de changer un pneu. Il possédait un tour de lit assorti à sa couette. Zadie n'avait même pas de tour de lit. D'ailleurs, qui avait besoin de ce genre d'horreur ?

En arrivant chez elle, elle appela Helen. « Salut ! Félicitations ! »

Sa cousine se montra aussi expansive que d'habitude. « C'est fou, non ? Il m'a demandée en mariage dans une montgolfière, juste au-dessus des vignes. »

Berk. Vraiment ? C'était un tel cliché. Jack lui avait demandé de l'épouser pendant un soixante-neuf. Elle ne pouvait même pas voir son visage – forcément. Elle avait juste sorti son sexe de sa bouche et avait dit : « Oui. » En y repensant, ce n'était pas aussi romantique qu'elle l'avait d'abord cru.

« C'est vraiment génial ! » Pas du tout. C'était même répugnant. Incompréhensible. C'était beau comme du Richard Clayderman. Une montgolfière ?

« Bien sûr, tu seras demoiselle d'honneur. » Pffiou ! Et dire que Zadie redoutait justement d'échapper à l'atroce robe de taffetas ! Elle qui craignait de ne pas se tenir aux côtés d'Helen devant l'autel, en faisant semblant d'être heureuse ! « Et ne t'inquiète pas, je te promets que la robe n'aura pas un gros nœud sur les fesses. » Ben voyons. Elle regrettait de ne pas avoir de magnétophone pour enregistrer cette conversation et lui repasser quand elle se trouverait dans l'église, bien évidemment vêtue d'une jupe à cerceaux couleur citron vert.

« Vous avez fixé la date ? » Mais bien sûr qu'elle l'a fixée. C'était Helen. Helen, qui avait fait des courbes pour son cycle menstruel sur les dix années à venir.

« Le lundi 30 mai, Memorial Day. C'était soit ça, soit le 12 novembre, selon mon numérologue, mais il fallait que je sois bronzée. Sinon, comment pourrais-je porter du blanc ? » C'était typiquement californien. Non que Zadie ait quoi que ce soit contre le soleil. C'était juste qu'il n'avait pas forcément d'influence sur sa garde-robe. Et elle n'avait rien non plus contre le fait qu'Helen porte du blanc. Pour autant qu'elle sache, Helen n'avait jamais vu un pénis de sa vie. Et elle n'en avait jamais sucé non plus. Helen était vierge. C'était un point sur lequel elle avait de très fortes convictions, dieu seul sait pourquoi. Mais l'abstinence n'était peut-être pas une si mauvaise tactique, après tout. Comment un type avec qui vous sortez depuis cinq mois pourrait-il vous demander en mariage, autrement ? Ce pauvre Grey devait sûrement mourir de rétention de sperme.

« Ouah ! Le 30 mai. Mais c'est bientôt. » Dans un mois, son meilleur ami allait épouser sa cousine la plus agaçante. Génial ! Tant de choses à fêter ! « Alors, j'imagine que tu es vraiment sûre de toi. »

Il y eut une pause à l'autre bout du fil. Puis, « Et pourquoi pas ? » Helen avait pris un ton très garce, celui dont se servent les gens qui ont envie de vous envoyer vous faire foutre mais sont trop polis pour le faire.

« Évidemment, tu es sûre. Ce n'est pas du tout ce que je voulais dire. C'est juste que tout s'est passé si vite. Je n'arrive pas à y croire. Pourtant si. Pourtant si, j'y crois. » Zadie était en train de s'enfoncer dans un trou colossal dont il fallait qu'elle se sorte au plus vite. « Je trouve ça formidable ! J'ai hâte d'être au mariage !

Oups, j'ai quelqu'un d'autre en ligne. Je te rappelle, d'accord ? »
La tactique du double appel factice. Tellement transparent. Tellement immature. Ça marchait à tous les coups.

Après avoir raccroché, Zadie ouvrit son frigo. Elle y trouva une salade chinoise au poulet de chez Wolfgang Puck, qui était là depuis la semaine précédente et dont la sauce avait disparu. Ils ne mettaient jamais assez de sauce dans ces petits récipients. Et le chou chinois n'est pas un aliment consommable sans lubrifiant. Il faudrait qu'elle en touche un mot à Wolfgang.

Elle prit sa voiture pour aller acheter quelques sushis de supermarché. Si elle avait eu de l'argent, elle en aurait acheté des vrais. Mais hélas, elle avait englouti la totalité de sa dernière paye dans les ultimes remboursements de sa robe de mariée. Pronuptia se fout que vous ayez été abandonnée devant l'autel. Pronuptia veut son fric.

De retour chez elle avec sa boîte en plastique contenant ses pseudo-sushis made in Californie de la veille, elle se planta devant le *Bachelor*, preuve tangible qu'il restait encore dans ce pays des femmes plus pathétiques qu'elle. Regarder ces femmes trembler en attendant une rose de la part d'un sombre crétin bouffi d'orgueil qui utilisait sans la moindre ironie le mot « vino » pour dire « vin », était le seul moyen que Zadie avait trouvé pour se remonter le moral.

Pendant la publicité, elle tenta de faire l'inventaire de tout ce qui allait bien dans sa vie. Son boulot. Tout allait pour le mieux de ce côté-là. Elle appréciait ses élèves et au moins les deux tiers des livres qui étaient au programme. L'enseignement ne ferait jamais d'elle une femme riche, mais ce n'était pas forcément ce à quoi elle aspirait. Son appartement était propre. C'était une chose. Il lui avait fallu trois mois d'entassement pour enfin se résoudre à faire un peu de ménage, même si c'était simplement parce qu'elle craignait que Jack ne passe un jour chez elle la supplier de le pardonner et qu'elle ne voulait pas qu'il voie à quel point elle s'était laissée aller à cause du chagrin. Elle savait bien qu'il ne « passerait » jamais chez elle ; c'était juste une motivation pour se débarrasser des vieux magazines et des boîtes de pizza vides. Ses cheveux. Elle aimait bien ses cheveux. Ils étaient longs, foncés et brillants, la plupart du temps. Et c'était à peu près tout. Son boulot, son appartement temporairement propre et ses cheveux.

Voilà tout ce qu'elle avait dans la vie.

3

Le mardi à l'école, Zadie déjeuna dans la salle des professeurs en compagnie de Nancy, l'enseignante en biologie aux grosses lèvres collagénées qui se berçait de l'illusion que les hauts en lycra lui allaient à merveille.

« J'ai rencontré un type pendant que j'attendais au lavage automatique. Il m'a invitée à dîner, j'ai accepté. Rien d'extraordinaire. La Casa Vega. J'ai commandé un taco fajita. Mais lui, non », dit Nancy d'un air entendu. Comme s'il y avait quelque chose à comprendre. Zadie mordit à l'hameçon.

« Et alors, où est le problème ? Tu ne peux pas embrasser un mec qui a mangé un enchilada ? » Zadie ne comprenait jamais rien aux critères de Nancy en matière d'homme. Elle sortait avec des imbéciles et proposait toujours des commentaires détaillés de l'action le lendemain. Zadie se demandait au fond d'elle si Nancy n'acceptait pas tous ces rendez-vous simplement pour avoir un sujet de conversation.

« Non, il n'a rien pris du tout. Il a picoré dans mon assiette.

— Effectivement, c'est un peu bizarre, je te l'accorde, fit Zadie.

— Ensuite il m'a demandé s'il pouvait m'essuyer le visage avec sa serviette de table.

— Tu avais bavé ?

— Non.

— Une crotte de nez ? »

Nancy jeta à Zadie un regard qui mettait en cause ses facultés mentales. « Non, je n'avais pas de crotte de nez, mon rouge à lèvres n'avait pas débordé, je ne bavais pas. C'était juste un taré. »

Zadie fronça les sourcils en réfléchissant à cette théorie. « En général, les tarés veulent que tu leur chies sur le torse, des trucs dans le genre. Je ne sais pas si je placerais l'essuyage de visage dans la catégorie des pratiques déviantes. »

Nancy lui jeta ce même regard. Zadie commençait à s'inquiéter. Était-elle pathétique au point de ne plus être capable de repérer les pervers ?

« Enfin, pour dire les choses clairement, il n'aura pas de second rendez-vous », conclut Nancy.

La plupart des hommes que rencontrait Nancy n'atteignaient jamais ce stade. Elle approchait la quarantaine et croyait toujours pouvoir trouver l'Homme de sa Vie. Tous ceux qui ne l'étaient pas n'avaient pas droit à un second rendez-vous. Pourquoi en serait-il autrement ? Elle ne se faisait pas injecter des toxines plein les lèvres pour attirer les coups d'un soir. Elle les réservait aux hommes ayant l'étoffe d'un mari. Celui qui avait convaincu ces femmes que leur lèvre supérieure était censée être plus grosse que leur lèvre inférieure avait réussi la blague la plus énorme de tous les temps.

« Alors, tu l'as laissé t'essuyer le visage ? C'était aussi bon pour toi que pour lui ? »

La situation désespérée de Nancy laissait Zadie de marbre.

« Crois-moi, tu riras moins quand tu te remettras sur le marché », remarqua Nancy.

Depuis son « mariage », Zadie n'était sortie avec personne ; elle n'était pas pressée. « Et qui a dit que j'allais remettre ça ? Tu es sortie avec tous les mecs de la ville et tu les as tous envoyés promener. Je n'ai pas envie de pêcher un gros naze dans tes rebuts. »

Pile au moment où Nancy la gratifiait de son regard lourd de sens, Dolores arriva. « Nancy essaye encore de te caser ? »

Dolores était ce que la plupart des gens décriraient comme une vieille fille. La cinquantaine bien avancée, cheveux marronnasses, pas de maquillage, jamais mariée, des vêtements avec élastique à la taille. Dolores était ce que Nancy essayait de ne pas devenir. Et Nancy était ce que Zadie essayait de ne pas devenir. À un âge où les femmes sont censées se serrer les coudes, il était incroyable de constater à quel point elles évitaient tout simplement de ressembler les unes aux autres.

Nancy ignorait que Dolores avait des plans. Elle n'était pas aussi bête qu'on aurait pu le croire. Lors de la fête de fin d'année, après quelques martini pomme, Dolores avait confié à Zadie qu'elle se payait régulièrement ces croisières pour célibataires avec séjours tout compris dans les îles afin de « se faire sauter. » Elle ne restait pas là à attendre l'Homme de sa Vie. D'ailleurs, elle n'en aurait même pas voulu. Elle, ce qu'elle voulait, c'étaient des parties de jambes en l'air torrides avec des inconnus pendant les vacances, un appart' pour elle toute seule et des pyjamas en pilou le reste du temps. Qui voudrait d'un mari qui risquerait de te forcer à regarder les matches de hockey alors qu'il y avait *Dirty Dancing* sur TBS ? Dolores avait un concierge pour réparer ses toilettes quand un problème survenait, des restaurants qui livraient à domicile, et une antenne satellite. C'était, à n'en pas douter, une femme heureuse. Elle avait dit à Zadie : « Quand tu revois tes ambitions à la baisse, tu te trouves étrangement en paix avec toi-même. » Tant que tu te rends à Pomona tous les deux mois pour baiser un VRP de Bakersfield dans une soirée échangiste.

« Il n'y a rien de mal à essayer de caser les gens. » Nancy sortait avec des inconnus au moins quatre fois par mois. Sa mère traînait dans les pressings et accostait tous ceux qui venaient déposer un costume et ne portaient pas d'alliance.

« Laisse Zadie se débrouiller toute seule. » On pouvait toujours compter sur le soutien de Dolores.

« D'accord, mais quand on voit sur qui elle tombe… » Nancy leva les yeux au ciel, comme si Zadie était la dernière des connes pour être ne serait-ce que sortie avec Jack. C'était sûrement le cas, mais c'était tout de même un peu grossier de le suggérer devant elle.

« Ce que je trouve génial, c'est que tu t'es assise là pour me raconter que tu as dîné avec un taré, et pourtant c'est moi qui suis censée me taper des gros nazes. » Zadie n'allait pas se laisser emmerder, surtout un jour comme celui-là.

Voulant éviter ce qui s'annonçait inévitablement comme une dispute, Dolores les interrompit : « Vous avez vu Trevor Larkin avec son tee-shirt moulant aujourd'hui ? »

Zadie et Nancy tournèrent toutes les deux la tête vers elle et lui jetèrent un regard ahuri.

Dolores poursuivit, imperturbable : « À votre avis, il faudrait combien de temps pour le lécher de la tête aux pieds ? »

Sur ce, Zadie, qui s'imaginait très bien en situation, préféra s'excuser.

4

Le samedi soir arriva en fanfare, comme toujours : l'horloge de Zadie sonna, son micro-onde émit un bip et son alarme de voiture se déclencha. Mais ce n'était pas un samedi soir comme les autres. Elle se rendait à la fête de fiançailles de Grey et Helen.

Elle fit deux arrêts en chemin, l'un sur Hollywood Boulevard pour acheter une photo de Steven Seagal dans une boutique de souvenirs, et l'autre chez Aaron Brothers pour se procurer le cadre en étain qui l'accueillerait. Leur cadeau de fiançailles. Elle était certaine qu'Helen enlèverait le portrait de Steven Seagal à l'instant où elle le verrait pour le remplacer par une photo de leur montgolfière, prise après la demande en mariage, mais ça n'était pas grave. Grey comprendrait la plaisanterie. Le soir de leur rencontre, Zadie et Grey avaient vu Steven Seagal en train de dîner, seul, dans la cafétéria où ils avaient atterri. Il avait devant lui une assiette de gaufres et un croque-monsieur. Avec un milk-shake. Grey avait secrètement payé sa note.

En arrivant à Newport Beach, elle tourna en rond en essayant de trouver ce foutu restaurant. Normalement, elle aurait fait la route avec Grey. Mais pas aujourd'hui, évidemment, puisque c'était lui le marié. Non, monsieur Grey était déjà sur place depuis 10 heures du matin pour aider à « préparer ». Au moins, elle n'avait pas à craindre d'être submergée par les souvenirs de sa propre fête de fiançailles avec Jack. Il n'y en avait pas eu. Ça ne leur avait même pas traversé l'esprit. Le mariage ne suffisait donc pas ? Combien de fois voulez-vous que les gens se rassemblent en l'honneur de votre amour ?

Lorsqu'elle arriva enfin à destination, elle était déjà irritée. Au sens propre. Elle portait un nouveau soutien-gorge censé la mettre en valeur dans sa robe bain de soleil rouge, mais tout ce qu'il réussissait à faire c'était de s'incruster dans son épaule en laissant dégouliner ses seins par en dessous. Elle s'arrêta et, une main dans chaque balconnet, remonta le tout avant d'entrer. Le voiturier lui lança un regard qui oscillait entre le désir et la peur.

Le restaurant italien était situé sur l'eau, donnant sur une marina remplie de yachts à trois millions de dollars. Une mouette s'était soulagée sur le palmier en pot à côté de la porte. Ce qui n'était jamais bon signe.

À l'intérieur, la salle, d'ordinaire d'une élégante simplicité, avait été transformée en une explosion de roses rose pâle. Tous ceux qui connaissaient Helen savaient que le rose était sa couleur préférée. Et les roses ses fleurs préférées. Et le sourire son expression préférée.

« Zadie ! » Helen ouvrit grands les bras et enlaça sa cousine comme si elle avait été récemment déclarée disparue en mer. « Regarde-toi, tu es superbe ! » Comme si la dernière fois qu'Helen avait vu Zadie, celle-ci avait eu l'air d'un rat crevé. Bien entendu, cette possibilité n'était pas à exclure, étant donné son penchant post-mariage avorté à sortir en public vêtue d'un bas de pyjama et d'un tee-shirt.

Helen, évidemment, était sur son 31. Blonde chevelure, jusqu'aux seins. Sourire Ultra-Brite. Ventre à trois cents abdos par jour. Yeux bleu turquoise. Petite robe noire. Boucles d'oreille en diamant. Bague de fiançailles en diamant. Bordel. Grey avait claqué un max de blé. Elle était énorme. Au moins deux carats. La bague que Jack avait offerte à Zadie ressemblait à une amibe.

Zadie serra sa cousine dans ses bras. « Et toi, une future mariée resplendissante ! » Pourquoi le bla-bla des mariages fourmillait-il autant de clichés ? Il fallait vraiment que quelqu'un tente d'introduire de nouveaux adjectifs. « Fétide » ou « Moisi » par exemple.

Grey était de l'autre côté de la pièce, tiré à quatre épingles dans son costume anthracite avec une rose rose au revers, occupé à bavarder avec toute la famille d'Helen. Qui était également celle de Zadie. Celle-ci ne vit qu'une seule personne avec qui elle avait envie de discuter : Denise. La sœur d'Helen. Zadie s'était toujours sentie plus proche de Denise parce qu'elles avaient le même âge et que c'était une grosse fêtarde. Sauf qu'elle était maintenant enceinte. Assise dans un coin, elle s'appliquait à engloutir une assiette de calmars à un rythme effarant. C'était au mariage de Denise qu'Helen et Grey s'étaient rencontrés. À ce moment-là, personne ne s'était rendu compte que Denise était enceinte, mais il lui était désormais bien difficile de le dissimuler. Son ventre était aussi gros qu'une Coccinelle Volkswagen.

Zadie s'assit à côté d'elle et plongea un anneau de calmar dans la sauce tomate. « Alors, qui est le père ?

— Très drôle. » Denise jeta un coup d'œil en direction du bar où s'imbibait allègrement son mari, Jeff, dont la bedaine de buveur de bière n'avait rien à envier à la sienne. « Lui, il a le droit de boire de la Corona et moi je dois me contenter d'eau gazeuse. Il a intérêt à m'attendre dans la salle d'accouchement avec un pichet de sangria quand j'expulserai ce truc.

—Vous avez l'air de respirer le bonheur, tous les deux. » Certes, c'était un peu vache, mais Zadie était de mauvaise humeur.

« Je suis une vraie baleine. Le bonheur n'est pas vraiment au programme pour l'instant. Mon seul but dans la vie, c'est bouffe ou encore plus de bouffe. » Elle passa aux morceaux de mozzarella, qu'elle n'hésita pas à tremper dans la crème.

« Alors, que dis-tu des prochaines noces ? » Zadie regarda Grey se glisser derrière Helen, passer le bras autour de sa taille et sourire à sa grand-mère. « À ton avis, ils vont être heureux ? »

Denise haussa les épaules sans cesser de manger. « Helen est toujours heureuse. Et Grey est génial. Pourquoi ? Tu crois que ça ne va pas marcher ? »

Zadie ne quittait pas le couple des yeux. Ils souriaient. S'enlaçaient. Suintant d'amour par tous les pores. Elle devait reconnaître qu'ils paraissaient plus qu'heureux. Grey était si béat qu'on aurait pu le croire drogué. Helen était en lévitation. Ils étaient parfaits, ensemble. Helen irradiait de pureté et de lumière, et elle déteignait sur Grey, rayonnant, ravi d'avoir trouvé la femme qui ne lui ferait jamais de mal. Malgré son amertume et les miettes en provenance de l'assiette d'une femme enceinte affamée qui lui tombaient dessus, Zadie ne pouvait s'empêcher d'être contente de voir Grey si épanoui. Elle pourrait encore passer du temps avec lui une fois qu'il aurait épousé Helen, hein ? Helen aurait bien des trucs à faire un ou deux soirs par semaine. Des réunions Tupperware, par exemple. Un club de littérature. Un foyer pour femmes tellement pimpantes que ce devrait être interdit.

Grand-mère Davis, qui venait de l'apercevoir, s'approcha cahin-caha dans un nuage de mousseline couleur pêche. « Zadie, tu es ravissante. » Grand-mère Davis était considérée comme aveugle, d'un point de vue juridique. Un compliment de sa part était toujours sujet à caution. « Denise, doux Jésus, ce que tu as grossi. » Ah, elle y voyait peut-être encore clair, finalement.

« Je suis enceinte de six mois, grand-mère.

— Mais tu viens à peine de te marier, un, deux, trois… compta-t-elle sur ses doigts. Il y a cinq mois de ça. »

Zadie entraîna son aïeule vers le buffet avant qu'elle ait le temps d'entendre la réponse de Denise. « Comment ça va, grand-mère ? » Celle-ci avait fait une chute monumentale l'année précédente et était encore en rééducation. Elle regardait un film de Ginger Rogers et s'était mis en tête de reproduire la chorégraphie dans son salon. Ginger avait trente ans au moment du tournage. Grand-mère, quatre-vingts. Et elle était un peu pompette, pour être tout à fait honnête.

« Je vais bien. C'était trois fois rien.

— Une hanche cassée, c'est loin d'être trois fois rien.

— Si Chester avait été là, je ne serais jamais tombée.

— Je suis sûre que grand-père Chester aurait été là s'il n'était pas… comment dire… mort. »

Grand-mère Davis prit le visage de Zadie entre ses mains. « Tu vois ce qui arrive aux femmes seules, Zadie ? Voilà pourquoi il faut que tu te trouves un homme. »

À l'instant où Zadie était sur le point de coller une droite dans la mâchoire de sa grand-mère, Grey fit son apparition et lui sauva la mise. « Grand-mère, regardez-vous ! » Il la fit virevolter sur elle-même dans un tourbillon de jupe. « Je me demande si vous n'essaieriez pas de me ravir à Helen ? » Grand-mère Davis gloussa de plaisir et Grey la guida vers le plateau de charcuterie en jetant à Zadie, un regard qui disait « Je reviens dès que je lui ai refourgué ses tranches de prosciutto. »

Tandis que Zadie l'attendait, elle vit ses parents franchir la porte. C'était la totale, ce soir. Elle essayait en vain de les éviter depuis le jour de son « mariage ». Tout ce qu'ils voulaient, c'était l'étouffer de compassion, mais leur déception transpirait si abondamment que Zadie avait envie de pleurer à chaque fois qu'elle posait les yeux sur eux. Comme si elle les avait laissé tomber en étant la fille que Jack ne voulait pas épouser.

Ses parents vivaient à Ventura, la ville où Zadie avait grandi. À deux heures de voiture de ce fameux restaurant. Papa était un expert-comptable dégarni qui passait ses week-ends devant la Formule 1. Maman une courtière d'assurances qui terminait au moins quinze mots croisés par jour et ne manquait jamais une manucure. Une vie stable et sans surprise pour un couple stable et sans surprise. Mariés depuis trente-sept ans. Pas la moindre idée de ce que pouvait être la vie de célibataire à Los Angeles, quand on est à la recherche d'un mec dont le but ne soit pas de coucher avec une actrice.

Zadie avait l'impression que si l'on avait fait un sondage parmi les initiés, Los Angeles serait sûrement désignée la pire ville du monde où être une femme célibataire. Les moindres reines de promo et pom-pom girls en chef des villes les plus pourries d'Amérique convergeaient à L.A. pour y être « découverte ». Qu'elles aient ou non du talent. Et quand, au lieu de ça, elles découvraient que toutes les autres filles au métabolisme parfait et à la peau nette étaient venues vivre dans ladite localité pour la même raison, elles se trouvaient contraintes d'accepter des petits boulots, comme préparer des cappuccinos au lait de soja ou plier des pulls au Beverly Center, en attendant L'Homme. L'Homme pouvait prendre diverses apparences : directeur de casting, d'agence de mannequins, Hugh Hefner, ou petit type trapu plein de fric originaire du Moyen-Orient. Les filles aux mœurs légères tombaient facilement dans la dépravation : elles tournaient des pornos dans la Vallée, faisaient office d'« hôtesses » chez le sultan du Brunei pendant six mois ou passaient tout simplement leurs journées dans un appartement à l'ouest de L.A., à attendre L'Homme, qui payait le loyer pour coucher avec elle une fois par semaine, pendant que sa femme se faisait faire son épilation maillot. Parfois il est si simple d'oublier les rêves de gloire au profit d'un apport de fric régulier.

Les beautés ambitieuses ne se faisaient pas avoir aussi facilement. À moins de tomber sur quelqu'un dans L'Industrie. Ces hommes étaient capables d'appâter les petites mignonnes avec des promesses de contacts. « Hé, chérie, je peux te présenter mon copain Dave. Il tourne un film pour New Line le mois prochain. »Les contacts étaient difficiles à obtenir, alors si Bob le Chauve connaissait Dave le Réalisateur, et que Jolie Polly voulait devenir une star, alors Bob le Chauve aurait droit à une petite gâterie. Pour réduire l'équation à sa plus simple expression : des hommes capables de tuer pour coucher avec vous à Plouc City pouvaient se taper les plus belles filles à Los Angeles. Autrement dit, dans un bar, n'importe quelle fille normale se trouvait en compétition avec des nanas de première catégorie pour mettre le grappin sur des mecs qui ne méritaient même pas la moyenne.

Les hommes seuls à Los Angeles étaient différents. Surtout les acteurs. L'ego de l'acteur mâle a besoin d'encouragements permanents, alors si vous étiez une belle fille avec plein d'encouragements à prodiguer, vous étiez sûre de trouver un beau gars à qui les adresser. Jack avait eu besoin des mots gentils de Zadie quand il n'était personne. Une fois devenu quelqu'un, il avait eu des fans pour les lui répéter. Et un agent. Un manager. Un avocat. Un attaché de presse. Un producteur. L'actrice qui lui donnait la réplique. Et la première bimbo qui le reconnaissait au Sky Bar. Qui avait besoin d'une femme avec tout ça ? Quel intérêt de se marier quand on était maintenant de ceux qui pouvaient se taper une nana de première catégorie ?

Bien entendu, il y avait toujours ceux qui prétendaient en avoir assez des belles filles dépourvues de cerveau et qui voulaient seulement une prof sympa, intelligente, simple, avec qui ils pourraient vivre. Ces hommes étaient des baratineurs.

Grey la rejoignit au moment où ses parents s'approchaient d'elle. « M. et Mme Roberts. Merci d'être venus ! » Zadie le dévisagea. Elle ne rêvait pas, il venait de terminer sa phrase par un point d'exclamation. Était-ce contagieux ?

Les parents de Zadie avaient rencontré Grey lors de l'opération « Sortons Zadie de son appartement » organisée par Helen l'hiver précédent. Ça avait été un succès. Ils étaient tous allés dîner chez Jerry, une cafétéria. Super-méga-délire.

« Comment vas-tu, chérie ? s'enquit son père en parcourant la salle du regard, espérant très fort qu'elle ne répondrait pas franchement.

— Je vais bien, papa. Et toi ?

— Je me remets doucement après les impôts. » Il jeta un coup d'œil vers le bar et aperçut grand-mère Davis qui descendait un punch. « Mavis, ta mère boit. »

Mavis Roberts (nom de jeune fille : Mavis Davis) poussa son mari en direction de sa mère.

« Fais quelque chose, Sam. » Comme si c'était son devoir, en tant que mari, d'empêcher sa mère de se prendre une cuite.

« Laissez-moi vous aider », fit Grey en entraînant Sam vers le bar où ils se mirent à gaver grand-mère de canapés. Oh non ! Zadie se retrouvait seule avec sa mère. À l'aide !

« Tu as l'air malade. » Ça faisait toujours plaisir. Mais Zadie savait que Mavis n'allait pas s'arrêter en si bon chemin. « Tu ne prends pas assez le soleil. » Pour le reste du monde, le bronzage était dangereux. Pour les Californiens, c'était un gage de bonne santé. À moins de vivre à Beverly Hills, où l'on voyait vraiment des femmes avec des parasols protéger de la canicule la nouvelle peau qu'elles venaient d'acheter à un bébé phoque.

« Je vais bien, maman. Je travaille beaucoup, c'est tout.

— Tu sors à 16 heures. Le soleil est encore là.

— Pas sur mon balcon.

— Et tu ne peux pas aller à la plage ? » Mavis et Sam s'étaient rencontrés sur une plage lors d'un barbecue, dans les années 60. Ambiance « coquillages et crustacés ». Mavis était persuadée que le destin de Zadie se trouvait dans le sable près de la jetée de Santa Monica. Tout ce que Zadie avait trouvé à Santa Monica était des SDF qui en avaient après sa monnaie. Elle avait récemment donné un dollar à un clodo parce qu'il avait dit la trouver jolie.

« Maman, arrête. Je prendrai le soleil quand les cours seront terminés. » Oh mon dieu, l'été était presque là. Comment allait-elle s'occuper pendant trois mois ? Elle pourrait peut-être se dégoter des cours d'été. Ou enseigner en atelier d'écriture. Peut-être que Trevor s'inscrirait et viendrait en cours torse nu. Elle vida son verre de vin en essayant d'évacuer cette idée. Dieu merci, il terminait le lycée à la fin de l'année.

« Il y a quelques hommes séduisants à cette fête. Tu as remarqué ? » demanda Mavis.

Zadie regarda par-dessus la tête de sa mère, ce qui n'était pas très difficile puisque Mavis mesurait à peine un mètre cinquante-cinq, et repéra un brun avec une chemise verte debout au bar. Il avait le genre de carrure qui lui plaisait. Grand et large d'épaules. Certaines les préféraient maigrichons, dans le style rockstar androgyne, mais pas elle. Puisque les femmes se devaient d'afficher le physique idéal de Betty Boop, alors merde, les hommes pouvaient bien leur proposer des muscles en échange. Elle regarda Chemise Verte prendre une gorgée de bière et faire rire sa tante Josephine. Trois ans plus tôt, Zadie n'aurait pas hésité à l'approcher et à lui faire la conversation avec esprit, mais aujourd'hui, cela lui paraissait sans intérêt.

Son regard revint se poser sur sa mère. « Non, je n'avais pas remarqué. »

Avant que Mavis ait pu protester, le père de Zadie et Grey

réapparurent, non sans avoir laissé grand-mère Davis entre de bonnes mains, clouée à la table des parents de Denise et Helen. « Elle a une hanche artificielle. On aurait pu croire qu'elle éviterait de danser le tango en talons, mais penses-tu. » Sam s'assit et but un peu de sa Guinness.

Grey mit un bras autour des épaules de Zadie et demanda à Mavis : « Ça ne vous ennuie pas que je vous l'emprunte quelques minutes ?

— Allez-y, je vous en prie. » Mavis estimait que Zadie était folle de ne pas considérer Grey comme un mari potentiel. Elle avait tort de laisser filer un bon parti ! Lorsque Mavis et Sam avaient fait sa connaissance, Mavis avait pris Zadie à part et lui avait dit : « Il a des stock-options et tu l'as laissé à Helen, comme ça, pour rien ? » Zadie avait eu envie d'expliquer à sa mère que Grey était le genre de type à renvoyer trois fois un cheeseburger qui n'était pas à son goût, mais à quoi bon ?

Grey l'emmena à l'extérieur, sur le pont donnant sur la marina. Zadie le suivit bien volontiers. À ce moment précis, elle aurait été capable de conduire jusqu'à Detroit rien que pour s'éloigner de sa famille.

Il l'observa, l'air soucieux. « Comment vas-tu ? » Et voilà, c'était la grande question de la soirée ! Personne n'avait envie de lui demander l'heure ? Ou bien ce qu'elle pensait de la situation en Irak ? Ou combien de fois elle avait roté après avoir mangé du saumon ?

« Pour la quatre-vingt quinzième fois ce soir, je vais bien. Et toi comment vas-tu, futur marié ? » Elle y avait mis juste ce qu'il faut d'ironie pour ne pas paraître trop tarte.

« Super. Je suis à deux doigts de me faire dessus, mais super.

— Tu as l'air de t'amuser, en tout cas. » Elle le pensait vraiment. Il en avait l'air. Même pas besoin de prendre un ton ironique.

« C'est le cas. Je ne saurais pas expliquer pourquoi, mais j'aime bien ta famille.

—Je te déconseille quand même de t'inscrire au fan club. Tu t'y retrouverais tout seul.

— Je voudrais bien te présenter Mike, mais quelque chose me dit que tu n'es pas d'humeur. »

Pendant une seconde, Zadie se demanda si Mike était le type à la chemise verte, mais peu importait. Faire sa connaissance n'avait pour elle aucun intérêt.

« Tu es tout à fait raisonnable, dit-elle. En plus, c'est ta soirée, ce soir, tu n'es pas censé t'inquiéter de caser tes amis. Tu es censé t'occuper de ta fiancée.

— Helen n'arrête pas de sourire. » Il semblait fier.

« Helen n'a jamais arrêté de sourire de toute sa vie. Même le jour où je lui ai tiré dans le genou avec une carabine à air comprimé, elle souriait. » C'était une bonne journée. Elle était en CE2. Un pique-nique, l'été. Ah, la beauté sauvage de l'enfance.

« Alors c'est ça, la cicatrice ? » Grey avait l'air sincèrement inquiet.

Zadie leva les yeux au ciel. « Je rêve. Tu as appris sa peau par cœur ?

— J'ai l'air pathétique, hein ?

— Tu l'es. »

Grey lui sourit. Ils trinquèrent et contemplèrent la marina. « Le père d'Helen ? C'est un dealer. De colombienne. Il en écoule cinquante kilos par jour. »

Zadie lui sourit et reprit le cours de leur délire. « Ma tante Josephine ? Une call-girl. Qui fourgue des armes de poing au noir.

— Ta grand-mère Davis ? Un trav'. » Zadie en cracha sa bière par-dessus la rambarde, jusque dans le port. Grey éclata de rire. Et tout était à nouveau pour le mieux dans le meilleur des mondes.

« Je suis contente pour toi, tu sais. C'est vrai. Helen ne te trompera jamais, elle restera toujours belle et heureuse et vous aurez des petits bébés souriants qui n'auront jamais besoin d'appareils dentaires.

— Tu crois qu'elle me supportera aussi longtemps ?

— Je peux te garantir qu'elle choisira elle-même son tour de lit, mais en dehors de ça, je crois que tu survivras. »

Grey mit son bras autour de ses épaules et la serra fort tandis qu'ils continuaient d'admirer la marina. Au bout de la jetée, un pêcheur était en train de pisser sur la coque d'un yacht. C'était une nuit magnifique.

5

Assise dans sa salle de classe à surveiller un devoir, le lundi, Zadie était obsédée par ce qu'Helen avait osé lui demander : si elle craignait de fondre en larmes pendant la cérémonie. Sous-entendu, des larmes de désespoir. Zadie n'avait pas pleuré une seule fois durant le fiasco qui lui avait fendu le cœur. Elle avait attendu d'être de retour à la maison pour exploser. Avec Grey pour témoin. Le fait qu'Helen pense que son précieux mariage allait faire pleurer Zadie la mettait en rage. Non, elle n'allait pas verser une larme. Elle allait peut-être vomir, mais pas pleurer.

C'était signé Helen, ça. Elle faisait tout pour que Zadie se remette à la détester au moment même où celle-ci faisait de son mieux pour l'apprécier.

Zadie n'avait jamais eu de problème avec Helen (enfin, rien de grave) avant le lycée. Lorsque Helen atteignit la puberté, elle développa des seins parfaitement insolents. Ni trop gros, ni trop petits. Les seins de Sharon Stone à l'époque de *Basic Instinct*. Elle les avait encore. Contrairement à Zadie, dont les bonnets C étaient bien plus sujets à la gravitation qu'elle ne l'aurait souhaité.

Certains mois, l'attraction de la terre semblait avoir plus de conséquences. Août, par exemple. À chaque fois qu'elle enfilait un bikini, ses seins paraissaient très nettement attirés vers le bas. Le gauche un bon centimètre plus bas que le droit. Ce qui n'était pas prévu dans le cahier des charges de Victoria's Secret. Si elle avait eu besoin de lingerie fine, elle se serait peut-être fendue d'une lettre. Mais puisqu'elle passait tous ses week-ends planquée dans son appartement, elle s'en foutait pas mal. Sauf quand elle voyait les seins d'Helen.

Mais ce n'était pas seulement la supériorité physique de sa cousine qui irritait Zadie, c'était sa perpétuelle bonté. Un jour, Helen lui avait offert un chaton. Pour ses seize ans. Car Helen lui offrait toujours un cadeau pour son anniversaire. Zadie avait déjà du mal à se souvenir quand elle était censée changer le filtre sur son robinet, alors pour ce qui était d'acheter à ses cousines de charmants cadeaux d'anniversaire... Denise paraissait s'en ficher pas mal. Elles ne s'étaient jamais rien offert. Mais Helen lui envoyait quelque chose chaque année, sans faute, une vraie plaie. Rappelant à Zadie qu'elle était trop désorganisée et insensible pour faire de même.

Quelquefois, Zadie avait l'impression qu'Helen se montrait bien élevée dans l'unique but de faire remarquer aux autres qu'ils ne l'étaient pas. Sans compter que sa prévenance ressemblait toujours à un règlement de compte. Le chaton avait pissé sur la totalité de sa couette. Et le magnifique miroir au cadre en terre cuite d'Italie qu'elle lui avait offert pour son trentième anniversaire ne servait qu'à rendre Zadie honteuse de sortir aussi souvent de chez elle sans maquillage. Pourquoi offrir à quelqu'un un cadeau qui lui rappelle ses complexes ? Pourquoi Helen ne lui avait-elle pas carrément donné une photo d'elle-même avec une carte qui disait « Tu es nulle, pas moi », tant qu'elle y était ? Elle aurait été moins vexée...

À la fin de l'heure, Zadie avait une migraine atroce et était désormais persuadée que sa cousine méritait d'être torturée par des guêpes en furie. Avant ses fiançailles, Helen et sa saleté de perfection n'étaient qu'une source secondaire d'irritation. Maintenant, elle avait l'impression que c'était la source numéro un, son obsession permanente.

Lorsque Trevor entra dans la salle pour le dernier cours de la journée, on distinguait la naissance de sa raie des fesses. Celle du plombier de cinquante ans sous l'évier, c'était bon pour Video Gag, mais une raie des fesses aperçue sur un gamin de dix-huit ans dont les fesses bien rondes se trouvaient juste en dessous, voilà de quoi en faire un objet de vénération. Un jour que Zadie attendait derrière lui au distributeur de Coca, elle s'était imaginée ce que ça ferait de poser ses lèvres sur sa nuque – si lisse, si bronzée, si douce. Soupirerait-il ? Se retournerait-il pour l'embrasser sur la bouche ? Banderait-il ? Elle détourna les yeux. La vue de sa raie des fesses l'envoya dans une spirale de honte. Non, non, non. Trevor n'était pas léchable. Il n'avait sûrement même pas bon goût.

Elle tenta de se changer les idées en consultant la feuille de présence, mais Trevor avança jusqu'à son bureau. « Mme Roberts, vous n'auriez pas quelqu'un qui pourrait me pistonner pour Stanford ? Je suis sur la liste d'attente. »

Zadie releva la tête, en essayant de ne pas le regarder droit dans les yeux. « Tu en as parlé à ton prof principal ?

— Il ne connaît personne.

— Et qu'est-ce qui te fait croire que je ne serai pas dans le même cas ?

— Vous êtes cool. Vous connaissez forcément quelqu'un. » Elle préférait en général oublier que ses élèves la trouvaient cool parce qu'elle avait été fiancée à Jack. Mais dans ce cas précis, elle songea que grâce à cela, Trevor allait peut-être la trouver plus sexy qu'il ne l'aurait cru en temps normal. Le tragique et la joie associés à cette pensée virevoltèrent dans sa tête, aggravant encore sa migraine.

« Je vais essayer de te trouver ça, mais je ne te promets rien. »

Il lui sourit. « Merci. Vous êtes trop canon. » Oh que oui. Ah ça, au lit, surtout, elle était trop, trop canon. Et il s'en irait à Stanford avec une connaissance approfondie du clitoris. Ce serait lui rendre service, d'ailleurs. À lui et aux femmes de Stanford. Pourtant, il lui faudrait vivre avec le fait qu'elle avait dévoyé un adolescent, fait bien trop lamentable pour être envisagé. Elle avait beau être cinglée, il lui restait encore une conscience.

Au déjeuner, ignorant Nancy qui lui faisait signe de la rejoindre à sa table de pique-nique, Zadie se dirigea vers sa voiture d'un pas décidé. Elle descendit Ventura Boulevard et se gara près de l'entrée d'un restaurant, le Sportsman's Lodge. Elle avait lu dans un magazine spécialisé dans les feuilletons que les fans des *Feux de l'amour* devaient se retrouver là pour déjeuner. Pas question de mettre un pied là-dedans. Elle n'était pas pathétique à ce point, quand même. Elle voulait juste le voir passer devant elle. Uniquement pour s'assurer qu'il ne lui faisait plus aucun effet. D'ailleurs, elle n'aurait même pas dû lire ce magazine, mais elle semblait abonnée à vie. Il n'arrêtait pas de surgir dans sa boîte à lettres. Elle avait simplement remarqué la mention « Mangez de la quiche avec les hommes des *Feux* ! » sur la couverture. Ce n'était pas comme si elle était venue le harceler. Elle voulait seulement une preuve qu'il n'était qu'un frimeur qui portait maintenant des pantalons en cuir.

Le jour où Zadie s'était rendu compte qu'elle était amoureuse de Jack, il tombait des cordes. De la pluie provoquée par un El Niño, qui paraissait plus mouillée que la pluie normale. Jack était allongé sur le ventre, dans la boue, en train de changer le pneu de Zadie, sur les coteaux de Laurel Canyon. Les voitures les dépassaient en trombe, de l'eau dégoulinait le long de la colline en un torrent qui risquait d'ici peu de se transformer en crue soudaine et Zadie était bien au chaud, bien au sec dans sa voiture pendant que Jack dévissait ses écrous. La majorité des mecs auraient appelé la dépanneuse. En tout cas, la majorité de ceux qui vivaient à L.A. Ils l'auraient aussi engueulée d'avoir heurté le trottoir et crevé le pneu. Mais Jack avait tout simplement dit : « Laisse, je m'en occupe » et il était sorti changer la roue. Le fait qu'il en ait été capable était un plus. Et qu'il se soit porté volontaire, un bonus quatre étoiles. À ce moment précis, Zadie avait été submergée par un tel flot d'amour pour lui qu'elle avait baissé sa vitre et sorti la tête sous la pluie pour le lui dire. Il s'était mis à genoux, l'avait embrassée et lui avait répondu qu'il l'aimait aussi. À l'époque, ils sortaient ensemble depuis deux mois.

Zadie jeta un coup d'œil à sa montre. Elle attendait depuis trente minutes. Si elle ne partait pas bientôt, elle allait rater le début du cours suivant. Au moment même où elle mettait le contact, elle vit arriver une Porsche. Jack en descendit et pénétra dans le restaurant d'un pas nonchalant en saluant de la main les ménagères qui s'époumonaient sur son passage.

Il portait des lunettes de soleil.

Alors que le temps était nuageux.

Et que la luminosité n'imposait absolument pas qu'il se protège les yeux.

Zadie démarra et s'éloigna. Elle ne ressentait rien. Excepté une nausée irrépressible et un accès de rage aveugle.

De retour sur Ventura Boulevard, elle aperçut un clochard ivre assis sous l'auvent d'un marchand de donuts, un gobelet à la main. Elle s'arrêta à sa hauteur et baissa sa vitre.

« Hé, j'ai un boulot pour vous. »

Le SDF leva les yeux, l'air de se demander s'il devait s'en réjouir ou s'en désoler. « C'est quoi ? »

Zadie lui tendit un billet de vingt dollars. « Vous voyez ce parking, là-bas ? Il y a une Porsche Boxster couleur argent garée au fond. Je voudrais que vous pissiez dessus.

— Vous voulez que je pisse sur une voiture ?

— En vous assurant de bien viser la poignée côté conducteur.

— C'est à qui, cette voiture ?

— Oussama Ben Laden.

— Sans déconner ? On devrait peut-être appeler quelqu'un. »

Merde. Un clodo citoyen. « C'est celle de mon ex-fiancé.

— Il vous a fait des misères ?

— À cause de lui, j'ai beaucoup pleuré. »

Le clochard fronça les sourcils puis hocha la tête. « Je suis votre homme. » Il empocha le billet de vingt et défit sa braguette tout en approchant du restaurant.

Zadie s'en alla ; elle lui faisait confiance pour bien s'acquitter de sa mission.

6

Lorsque Grey passa la prendre pour aller surfer le samedi, Zadie faisait de son mieux pour désodoriser sa combinaison. Elle l'avait laissé mariner dans le coffre de sa voiture après leur dernière sortie de surf, un mois plus tôt. Elle avait maintenant une odeur de vomitif pour boulimique.

« Tu es prête ? Il y a des vagues d'un mètre. Bien lisses, bien propres. »

Elle était tout à fait prête. Elle avait envie de cette sensation : se dresser avec aisance sur sa planche, rejoindre la plage en une longue glisse. Il y avait quelque chose de magique à se tenir debout sur l'océan, sous le soleil, avec l'impression de faire quelque chose de vraiment très cool. Même si cette activité n'avait pas été « cool », elle l'aurait pratiquée, bien qu'elle reconnaisse n'être qu'une surfeuse du dimanche. Elle n'aimait pas porter sa planche, ni tous les aspects épuisants de ce sport, comme nager pour atteindre la vague ou lutter contre le courant pour rester en position. Elle avait entendu dire qu'à Waïkiki, on pouvait simplement aller à la plage et louer un surf sur place, ainsi qu'un Hawaïen fort et costaud pour vous pousser dans les vagues. C'était son rêve. Un jour, elle s'offrirait ce petit cadeau.

En attendant, elle passait vingt minutes à fixer son surf sur le toit de la voiture de Grey. Ils partaient pour le sud, la plage d'Huntington Beach, à Bolsa Chica. Un super *spot*, quand on savait éviter les raies pastenague. Pour les effrayer, il fallait soi-disant traîner les pieds dans le sable. En général, Zadie s'y appliquait si consciencieusement qu'on avait l'impression qu'elle exécutait un genre de danse des sabots. Si par malheur vous marchiez sur un de ces animaux, il fallait tremper son pied dans l'eau bouillante. Super.

Lorsqu'ils arrivèrent à destination, les vagues ne faisaient que soixante centimètres et n'étaient pas si lisses que ça. Merci pour les prévisions. Mais il était facile de ramer jusqu'à une vague de cette taille, alors elle n'avait pas à se plaindre. Un jour qu'il y avait des rouleaux d'un mètre cinquante, Grey l'avait emmenée à San Clemente et elle s'était pris des claques dans la figure pendant quarante-cinq minutes en essayant d'aller au large, sans jamais pouvoir atteindre la moindre vague. Des jours comme ça, elle se demandait toujours pourquoi elle aimait le surf. C'était dur. C'était frustrant. Et pourtant, elle y revenait, elle progressait dans l'eau froide et verte – il devait y avoir du crack dans cet océan. Ils étaient tous attirés par la promesse d'un nouveau fix.

Une fois au large, ils attendirent, assis sur leur planche. Aux côtés d'une vingtaine d'autres surfeurs.

« Apparemment, Helen a l'intention d'organiser un enterrement de vie de jeune fille », fit Grey.

Zadie leva les yeux au ciel. « Quelque chose me dit que ce ne sera pas le genre de fête où elle se trimbale avec une bite gonflable. » Étant donné le mépris d'Helen pour l'alcool, comment sa soirée allait-elle pouvoir être un tant soit peu marrante ? Cela promettait d'être pitoyable et pénible, Zadie était agacée de devoir y assister.

« Fais-moi une faveur, arrange-toi pour qu'elle passe un bon moment. Qu'elle se lâche un peu, même.

— Qu'elle passe un bon moment… genre fais attention qu'elle n'oublie pas de mettre une capote, dit Zadie en haussant les sourcils.

— Très drôle. La vague arrive. Rame. »

Zadie se tourna pour voir surgir une vague d'un mètre derrière elle. Elle avait la position idéale, près du pic. Elle s'allongea sur sa planche et se propulsa de toutes ses forces, en attendant que la vague la prenne. À ce moment-là, elle se hissa et atterrit pile au centre du surf, en équilibre parfait. Un miracle. Sa première vague négociée à la perfection. En général, il lui en fallait au moins trois pour s'échauffer, le nez de sa planche allait sous l'eau, elle se retrouvait éjectée. Et voilà qu'elle était debout sur sa vague, sourire aux lèvres, ventre rentré. La vie était belle. Comme la vague touchait à sa fin, Zadie se laissa tomber sur son surf et fit demi-tour pour repartir vers le large.

« Joli. » Grey n'avait pas bougé. Il attendait sa vague. « Tu avais le pied en avant. C'était ça qui te freinait la dernière fois. »

Au plus fort de la dépression postnuptiale de Zadie, Grey avait insisté pour qu'elle vienne surfer avec lui. Elle s'était fait prier, bien sûr. Pourquoi irait-elle faire un truc dont elle savait pertinemment qu'elle n'y arriverait pas ? Pourtant, elle était plutôt sportive. Elle appartenait à l'équipe de softball au lycée. Allait régulièrement à la salle de sport. Déchirait au beach volley. Jouait au tennis deux fois l'an. Mais pour surfer, il fallait passer en douceur de la position allongée à debout, le tout en équilibre sur une planche en fibres de verre filant sur l'océan. Le résultat manquait parfois d'élégance. Mais c'était mieux que de regarder des rediffusions d'*Alerte à Malibu* à la télé, même si les sauveteurs étaientt vraiment sexy.

Leur première excursion avait été une véritable torture. Ramer était superchiant. L'eau salée faisait fondre son écran total, qui lui dégoulinait dans les yeux. Sa combinaison pesait une tonne et lui donnait l'impression de porter une gaine intégrale. Zadie n'aimait déjà pas porter de soutien-gorge… Elle se demandait pourquoi elle avait accepté. Elle était persuadée que Grey essayait de la tuer, et puis tout d'un coup, elle avait réussi à se mettre debout. Sur une vague. Pendant dix bonnes secondes. Et là, tout avait changé. Nager, l'eau salée dans les yeux, plus rien n'avait d'importance. Il lui fallait une autre vague.

« Promets-moi que tu te chargeras de l'enterrement de vie de jeune fille si ça devient trop pathétique. »

Zadie regarda Grey en s'asseyant sur sa planche, face à l'océan. Ne jamais tourner le dos à la vague. Elle avait appris ça très tôt. Ça et garder la bouche fermée quand on était sous l'eau. L'océan Pacifique n'était ni savoureux, ni nourrissant.

« Ne sentirais-je pas comme un sentiment de culpabilité anticipé dans ta requête ? Genre tu t'es organisé une partouze et tu voudrais bien t'assurer qu'Helen aura droit à une pédicure de qualité pour compenser ?

— Tu sais bien ce que je veux dire. Helen n'est pas comme toi. Et ses amies non plus, à mon avis.

— Oui, merci de me rappeler que je ne suis qu'une dévergondée alcoolique. Malheureusement, je ne compte pas m'en excuser.

— Ce n'est pas ce que je te demande. Je voudrais…

— Vague. » Zadie lui désigna le rouleau qui arrivait derrière lui et Grey prit son élan, avant de se relever et de faire le malin jusqu'à ce que la vague meure. Grey était doué. En le croisant dans la rue, vous n'auriez jamais pu deviner qu'il était surfeur.

Vous l'auriez imaginé passant l'aspirateur après chaque sortie à la plage, et vous auriez eu raison. Mais maniaque ou pas, il déchirait. Zadie attendit qu'il revienne à sa hauteur.

« Tu en étais resté au moment où tu disais qu'Helen est pure et moi une vraie traînée...

— Toi, une traînée ? Tu n'as jamais trompé Jack quand vous étiez ensemble et tu n'as couché avec personne depuis. »

Zadie y réfléchit un instant. Il avait raison. C'était dans ses rêves qu'elle couchait avec des garçons de dix-huit ans et baisait avec le type de la maintenance venu installer son broyeur à ordures.

« Je veux juste que tu fasses de ton mieux pour qu'Helen s'amuse. Des fois, elle paraît... un peu coincée, dit-il.

— Tu dis ça parce qu'elle refuse de coucher avec toi ?

— Eh bien, oui, effectivement.

— Ne t'en fais pas. Je suis sûre que ça va finir par arriver, une fois que tu auras fait pleuvoir des pétales de roses sur votre lit pendant la lune de miel. »

Grey leva les yeux au ciel. « Pourquoi crois-tu qu'elle s'est retenue aussi longtemps ? Ce n'est pourtant pas une question de religion.

— Certaines filles ont besoin d'un truc. Son truc à elle, c'est la virginité. Sans quoi, elle ne serait qu'une jolie diplômée en marketing de la mode comme les autres.

— Attends, elle gère une boutique. Ce n'est pas la honte, quand même. Et elle est douée.

— Bien sûr qu'elle est douée. »

Grey se rassit sur sa planche, ignorant la vague parfaite qui venait de passer. « Tu sais, des fois, j'ai l'impression que tu ne l'aimes vraiment pas. » Il la regarda droit dans les yeux, il lui fut donc difficile de mentir.

« Parfois je ne l'aime pas.

— C'est ta cousine. Ma fiancée. Tu dois forcément l'aimer. » Il avait l'air contrarié. Cela comptait visiblement beaucoup pour lui. « C'est la personne la plus adorable que j'aie jamais rencontrée. Comment ne pas l'apprécier ?

— Je l'apprécie. Bien sûr que je l'apprécie. Je l'adore. Je n'ai pas le choix. Elle fait partie de ma famille. Mais je n'aime pas l'image de moi qu'elle me renvoie, parfois.

— Vague. » Il pointait du doigt une belle vague derrière elle. Elle se mit à avancer, ravie d'échapper à cette conversation. Et elle rata son coup. Merde. Elle était trop tendue pour surfer maintenant. Grey la forçait à analyser pourquoi elle détestait Helen. Et elle avait horreur d'analyser ses sentiments, car elle était obligée de les éprouver. Le déni et le refoulement étaient ses meilleurs amis.

Elle revint en arrière, après avoir essuyé la morve océanique de son visage. « On peut éviter de parler d'Helen maintenant ? Elle me fait foirer en surf.

— Comment est-il possible que tu te sentes mal dans ta peau à cause d'elle ? »

Visiblement, Grey n'avait pas écouté.

« Je n'ai pas dit ça.

— Tu l'as sous-entendu. »

Zadie soupira. Il était inutile de fuir une conversation que Grey avait bien l'intention d'avoir. C'était une chose qu'elle avait apprise lors de leur quatrième soirée ensemble, quand il avait insisté pour qu'elle lui explique son dégoût pour les hommes portant des chaussures ouvertes. Pas les chaussures de sport ou les tongs, non, juste les sandales à lanière de cuir qui laissaient voir les orteils. Franchement, elle trouvait ça lamentable.

« Des fois, j'ai l'impression qu'Helen est parfaite simplement pour me rappeler que je ne le suis pas. »

Grey la regarda comme si elle était folle. « Tu te rends compte que ça relève de la névrose ? Helen ne peut pas te renvoyer une image. Il n'y a que toi qui la vois.

— Merci, docteur. On ne pourrait pas surfer, juste ? »

Grey la contempla un moment puis pointa le doigt derrière elle. « Vas-y. » Elle s'allongea sur sa planche et s'élança. Elle prit la vague, se redressa. Et tomba sur la gauche. Complètement déséquilibrée. Quelle garce, cette Helen.

7

Le lundi de Zadie, qui avait commencé correctement, se dégrada très vite. Nicole, la fille d'une actrice alcoolo qui avait eu un second rôle d'importance dans une série produite par Aaron Spelling dans les années 80, déboula en cours vêtue d'une tenue qui provenait sûrement d'une boutique pour putes de luxe. Étant donné qu'il était déjà difficile d'enseigner Tchekov sans les nichons de Nicole pour distraire la classe, Zadie préféra abandonner à mi-parcours et leur demander de rédiger un devoir sur le dualisme.

En arrivant chez elle, elle constata qu'elle avait laissé la porte de son balcon ouverte et que le chat du voisin en avait profité pour franchir la cloison, déterrer ses cactus avant d'essuyer ses coussinets sales sur son canapé. Après le froissé chic, le crotté chic. Et elle était bien certaine de ne pas avoir ramené elle-même le cadavre de moineau qui se trouvait sur sa table de salon. Trop énervée pour nettoyer tout ça, elle s'assit sur son ottomane et ouvrit son courrier. Et voilà, il ne manquait plus que cela. L'invitation était arrivée. Police bleu ciel sur lin blanc, avec liseré en vichy jaune citron :

L'enterrement de vie de jeune fille d'Helen
Toute une journée de folie !!!
9 heures : Petit-déjeuner au Greengrass, chez Barney's (miam !!!)
11 heures : Yoga Kundalini au Golden Bridge (votre vie va en être changée, je le jure !!!)
13 heures : Cocktail de fruit chez Elixir (extra !!!)
14 heures : Shopping chez Fred Segal (le sport préféré de tout le monde !!!)
16 heures : Thé au Peninsula (élégant !!!)
18 h 30 : Dîner à The Ivy (salade végétarienne grillée !!!)

Zadie parcourut le programme avec effroi. Le genre d'effroi qui vous saisit lorsque vous êtes contraint de participer à un événement qui sera constamment ponctué de phrases telles que : « Trop mignon ! », « Vous n'allez pas croire ce que Courtney/ Zachary a fait ce matin ! » et « Il n'y a pas de féculents là-dedans, au moins ? »
Les invitées à cette nouba appartenaient à cette catégorie que Zadie évitait à tout prix. Les chiantes. Des femmes capables d'avoir une conversation de deux heures sur le contenu des couches de leurs enfants. Des femmes qui ne portaient que des vêtements de marque. Qui engageaient des décorateurs d'intérieur. Comment pouvait-on laisser quelqu'un décorer sa maison à sa place ? On devait pouvoir désigner les objets et dire « J'ai trouvé ça dans une petite échoppe en Toscane » ou « dans une boutique hippie à Santa Fe », ou encore « sur un marché aux puces au Mexique. » Et pas « Ah bon, ça vous plaît ? Merci. Ce n'est pas

moi qui ai choisi et ça n'a aucune valeur particulière pour moi. »
Des femmes sans âme.

Elle exagérait peut-être. Denise serait là. Elle aimait bien Denise. En seconde, elles étaient allées voir ensemble *About Last Night* sept week-ends d'affilée parce qu'elles avaient craqué pour le cul nu de Rob Lowe. À l'âge de vingt-cinq ans, Denise avait gagné des leçons de parapente à un concours radio, et elle avait emmené Zadie avec elle. Au bout d'une journée de cours, elles sautaient toutes les deux depuis une falaise, leur parachute sur le dos. Des mois après, elles se prenaient encore pour des super-héros destroys. Et quand Zadie et Jack étaient encore ensemble, ils étaient plusieurs fois allés camper avec Denise et Jeff. Zadie pouvait toujours compter sur Denise pour boire avec elle jusqu'à ce qu'elle s'effondre, car c'était le seul moyen pour Zadie de dormir dans les bois. Le camping était un loisir qui plaisait à Jack, pas à Zadie. Elle passait généralement la nuit à regarder le plafond de la tente en priant pour que le lever du soleil ne tarde pas.

Mais maintenant, Denise était très enceinte et d'après ce que Zadie avait pu en juger à la soirée de fiançailles, ça n'était pas vraiment synonyme de rigolade. Les femmes enceintes ont tendance à discuter de vitamines prénatales et de la taille de leurs mamelons.

En plus, la sœur de Grey, Eloise, serait sûrement de la fête, une raison supplémentaire pour ne pas y participer. Eloise estimait que si Zadie et Grey étaient meilleurs amis, cela signifiait automatiquement que Zadie et Eloise étaient amies. C'était sans compter sur un fait essentiel : Eloise était une personne profondément énervante. Eloise, c'était la surenchère permanente. Si vous vous amusiez, alors elle s'amusait encore plus. Si vous passiez un mauvais moment, pour elle c'était pire. Son expression préférée était « Je peux faire mieux. » Quelqu'un aurait déjà dû lui dire à quel point elle était insupportable.

Les autres participantes seraient certainement les collègues, clientes, copines de fac d'Helen. Zadie avait la migraine rien que d'y penser.

Pour se préparer à affronter la marée de femmes béates dans laquelle elle allait se noyer, Zadie passa un coup de fil à Dorian, sa meilleure amie de lycée, témoin à son mariage. Enfin, celle qui avait failli être témoin à son mariage. « Tu ne croiras jamais à quel enterrement de vie de jeune fille je suis invitée.

— Ça ne pourra pas être pire que le tien.

— Ça, c'est vraiment un coup bas. » Peut-être, mais c'était exact. Zadie et ses amies avaient investi un bungalow sur la plage et commandé une quantité impressionnante de cocktails. Malheureusement, le strip-teaseur recruté par Dorian avait acheté son déjeuner dans un boui-boui sur le chantier où il travaillait la journée. Son burrito s'était révélé rance et à la première tequila, il l'avait régurgité sur la table autour de laquelle elles étaient toutes rassemblées. « J'aurais dû me douter que c'était mauvais signe.

— Pourquoi tu ne m'as pas rappelée après mes trois derniers messages ? » Dorian n'était pas du genre à plaisanter avec ça.

« J'étais surchargée, avec l'année scolaire qui se termine… » Plus pourrie, comme excuse, on ne faisait pas. Surtout qu'il restait encore deux mois avant la fin des cours.

« N'importe quoi. Tu m'évites. »

Dorian avait raison. Zadie l'évitait. Tout comme ses demoiselles d'honneur. Au début, la vague d'indignation légitime avait été bienvenue. Jack en avait pris pour son grade. On avait évoqué une castration. Mais au bout d'un mois, tout était retombé. Zadie avait cessé de se battre. Revoir Dorian ne faisait que lui rappeler toute l'histoire. Et Zadie n'aimait pas se revoir sous cet angle.

« Déjeunons ensemble, proposa Zadie. Je passerai samedi. » Il y avait pire, comme occupation, que se rendre à Santa Barbara un samedi pour manger une salade de crabe sur la jetée.

« Impossible. Lissy participe à un spectacle. » Dorian avait eu des jumeaux à l'âge de vingt-six ans. Sûrement une autre raison pour laquelle Zadie ne passait pas autant de temps avec elle qu'elle le devrait. Ce que les enfants en bas âge pouvaient être accaparants. « Tu as su que le mec d'Olivia était marié, en fait ?

— Olivia a un mec ? » Il fallait vraiment qu'elle fasse un effort pour rappeler les gens.

« Tu fais quoi ce soir ?

— Rien.

— Eh bien monte dans ta voiture et ramène tes fesses pour dîner. Je ne peux pas te parler au téléphone, j'ai toujours l'impression que tu es devant la télé sans le son ou je ne sais quoi.

— Pas du tout. » Mensonge. Comment aurait-elle pu manquer la rediffusion quotidienne de *Melrose Place* ?

« C'est lasagnes, ce soir. »

Zadie fronça les sourcils. « Qui cuisine, toi ou Dan ? » Dorian n'était pas connue pour ses prouesses culinaires.

« Zadie ?

— Oui ?

— Monte dans ta voiture. »

Zadie arriva à Santa Barbara à la tombée de la nuit. Elle gravit la colline et se gara dans l'allée de Dorian, derrière le monospace. Elle attrapa la bouteille de Chianti qu'elle avait amenée avec elle et s'apprêtait à frapper à la porte quand elle fut accueillie par deux petites créatures portant une perruque de clown et un diadème. Les enfants de Dorian. Ils bondirent hors de la maison et vinrent s'enrouler autour de ses tibias.

« Josh ! Lissy ! Laissez entrer Miss Zadie. » Dorian s'affala contre la porte, vêtue de son survêtement en éponge, l'air fatigué et agacé. Elle avait cette apparence depuis le jour où ces deux iné-puisables sources d'énergie et de désordre étaient sorties d'elle. Dès qu'ils la lâchèrent, Zadie se dirigea vers la cuisine.

« Qu'est-ce qu'ils grandissent !

— Je devrais peut-être arrêter de les nourrir. » Dorian ôta un morceau de pâte à modeler de ses cheveux, ouvrit la bouteille de vin et leur servit chacune un verre. Zadie s'assit à la table de la cuisine, écartant des crayons de couleur et une poupée Barbie décapitée. Les gosses foncèrent en direction de la salle de jeux, sûrement pour changer de costume.

« Je t'ai dit qu'Helen et Grey allaient se marier ? »

Dorian reposa son verre au beau milieu de sa gorgée de vin. « Euh, non… Et ça ne te pose pas de problème ?

— Je ne suis pas sûre d'avoir le choix.

— C'est vraiment grossier de leur part. » Dorian était très forte pour recadrer les événements et les transformer en affronts personnels. « Comment tu vas faire pour voir Grey s'ils vivent dans la même maison ? Elle sera toujours là.

— Ouais, je sais.

— Pas étonnant que tu sois déprimée. » Dorian sortit un morceau de bouchon de son vin à la petite cuillère et contempla Zadie d'un air inquiet.

« Ah bon, je suis déprimée ? Je n'avais pas remarqué.

— Tu ne me rappelles pas, alors t'as plutôt intérêt à être déprimée. » Elle se leva et sortit les lasagnes du four. « Merde. Je les ai laissé brûler. On n'aura qu'à manger les parties croustillantes. »

Dan arriva, un des jumeaux agrippé à son dos, l'autre à sa taille. « C'est le dîner que je sens ? » Dan était de ces types que l'on décrirait comme « costaud ». Il se pencha pour faire la bise à Zadie. « Ça roulait bien ?

— Pas de problème. » Elle ne comprendrait jamais la fascination des hommes pour la circulation routière.

Dorian regarda Dan en désignant de la tête les enfants. « Installe-les. Plus vite ils auront mangé, plus vite ils iront dans le bain. »

Maintenant que Zadie voyait Lissy de plus près, elle se rendait compte qu'elle était couverte de feutre magique. Et Josh avait une substance non identifiée sur le visage, dont elle préférait ignorer la provenance. Dan décrocha les enfants de son corps et les installa sur leur chaise pendant que Dorian servait les lasagnes carbonisées. Josh dévisageait Zadie. Visiblement, quelque chose le gênait. « Qu'est-ce que t'as sur les yeux ? »

Zadie n'en avait pas la moindre idée. Un oiseau lui aurait-il fait dessus ?

Dorian intervint pour lui fournir l'explication. « C'est du maquillage, chéri. » Elle regarda Zadie et haussa les épaules. « Il ne me voit jamais en mettre. » Étant donné la quantité scandaleuse d'eyeliner dont Dorian se tartinait les yeux au lycée, Zadie trouva cela plutôt amusant.

« Alors, Zadie, comment ça va, à l'école ? Des sales gosses cette année ? » Dan était toujours tellement poli. Il devait se ficher pas mal de ses classes, mais il posait toujours la question.

« Je n'ai pas à me plaindre. Ils sont tous plutôt bien élevés. Et ils ont de la dope de bonne qualité, alors c'est toujours un plus. » Elle plaisantait, mais à l'instant où les mots sortirent de sa bouche, elle voulut les ravaler.

« Maman, c'est quoi la dope ? demanda Lissy.

— C'est un truc pour les grands, Lissy. Miss Zadie faisait juste une blague de grande personne. » Dorian jeta à Zadie un regard qui signifiait : « Ça suffit avec les blagues de grande personne. » « Pourquoi tu ne racontes pas à Zadie ton spectacle de danse ?

— Oh oui. S'il te plaît.

— Je vais être danseuse étoile.

— C'est super, Lissy. De quelle couleur est ton tutu ? » Combien de fois dans une vie a-t-on l'occasion de demander à quelqu'un la couleur de son tutu ? C'était maintenant ou jamais.

« Rose ! »

— Tu me montres comment tu danses ? »

Lissy se leva et virevolta sur elle-même, en oubliant de poser sa fourchette de lasagnes, qui gicla partout dans la cuisine.

Dan se baissa pour nettoyer. « Je m'en occupe. » C'était un bon père. Et un bon mari. Dorian avait eu du pot le jour où elle s'était assise à côté de lui à Econ. Il aurait fallu obliger les gens qui avaient rencontré leur moitié à la fac à contribuer à un fond au bénéfice des personnes qui n'avaient pas eu cette chance.

Après dîner, Zadie et Dorian s'installèrent dans les fauteuils de jardin sur la terrasse, pour terminer leur vin au milieu des senteurs de jasmin nocturne pendant que Dan donnait le bain aux enfants. Zadie était toujours étonnée de constater qu'on pouvait voir les étoiles de là. Quelques-unes, en tout cas. Et l'océan, au loin.

« Je crois que tu as besoin de sortir avec quelqu'un, remarqua Dorian.

— Et tu penses que ça servirait à quoi, exactement ?

— À voir autre chose que ce foutu appartement, pour commencer.

— Foutu, foutu… Pourtant le foutre s'y fait rare. C'est même le problème, en partie. » Zadie n'avait couché avec personne depuis sept mois. Très intelligemment, elle avait forcé Jack à l'abstinence deux semaines avant leur mariage, pour que leur lune de miel soit spéciale.

« Eh bien, baise avec n'importe qui, fit Dorian.

— Merci du conseil.

— Tu es belle ! Tout ce que tu as à faire, c'est entrer dans un bar et dire oui.

— Je crois que tu surestimes mon pouvoir de séduction. »

Dorian remplit leur verre. « N'importe quoi. Je parie que la moitié de tes élèves fantasment sur toi. C'est comme ça que Dan a perdu sa virginité, tu sais. Une de ses profs lui avait mis une heure de colle, avant de le baiser dans une salle de classe vide.

— Ne me raconte pas des trucs pareils. » Trevor, Trevor, Trevor. Non. Hors de question.

« Je ne te suggère pas de faire la même chose. Je veux simplement dire que tu es toujours sexy et que tu peux coucher avec qui tu veux, si tu en as envie. Mais peut-être que tu n'en as pas vraiment envie. »

« Peut-être que non, fit Zadie en haussant les épaules.

— Et pourquoi ça ? »

Lissy et Josh, tout mouillés et tout nus, coururent jusqu'aux portes-fenêtres de la terrasse et écrasèrent leur nez contre la vitre en riant.

« Coucou maman ! » Ils gloussèrent puis s'enfuirent, poursuivis par Dan, une serviette de toilette à la main.

Zadie baissa la voix. « Je refuse de parler de mon besoin ou manque de sexe alors que tes enfants se baladent tout nus. C'est inconvenant. »

Dorian se tourna pour jeter un œil à l'intérieur. « Ils ne peuvent pas entendre.

— Je ne sais pas si une aventure sexuelle dysfonctionnelle serait la solution à ma rupture tout aussi dysfonctionnelle. » On aurait dit son psy.

« Qui a dit que ça devait être comme ça ?

— Eh bien, puisque je ne vais pas coucher avec un ami, ce sera forcément un inconnu. Donc je serais obligée d'aller chez lui, parce que je ne veux pas que ça se passe chez moi. Si je vais chez lui, je vais me demander si ses draps sont propres, s'il était avec quelqu'un d'autre la veille, ou l'après-midi et pour finir, tous les bénéfices que je pourrais tirer du sexe seront très vite remplacés par une spirale de la honte et je serai accablée par le fait d'avoir couché avec un type que je ne connais même pas.

— Alors couche avec quelqu'un que tu connais.

— Je sais bien qu'on ne s'est pas vues depuis longtemps, mais franchement, tu te berces de douces illusions quant au nombre d'hommes dans mon entourage. » À part Trevor, elle n'arrivait pas à songer à un seul type qui lui semble un tant soit peu attirant. Le fantasme du gars de la maintenance était exclu. Il vivait dans le même immeuble qu'elle avec sa copine latina, qui n'était pas le genre de nana dont on avait envie de piquer le mec. Sa voiture avait des pneus à pointes.

« Bien. Ne couche avec personne. Mais au moins, sors. Il faut te lancer. Qui est le dernier homme que tu aies fréquenté avant de rencontrer Jack ? »

Il fallait que Zadie réfléchisse. Elle se souvenait vaguement d'un certain Bill qui l'avait emmenée dans un restaurant marocain où il s'était quasiment fait tailler une pipe sous la table par la danseuse du ventre. Il avait ensuite continué à flirter avec la danseuse à paillettes pendant que Zadie mangeait en silence un truc ressemblant à une pita remplie de boue. « Un type avec qui je n'oserais plus sortir aujourd'hui. »

Dorian eut l'air de se creuser la tête. « Où avais-tu rencontré Jack, déjà ?

— Il était serveur. Pas étonnant qu'il m'ait plu. Il m'apportait de la nourriture. Imagine toute la douleur à laquelle j'aurais échappé si je n'avais pas aimé la bouffe chinoise.

— Eh bien, imaginons que la foudre frappe deux fois au même endroit. Va manger quelque part et drague le serveur.

— Sûrement pas. Dans cette ville, les serveurs n'attendent qu'une chose : devenir autre chose. Et si je dois sortir avec quelqu'un, je voudrais qu'il soit déjà ce qu'il voulait être. » Wouah, ça, c'était profond.

— C'est du grand n'importe quoi. »

La profondeur de sa remarque avait échappé à Dorian, apparemment. « Je suis crevée. Je ferais mieux d'y aller.

— D'accord, fit Dorian en jetant un coup d'œil à l'intérieur de la maison. Maintenant que les enfants sont au lit, Dan et moi on va se mater un porno.

— Tu es sérieuse ? » Voilà qui modifiait radicalement l'opinion de Zadie sur le mariage.

Dorian éclata de rire. « Non ! Maintenant, il est l'heure pour moi de nettoyer la morve sur mon tee-shirt et d'aller me coucher. Crois-moi, tu ne rates pas grand-chose.

— À part l'amour et la compagnie, soupira Zadie.

— C'est vrai, il y a toujours ça. »

8

Zadie se réveilla le lendemain en prenant conscience qu'elle n'avait pas vu son psy depuis au moins deux mois. Bien sûr, c'était parce qu'elle l'évitait soigneusement. De toute façon, il était ridicule de payer pour raconter ses problèmes. Ses amis l'écoutaient gratuitement. C'était d'autant plus grotesque que Zadie ne voulait pas évoquer lesdits problèmes. N'était-ce pas déjà leur accorder trop d'importance ? Ne valait-il pas mieux les ignorer purement et simplement en espérant les oublier un jour ?

Bien évidemment, l'idée de voir un psy ne venait pas d'elle. Sa mère avait insisté pour qu'elle consulte, et Mavis Roberts savait se montrer particulièrement chiante quand elle s'y mettait. Pour faire taire Mavis, Zadie était allée voir le Dr Reed. Sept fois. Jusqu'au moment où elle eut assez entendu : « Et qu'avez-vous ressenti à ce moment-là ? » Ce qui ne l'aidait pas du tout.

Mais ce matin en particulier, Zadie éprouva le besoin de parler à un professionnel diplômé. Quelqu'un qui remarquerait sa profondeur parce qu'il était payé pour. Mieux encore, quelqu'un qui serait d'accord sur le fait qu'elle n'avait pas besoin de sortir avec quiconque.

Elle gravit la colline jusqu'à Sunset Boulevard et se gara dans le parking souterrain. Était-il possible d'en construire un seul qui ne foute pas les jetons ? Ce panneau indiquant que l'État de Californie avait découvert que certaines toxines du parking étaient nocives pour le fœtus la rendait toujours nerveuse. Où allait-elle se garer si un jour elle tombait enceinte ? Cette foutue pancarte était présente dans tous les parkings de la ville.

Dr Reed avait toujours le magazine *In Style* dans sa salle d'attente, ce qui permettait, tout en patientant pour purger votre âme des injustices de ce monde, d'apprendre quel shampoing utilisait Jennifer Aniston. Les murs étaient décorés de plusieurs cadres représentant des paysages, manifestement dans le but de créer une ambiance apaisante. Bien que la vision d'une goutte d'eau accrochée à une feuille de nénuphar n'eût jamais eu cet effet sur Zadie.

Lorsque le bon docteur la fit entrer, Zadie ôta ses chaussures et s'assit sur le divan, en glissant ses jambes sous elle. Elle essayait toujours de faire comme si elles étaient deux copines en train de papoter autour de leur tasse de café matinale, et pas un médecin et sa patiente complètement barrée.

« Je n'étais pas sûre que vous reviendriez un jour. » Dr Reed lui adressa un sourire placide. Elle portait, comme d'habitude, des coordonnés de soie très BCBG parfaitement repassés.

« Pourquoi ? J'ai l'air guérie ?

— Choix de mot intéressant.

— C'est parti… lâcha Zadie en levant les yeux au ciel.

— Qui dit guérison dit maladie.

— Non, je ne crois pas être malade. » Zadie prit un caramel

dans l'assiette posée sur la table basse.

« Tant mieux. Et comment décririez-vous ce que vous ressentez ?

— Énervée. » Elle mit la sucrerie dans sa bouche.

« Pourquoi pensez-vous que vous éprouvez cela ? » Oh, c'est pas vrai. Une exploration de ses sentiments. Pile poil ce qu'elle détestait. Pourquoi était-elle venue ?

« Parce que toutes les personnes que je connais veulent que je sorte avec quelqu'un. Comme si ça allait résoudre quoi que ce soit. » Grey, Nancy, Dorian semblaient tous fredonner la même chanson agaçante dont elle ne parvenait pas à se débarrasser. Ses amis s'étaient tous transformés en Kylie Minogue.

« Et vous n'êtes pas de cet avis ? demanda Dr Reed.

— Absolument pas. Je pense que je serai encore plus énervée après. Je ne m'amuserai pas du tout, et je finirai par regretter de ne pas être chez moi à lire un bon bouquin.

— Alors vous préférez saper d'avance tout rendez-vous potentiel en vous persuadant que ça sera raté ? » Ooh, mais elle portait un jugement. Dr Reed semblait d'humeur bagarreuse ce matin. Arrivait-il aux psys de s'engueuler avec leur mari ?

« Mais ça sera raté. Il n'y a aucun doute là-dessus. Soit je ne lui plairai pas, et je serai déprimée, ou alors c'est lui qui ne me plaira pas, et je n'arriverai pas à tenir jusqu'à la fin du dîner.

— Et si vous passez tous les deux un super moment ? »

Et si Jack se retrouvait par hasard sous les roues de sa voiture pour qu'elle puisse l'écraser ? Ce genre de bonnes choses ne se produisait jamais.

Dr Reed se pencha vers elle. « Votre estime de vous est au plus bas en ce moment. Et c'est bien naturel. Aussi pénible que ça puisse paraître, en sortant avec quelqu'un, vous pourriez réussir à la remonter. » Quoi ?! Elle était de *leur* côté ?

« Autre façon de voir les choses... En sortant avec quelqu'un, je pourrais réussir à la rabaisser jusqu'à un nouveau degré d'enfer.

— Il n'y a aucune garantie, mais vous pouvez faire en sorte de mettre tous les atouts de votre côté. » Dr Reed croisa les jambes et s'adossa de nouveau à son fauteuil.

« Quoi par exemple ?

— Choisissez quelqu'un avec qui vous êtes à l'aise. Qui ne vous intimide pas.

— Vous me conseillez de sortir avec un laideron ? » demanda Zadie. Et elle la payait pour ça, en plus ?

« Je n'ai pas dit ça, mais si les jolis garçons vous intimident, alors il serait peut-être judicieux de vous tourner vers quelqu'un de moins attirant.

— Les jolis garçons ne m'intimident pas. Je suis juste un tout petit peu irritée par leur manque d'humanité, dit Zadie en prenant un autre caramel.

— Je crois que vous projetez la colère contre Jack sur les autres hommes. Ce n'est pas parce qu'un bel homme s'est révélé être un mauvais choix qu'ils le sont tous.

— Ola, ola, attendez, là… "Un mauvais choix" ? Cela implique que j'ai fait, moi, quelque chose de mal rien qu'en sortant avec lui ? » Zadie reposa son caramel, maintenant trop crispée pour le manger.

« Zadie, vous n'avez rien fait de mal. Parfois, les gens que nous choisissons ne nous conviennent pas. Parfois, si.

— Hm-hm… Vous continuez à rejeter la faute sur moi, dans ce scénario. Le fait est que j'ai rencontré un type parfaitement bien qui s'est transformé en salaud intégral. » Jack était un mec bien, avant. Sinon, elle ne serait pas tombée amoureuse de lui. C'était ce qui la bouleversait le plus – le fait que ce Jack-là n'existe plus. Il lui manquait.

Dr Reed hocha la tête. « Les gens changent. C'est vrai.

— Donc ce n'est pas ma faute », conclut Zadie. « Le fait qu'il ait changé ? Bien sûr que non.

— Parce que vous avez dit ça comme si c'était moi la responsable… »

Dr Reed but une gorgée de thé. « Vous voulez en être responsable ?

— Non. » Pourquoi le voudrait-elle ?

« Parfois les gens endossent la responsabilité pour les actions des autres de manière à avoir l'impression de contrôler un peu la situation. Un enfant durant un divorce par exemple. "Papa est parti parce que j'ai été méchant." C'est une façon de ne pas se sentir complètement impuissant. C'est lui qui est en cause. Mais ce qui commence comme une impression de maîtrise finit par se transformer en une culpabilité auto-imposée pour un événement qui n'a jamais eu le moindre rapport avec soi.

— Et vous pensez que c'est ce que je fais ? demanda Zadie.

— Et vous ? »

Et elle ? Elle avait toujours nié le fait que Jack soit devenu le diable par sa faute, mais en était-elle vraiment persuadée ? Était-ce juste une façon de faire taire les voix dans sa tête qui disaient que c'était bien sa faute ? Était-ce elle qui l'avait fait fuir ? Ou s'en était-elle simplement convaincue pour avoir l'impression d'avoir sa part de responsabilité dans ce fiasco total et de ne pas seulement en être victime ?

Zadie soupira. « Je ne sais pas.

— Là, on tient quelque chose », sourit le Dr Reed en griffonnant sur son bloc-notes.

Zadie commençait à avoir mal à la tête. Et son café était froid. Quoi qu'elles tiennent, elle n'avait pas envie de s'y attaquer pour l'instant.

« Quand Jack ne s'est pas présenté au mariage, vous avez dû avoir l'impression de n'avoir aucun contrôle sur la situation.

— C'était le cas.

— Et ce manque de contrôle se mêlait au chagrin, à la colère et à toutes les autres pensées négatives que vous avez éprouvées à ce moment-là.

— J'imagine. » Il y avait également des tendances meurtrières dans le tas, mais il valait sûrement mieux éviter de les mentionner pour l'instant.

« Il était donc tout à fait normal d'essayer de vous emparer de ce sentiment négatif, le manque de contrôle, et de le dompter en vous accusant vous-même, ce qui, dans ce cas, est votre perception du contrôle. Vous vous êtes persuadée que le rejet de Jack était de votre faute, et voilà, cela vous a redonné l'impression d'être aux commandes : c'est vous qui l'avez provoqué. C'est vous qui avez fait en sorte que cela se produise. »

Zadie appuya sa tête contre le mur. « C'est vraiment déprimant. Vous êtes en train de me dire que j'ai voulu en être responsable pour me sentir mieux ? »

Dr Reed se pencha vers elle. « Mais ce n'est pas le cas. Vous vous sentez encore plus mal.

— Exact. » Elle avait l'impression d'être une merde. Tout le temps.

« C'est pour ça que vous devez vous en débarrasser.

— Me débarrasser de quoi ? demanda Zadie en rendant son regard au docteur.

— De votre fausse impression de maîtrise.

— D'accord…

— Arrêtez de vous en vouloir pour ce que Jack a fait. Vous pouvez contrôler votre vie autrement. Il y a des moyens plus constructifs.

— Une suggestion ? fit Zadie.

— Sortez avec quelqu'un. »

Retour à la case départ.

9

En arrivant au lycée, Zadie passa par la salle des professeurs pour planquer son déjeuner au frigo. Elle le casa dans l'unique espace disponible, à côté d'un Tupperware plein de nouilles chinoises qui se trouvait là depuis des lustres. Il devait sûrement contenir une colonie d'asticots, ou bien une moisissure aux propriétés révolutionnaires susceptibles de guérir le cancer, mais personne n'avait jamais eu le courage de l'ouvrir.

Elle se préparait une tasse de thé vert quand Nancy fit son entrée, rayonnante. Sa grosse bouche siliconée maquillée de rouge à lèvres corail. « J'ai eu un rencard pas croyable hier soir.

— Laisse-moi deviner. Il a sorti son sexe au restaurant ? »

Nancy fit les gros yeux à Zadie, pour bien lui signifier qu'elle était trop maligne pour fréquenter ce genre de spécimen. « Non, c'était un parfait gentleman. Le meilleur deuxième rencard que j'aie jamais eu.

— Le deuxième ? Félicitations. Comment s'appelle-t-il ? »

Zadie n'était ni impressionnée, ni intéressée, mais Nancy n'y vit que du feu.

« Darryl. »

Zadie préféra s'abstenir de toute remarque. Nancy ne se rendait-elle donc pas compte que depuis la nuit des temps, pas un seul mec cool dans tout l'univers n'avait porté le nom de Darryl ?

« Et il a un frère célibataire qui s'appelle Doug, si ça t'intéresse. »

Il y avait plusieurs choses qui intéressaient encore moins Zadie que Doug. Les particularités de la chirurgie gingivale, par exemple. Combien de litres au cent consommait sa voiture. La vie sentimentale de J. Lo.

Nancy rangea son déjeuner au frigo et le referma avec un petit coup de hanche guilleret. Visiblement de très bonne humeur. « Il a trente-cinq ans et il est ingénieur informaticien. »

Zadie était sur le point de décliner la proposition, mais elle eut soudain une idée. Doug était un homme apparemment inoffensif avec qui elle pouvait envisager de partager un repas, ce qui lui permettrait du même coup de clouer le bec de Grey, Dorian et du Dr Reed.

« Des défauts visibles ?

— Je ne l'ai pas vu, mais s'il ressemble à Darryl, tu n'auras pas à te plaindre. »

Dolores quitta la table où elle était en train de s'avaler un bol de Choco Pops. « Tu envisages vraiment d'accepter ? » Il n'y avait aucune désapprobation dans sa voix, ce n'était qu'un simple écho des pensées de Zadie. L'envisageait-elle ?

« Je crois que oui. Il est peut-être temps. » Bordel, non, il n'était pas temps du tout, mais elle pouvait faire comme si, pour prouver le contraire à ceux qui en étaient persuadés.

Nancy se mit à battre des mains, ravie. « Ça va être trop sympa ! On va sortir tous les quatre ! »

Zadie faillit objecter, mais elle jugea que ça pouvait être un avantage. Même s'il serait certainement pénible d'assister à un rendez-vous amoureux de Nancy, au moins, elle n'aurait pas à faire la conversation toute seule. « Ouais, d'accord.

— Tu es libre samedi ?

— Malheureusement, oui. »

Dolores secoua la tête, épatée. « Je commençais à penser que ce jour n'arriverait jamais. »

Zadie, elle, était certaine qu'il n'arriverait jamais. Et maintenant qu'il se profilait à l'horizon, l'univers lui semblait bancal, d'une certaine façon.

« J'appelle Darryl à l'heure du déjeuner pour convenir des détails. » Nancy serra brièvement Zadie dans ses bras, ravie comme tout de participer à ce qui était clairement, dans son esprit, un amour couru d'avance.

Zadie entra dans sa salle de classe la peur au ventre. Elle ne savait rien de Doug. Il était peut-être abominable. Ou sublime. Il allait peut-être la détester au premier regard. Elle allait peut-être trouver sa voix insupportable. Tous ces efforts rien que pour faire taire ses amis. Elle était bien trop impressionnable.

La sonnerie retentit et ses élèves s'installèrent. Jessica Martin leva la main, probablement pour bien montrer sa manucure. « D'accord, je sais que William Faulkner est censé être un génie et tout ça, mais c'est moi ou bien les trois premiers chapitres de *Tandis que j'agonise* sont complètement incohérents ? Qui sont ces gens ? De quoi ils causent ? Et pourquoi ils n'arrêtent pas de se répéter ? »

Zadie devait faire bien attention à sa réponse. Elle était tout à fait d'accord avec Jessica, mais l'avouer n'aurait pas été très judicieux d'un point de vue politique. « N'oublie pas que cette histoire concerne des gens qui vivent ailleurs et à une autre époque.

— Oui, mais pourquoi Faulkner a-t-il écrit sur eux ? Ils sont nuls.

— Tu n'as qu'à voir ça comme une fenêtre sur une partie de l'humanité que tu n'aurais jamais vue, autrement, répondit Zadie.

— D'accord, mais on pourrait pas choisir un livre plus intéressant la prochaine fois ? Moi je m'en fous de l'endroit où les gens vont enterrer leur mère. C'est chiant.

— Je ferai de mon mieux. »

Zadie aurait pu expliquer à Jessica que c'était le directeur du département d'anglais qui choisissait les livres, pas elle, mais quel intérêt ? Elle avait passé la matinée à expliquer au Dr Reed pourquoi elle n'avait besoin de sortir avec personne et maintenant, elle allait sortir avec quelqu'un. Les gens n'écoutaient pas. Alors pourquoi se fatiguer à parler ? Ils n'entendaient que ce qu'ils voulaient ou bien ils vous ignoraient, tout simplement.

Il lui traversa l'esprit que c'était peut-être malsain comme attitude, pour un professeur.

Le samedi matin, Zadie décida d'aller faire un tour à la salle de sport. Elle n'y avait pas mis les pieds depuis au moins un mois et cela lui paraissait être une bonne idée avant un rencard. Au moins, ça la détendrait et lui ferait oublier le fait qu'elle allait bientôt prononcer des phrases telles que : « Alors, tu fais quoi pendant tes loisirs ? »

Elle enfila un tee-shirt miteux et un short, puis appela Grey pour qu'il la retrouve sur place. Leur salle possédait plusieurs machines de cardio-training à un million de dollars, toutes disposées face à une gigantesque baie vitrée donnant sur Ventura Boulevard, comme si la vue sur la circulation était censée les motiver. Tandis qu'ils s'entraînaient sur des vélos voisins, Grey lui tendit sa boisson énergétique.

« Je suis fier de toi. »

Zadie vida la cannette en espérant que, quoi que fût la « taurine » que contenait le Red Bull, cela contribuerait à rendre cet exercice moins fastidieux. « En quel honneur ?

— Tu sors avec quelqu'un. Je crois que ça va te faire du bien.

— Oui, je suis sûre que ce Doug aura le même effet qu'un bon verre de jus de fruits multivitaminé. » Elle augmenta la vitesse de son vélo. Tant qu'elle y était, autant suer un bon coup.

« Tu vas coucher avec lui ?

— Bien sûr. Dans la voiture en y allant, au restaurant, et sûrement sur le parking après dîner. Mais seulement si on peut faire ça contre la benne à ordures. » Elle commençait à être essoufflée. Et ce n'était pas à l'idée de se faire prendre par Doug contre une benne à ordures.

« J'imagine que ça veut dire non, résuma Grey en pédalant plus fort.

— Disons qu'il y a plus de chances qu'Helen et toi couchiez ensemble ce soir que Doug et moi.

— Je ne la vois même pas ce soir.

— Tiens, qu'est-ce que je disais. » Elle ralentit le rythme. Son cœur battait à cent à l'heure. Ça suffisait, ces conneries. Grey n'avait même pas encore commencé à transpirer, lui. « Alors, c'est quoi le plan ? Helen te trompe déjà ?

— Elle passe en revue quelques détails pour le mariage avec sa mère.

— Elles ont déjà réservé la calèche ? »

Grey parut inquiet. « Pourquoi, c'est ce qu'elle a prévu ? »

Zadie le regarda en souriant. « Je rigole. Depuis toujours, son rêve, c'est de se marier au bord d'un lac et d'arriver dans un bateau tiré par des cygnes.

— Très drôle.

— T'as intérêt à te pointer, tu sais. »

Vous imaginez ? Helen plaquée le jour de son mariage ?

Impossible.

« J'en ai bien l'intention. » Grey était le seul homme au monde à qui Zadie faisait confiance pour tenir sa parole. Il y avait quelque chose de si pur en lui. C'était vraiment un mec bien. Sans surprise. Elle avait longtemps cru vouloir un homme qui la surprendrait constamment. Et puis un jour, elle en avait rencontré un.

Elle descendit de son vélo en tirant sur son tee-shirt pour qu'il ne colle pas à ses seins maintenant couverts de sueur. « Tu viens m'assurer sur la presse à cuisses ? »

Grey la suivit et l'aida à charger les poids. « Combien je mets ?

— Trente de chaque côté. » Zadie omit de préciser à Grey que si elle serrait les cuisses d'une certaine façon sur cette machine, elle parvenait à l'orgasme. Plus il y avait de poids, plus c'était facile. Ce n'était pas qu'elle souhaitait lui dissimuler ce fait. Mais elle ne tenait pas à ce qu'il la regarde pendant ce temps. Ils n'étaient pas proches à ce point, quand même.

« Tu es sûre ?

— Vas-y. » Zadie s'allongea et commença son exercice. Elle écoutait les bavardages de Grey qui relaçait ses chaussures, sans se douter qu'elle était en train de s'envoyer en l'air.

« Je laisse tous les détails de la cérémonie à Helen. En partie parce que je n'ai pas le temps, mais surtout parce que je m'en fous complètement. À ton avis, c'est mal ?

— Non, tu n'es pas censé faire autre chose. » Elle n'écoutait que d'une oreille, mais elle savait qu'elle devait réagir pour maintenir sa couverture. Elle se demandait si toutes les femmes savaient, pour la presse à cuisses, ou si ça ne marchait que sur elle.

« Tu crois ? »

Était-il vraiment obligé de continuer sur ce thème ? « Tiens, écoute : tu n'as qu'à lui poser la question. Je suis certaine qu'elle sera ravie de te dire si elle souhaite ou non ton avis. » D'abord Helen avait gâché sa sortie de surf, et maintenant elle interrompait son orgasme.

« Qu'est-ce qu'il y a ?

— Rien. » Il ne pouvait pas arrêter de parler un peu ? Et pourquoi il la regardait ? Il était censé surveiller les poids.

«Tu es toute rouge.

— C'est sûrement parce que je suis en train de hisser soixante kilos dans les airs. » Et peut-être parce qu'elle venait de sentir une immense et délicieuse vague de plaisir entre ses cuisses.

« Et pourquoi tu as les yeux exorbités ?

— Ça me fait toujours ça quand je soulève des poids. »

Grey fronça les sourcils. « Fais gaffe ! »

Il l'aida à se redresser quand elle eut terminé et rajouta des poids avant de s'y installer à son tour. « Au fait, j'ai parlé de toi à mon pote Mike. »

Zadie fronça les sourcils. « Tu lui as dit quoi ?

— Que tu es cinglée, mais qu'il aurait sûrement envie de te sauter quand même. » Grey prit sa place et commença l'exercice.

« Charmant.

— Je plaisante. Je lui ai dit que… tu étais sexy… drôle…, articula-t-il entra chaque poussée. Et que tu es une super nana. » Il arrêta sa série et se mit debout.

« J'adore quand tu parles jeune. » Elle ôta les poids sur la machine pour la remettre à son niveau. « Mais je refuse que tu m'organises un plan. Mon rendez-vous de ce soir est assez traumatisant comme ça. »

Grey désigna les machines cardio de la tête. « Le type sur le step est en train de te mater. »

Zadie ne se donna même pas la peine de vérifier. Pour quoi faire ?

« Tee-shirt rouge, survêt' noir, jette un coup d'œil », dit Grey.

Zadie leva les yeux au ciel et se retourna pour lui faire plaisir. Un mec passablement mignon vêtu d'un tee-shirt rouge et d'un jogging noir était plongé dans un magazine.

« Il ne me mate pas.

— Plus maintenant, tout à l'heure. »

Zadie se mit en place sur la machine et reprit ses exercices. « C'est un peu gros, ta tentative pour me donner confiance en moi avant mon rencard, mais j'apprécie.

— Il t'a encore regardée.

— Arrête…

— Quoi ? Je ne fais que rapporter les faits. »

Zadie ferma les yeux. Le deuxième orgasme sur la presse à cuisses n'était jamais aussi bon. Trop fugace.

« Eh merde, putain. » Grey regardait toujours en direction des machines de cardio-training, mais cette fois, il fronçait les sourcils.

« Quoi ? demanda Zadie.

— Le type sur le tapis de course. Je crois que c'est Jack. »

Zadie laissa retomber violemment ses poids. « Quoi ?! »

Elle voyait palpiter la veine sur la tempe de Grey, comme s'il se préparait à se battre. « On s'en va ou je lui règle son compte ? »

Zadie commença à paniquer. Pourquoi fallait-il qu'elle croise Jack dans cet endroit ? Elle ne ressemblait à rien. Des millions de fois, elle avait imaginé leur rencontre et rêvait de lui balancer une phrase piquante, hautaine, à la Bette Davis, mais elle ne s'était pas imaginé qu'elle serait toute rouge, les cheveux trempés de sueur rassemblés en queue de cheval et vêtue d'un tee-shirt qu'elle portait depuis la fac.

« Empêche-le de me voir. » Elle se cacha derrière Grey, qu'elle attrapa comme un bouclier. Qu'allait-elle pouvoir dire s'il venait la voir ? Salut, tu te souviens de moi ? La fille qui était censée devenir ta femme ? Je pourrais récupérer mon cœur, s'il te plaît ?

« Assure-toi que c'est lui avant que je lui casse la gueule, dit Grey.

— Tu ne vas quand même pas le frapper. » Bien que Zadie fût très tentée à l'idée de voir Grey donner un grand coup d'haltère sur la tête de Jack, elle n'avait pas envie qu'il soit arrêté pour agression. Jack gagnait sa vie grâce à son visage. Il porterait sûrement plainte.

« Il arrive. Il s'approche du banc de muscu. »

Zadie s'arma de courage et jeta un coup d'œil par-dessus l'épaule de Grey. Elle vit un type avec des cheveux noirs hirsutes et des deltoïdes en acier s'installer au banc de musculation et se pencher en avant.

Ce n'était pas Jack.

Elle se remit à respirer et donna une tape sur l'épaule de Grey. « Merde. Ne me fais plus jamais ça.

— Ce n'est pas lui ?

— Non, Dieu merci. » Grey et Jack ne s'étaient vus que deux fois. Lorsque Grey était encore avec son ex, Angela, ils étaient allés dîner tous les quatre chez Koi. Jack avait immédiatement détesté Angela, parce qu'elle avait fait une remarque humiliante à propos des acteurs avant même que leur entrée soit sur la table, ce qui l'avait mis d'une humeur massacrante pour le reste de la soirée. La seconde fois, post-Angela, Grey avait retrouvé Zadie et Jack au Cat & Fiddle, où Jack était censé présenter Grey à une des actrices avec qui il tournait, mais apparemment, celle-ci avait fait la connaissance de George Clooney à une première, la veille, et se trouvait toujours dans son lit. Jack, penaud, avait tenté de brancher Grey avec la serveuse, mais celui-ci était finalement rentré chez lui avec une maquilleuse de la série *Six Feet Under* qui donnait un teint terreux à ceux qui jouaient les cadavres. Grey n'avait pas été spécialement enchanté ni la première fois, ni la seconde, avait plus tard appris Zadie, mais il n'avait pas non plus prévu que Jack finirait par lui faire ce coup. Grey avait simplement jugé que Jack s'inquiétait un peu trop de ce que les gens pensaient de lui et qu'il était un peu trop beau gosse pour être honnête.

« Excuse-moi, fit Grey en pressant l'épaule de Zadie. Je ne voulais pas te faire peur.

— Allez, viens, tu me dois un verre. »

Terminé, le sport.

10

Certaines femmes aiment essayer plusieurs tenues. D'autres prennent la première qui leur semblait correcte. Zadie opta pour les premiers vêtements propres qui lui tombèrent sous la main : jean et blouse paysanne turquoise. Elle opta également pour un verre de vin pendant qu'elle se séchait les cheveux. Ce qui lui donna les joues rouges. Mais peut-être que les joues rouges c'était branché et sexy.

En se maquillant, elle essaya de se retenir d'imaginer le déroulement de la soirée. Même si elle n'avait accepté de sortir que pour leur rabattre leur caquet à tous (stratagème qui n'avait clairement pas fonctionné avec sa mère, qui lui avait posé au moins soixante-cinq questions sur Doug avant que Zadie raccroche), elle était tout de même vaguement écœurée à l'idée de rencontrer un prétendant potentiel.

Lorsqu'elle était plus jeune, les premiers rendez-vous étaient toujours excitants. Ils étaient chargés de tellement d'espoir. La promesse d'une toute nouvelle et parfaite relation planait au-dessus d'elle à chaque fois qu'elle retrouvait quelqu'un pour un verre ou un café. Pour son premier rendez-vous avec Jack, ils étaient allés se promener avec son chien à Runyon Canyon. Comme le chien était trop fatigué pour continuer, Jack l'avait porté le reste du chemin. Zadie avait alors su qu'elle pouvait avoir des bébés avec lui.

Tu parles d'un espoir et d'une promesse.

Elle retrouva Nancy et le duo Doug et Darryl au Pinot Grill sur Ventura Boulevard, un bistro californien décontracté pas trop loin de chez elle, pas trop cher. En entrant, elle aperçut Nancy, qui lui fit un signe de la main. Doug et Darryl se retournèrent tous les deux pour la regarder et elle ne sut pas si elle devait être déçue ou soulagée. Ils étaient dans la moyenne. Pas de quoi mouiller sa culotte non plus.

« Salut, moi c'est Zadie. » Les deux hommes se levèrent lorsqu'elle s'installa sur la chaise vide à côté de Nancy. Le type en face d'elle lui tendit la main.

« Je suis Doug, ravi de te rencontrer. »

Elle lui sourit. « Ravie, moi aussi. » Pas vraiment, mais il n'y avait aucune raison de se montrer malpolie. Elle le passa en revue en buvant un peu d'eau. Cheveux blonds. Un peu trop pâle. Trop petits yeux. Étroit d'épaule. Pas un gringalet, mais pas le genre de type qui vous sort d'un immeuble en flammes.

« Nancy m'a dit que tu enseignais la littérature.

— Exact. Et toi, tu es dans les ordinateurs ?

— Je crée des codes.

— Ah. » Des codes secrets ? Des codes-barres ? Des codes postaux ?

Il fit une grimace. « J'étais nul en littérature.

— Oh, je suis sûre que tu as compensé autrement. » Il devait sûrement gagner quatre fois plus qu'elle. Qu'est-ce que ça pouvait lui foutre de ne pas bien saisir *Hamlet* ?

Nancy vint mettre son grain de sel. « Doug a une belle situation. »

Celui-ci rougit en plongeant la main dans la corbeille de pain. « Je l'ai payée pour dire ça. »

Il était modeste. Ça, c'était un plus. Elle détestait les mecs qui la ramenaient avec leur gros 4x4. Ils étaient presque aussi nazes que ceux qui conduisaient des Ferrari jaune pisse. Qui pouvait bien dépenser cent-cinquante mille dollars pour une voiture couleur urine ?

Ils demandèrent une bouteille de vin rouge et parcoururent la carte. Zadie choisit le poulet rôti à la moutarde. Les frites qui l'accompagnaient étaient si délicieuses que peu importait la façon dont se terminerait le rendez-vous. Même si pour l'instant, cela n'avait rien de trop pénible. Doug paraissait plutôt agréable.

Pendant que ces messieurs passaient commande, Nancy se pencha vers Zadie en lui soufflant : « Alors ? »

Zadie savait que ça allait venir. « Je viens de le rencontrer. Je ne peux pas répondre.

— Mais il est mignon dans son genre, non ?

— Dans son genre. » Si elle l'avait croisé dans la rue, elle ne l'aurait jamais remarqué. Mais elle n'était pas là pour trouver l'amour. Elle était là pour prouver qu'elle avait raison.

Une fois la commande passée, Darryl lança les hostilités. « Alors, dis-moi, Zadie, est-ce que Nancy est aussi stricte en classe qu'elle l'est avec moi ? »

Alerte rouge. Darryl sous-entendait-il que Nancy était une sorte de dominatrice ? Zadie ne tenait pas vraiment à être au courant de ce genre d'informations. Nancy donna une petite tape à son cavalier et gloussa.

« Ne l'écoute pas. Il est juste contrarié que je ne l'aie pas laissé choisir le restaurant. »

Darryl entra dans son jeu. « Je ne vois vraiment pas ce qui

clochait avec mon restau topless. » Nancy lui donna une nouvelle tape, l'air de dire : « ce que tu es bête ». Il brandit sa serviette en guise de bouclier.

« Et toi, Darryl, qu'est-ce que tu fais dans la vie ? » s'enquit Zadie. La politesse incarnée. En fait, elle s'en foutait pas mal.

« Je suis dentiste. » Pas étonnant que Nancy soit tout excitée. Il avait l'étoffe d'un mari. Enfin, selon les critères de Nancy, en tout cas. Zadie avait toujours préféré un regard mélancolique à une paye régulière. Sa mère avait littéralement geint de douleur en apprenant que Jack était serveur.

« Il a deux cabinets », s'extasia Nancy avec fierté, comme s'ils lui appartenaient. Zadie répondit par l'onomatopée appropriée, qui signifiait « je suis impressionnée », en essayant de ne pas remarquer que son prétendant la dévisageait avec une intensité étrange.

« Je n'arrive pas à croire que tu sois célibataire, lança Doug. Tu es vraiment mignonne. »

Était-elle censée le remercier ? Avant qu'elle ait eu le temps de se décider, Nancy répondit à sa place.

« Elle était fiancée, mais elle a rompu. »

Ouh-la. Nancy donnait une version édulcorée des faits ? Ça, c'était une première.

« Quel âge as-tu ? demanda Doug.

— Trente et un ans. » Un peu malpoli, comme question, mais Zadie ne releva pas.

« Enfin, fiançailles ou pas, tu as eu largement le temps de te trouver un mec. Tu es sûre de ne pas avoir viré lesbienne quelques années à un moment donné ? » Il se mit à rire comme s'il venait de sortir le *bon mot*[*] le plus spirituel jamais prononcé autour d'une table. Zadie inspira profondément, prête à répliquer. Nancy posa la main sur son bras, comme pour dire : « Du calme. »

* en français dans le texte.

« Eh bien, Doug, il y a des soirs où je me suis descendue plus de cocktails que je n'aurais dû, mais je suis bien sûre de n'avoir « viré lesbienne » à aucun moment. Et toi ? Tu n'aurais pas sucé un ou deux mecs dont tu préférerais me parler dès maintenant ? » Elle prit une gorgée de vin, avec un flegme parfait.

Doug se raidit et vira au rouge tomate, exactement comme elle l'avait souhaité. « Euh, non, hé-hé, moi je m'intéresse seulement aux filles. »

Darryl et Nancy échangèrent un regard. Celui de Darryl disait : « Comment as-tu osé brancher mon frère avec cette garce vulgaire ? » Et celui de Nancy : « Calme-toi, elle va arrêter. » Et elle conclut par un coup de pied à Zadie sous la table pour s'assurer que ce serait le cas.

Zadie leur fit un grand sourire. « Ravie que l'on ait éclairci ce point. Alors, vous avez vu des bons films récemment ? »

Elle ne partirait pas d'ici sans avoir mangé ses frites, bordel.

11

« Non ? Tu déconnes ?

— Si, je te jure. » Zadie était installée sur le canapé en daim de Grey, une bière à la main, en train de lui raconter la soirée. Elle s'était précipitée chez lui à Westwood tout de suite après le dîner, pressée de lui raconter les détails les plus sordides. « Il n'a pas été ravi quand je lui ai demandé s'il avait déjà sucé un mec, mais nous avons réussi à terminer notre repas sans nous cracher à la figure.

— Quel con. » Grey se leva pour aller chercher deux autres bières dans le frigo. « Pas étonnant qu'il soit toujours célibataire. » Il lui tendit une cannette en s'asseyant dans son fauteuil design.

Zadie fronça les sourcils. « Tu insinues que les personnes seules ont toutes un problème quelque part.

— Je parlais de lui, pas des célibataires en général.

— Lui a pensé que c'était moi qui avais un problème. C'est comme ça que cette histoire de lesbienne est arrivée sur le tapis.

— Tu as plein de défauts, mais ils n'ont rien à voir avec le fait que tu sois toujours célibataire. Tu ne sors avec personne parce que je suis le seul mec à qui tu adresses la parole. »

Zadie posa ses pieds sur la table basse, une antiquité, et envisagea la question. « Ce n'est pas vrai. Je parle aussi à M. Jeffrics, le prof de gym.

— Toute personne que tu appelles « Monsieur » ne compte pas. Ce gamin qui pose pour Calvin Klein non plus.

— En parlant de lui, tu connais quelqu'un qui est allé à Stanford ? »

Grey réfléchit. « Karl Jameson, je crois. Je lui poserai la question lundi. Pourquoi ? Il a besoin d'une référence ?

— Oui. Je lui ai dit que j'allais me renseigner.

— Ses parents n'ont pas de relations ?

— Ce sont des hippies. Anciens managers de Grateful Dead. »

Grey prit un air inquiet. « Dis-moi que tu ne le suis pas jusque chez lui pour mater à travers ses fenêtres ?

— Je ne suis pas dérangée à ce point-là. Je les ai rencontrés lors d'une réunion parents-profs.

— Ah, tiens, voilà. Il n'y aurait pas un père célibataire avec qui tu pourrais sortir ?

— Non. » Le père de Jessica Martin n'était franchement pas mal, mais l'occasion ne s'était jamais présentée. Elle n'allait quand même pas l'appeler. *Allô, M. Martin ? Jessica a quelques problèmes avec Faulkner, peut-être pourrions-nous en discuter dans votre jacuzzi ? J'apporte une bouteille.*

Zadie vida sa bière et la posa sur la table de salon. Une pensée lui traversa l'esprit. « À ton avis, pourquoi Helen était-elle célibataire quand tu l'as rencontrée ? »

Grey jeta la cannette de Zadie dans la poubelle réservée au recyclage et s'affala à côté d'elle sur le canapé. Zadie soupçonnait

depuis longtemps que son fauteuil design n'était pas si conforta-
ble que ça, en réalité.

« Parce que son destin était de me rencontrer. Mais quelque
chose me dit que tu as une autre théorie. »

Zadie remonta ses cheveux au-dessus de sa tête en une sorte
de chignon lâche. « Pas du tout. Je me disais juste que si Doug
était aussi choqué d'apprendre que j'étais seule, il se serait fait
dessus en découvrant qu'Helen était toujours sur le marché.

— Elle ne l'est plus.

— Mais elle l'était, quand tu l'as rencontrée.

— Helen a eu des tas de copains avant moi.

— Et moi aussi, avant Jack. » Ce n'était pas vrai. Plusieurs,
peut-être, mais pas des tas. « Ce que je veux dire, c'est qu'aucun
des mecs d'Helen ne l'a jamais demandée en mariage. Et elle ne
fréquentait personne le jour où tu as fait sa connaissance.

— Une chance. Sinon, je ne serais pas à neuf jours de mon
mariage. »

Elle aurait dû se douter qu'il serait incapable de remettre en
question les hasards heureux. Elle posa sa tête sur le dossier du
canapé et soupira. « Tu sais ce qui se passe, samedi prochain,
hein ?

— L'enterrement de vie de jeune fille ?

— Si seulement tu pouvais venir, que je m'amuse un
peu », dit-elle.

Grey ricana. « T'es folle ? Je ne pourrais pas passer une
journée entière à faire toutes ces conneries de filles.

— Moi non plus. C'est trop injuste. J'ai l'impression d'être
punie parce que j'ai un vagin. » L'idée de pousser des « ooh »
et des « aah » en écoutant Helen donner tous les détails sur la
cérémonie une tasse de thé à la main, en compagnie de femmes
qu'elle était certaine de mépriser lui était insupportable. Avec un
peu de chance, la veille, elle attraperait une intoxication alimen-

taire. Elle culpabiliserait trop pour feindre une maladie, mais peut-être pouvait-elle manger du poisson avarié par « accident. » Mon dieu. Elle en était réduite à se souhaiter des ennuis intestinaux. « Je ne peux pas venir à ton enterrement de vie de garçon, à la place ? Comme ça j'aurais une excuse pour ne pas y aller. »

Grey la regarda. « Tu as vraiment envie de voir une bande d'avocats avec des strip-teaseuses sur les genoux ? »

Elle imagina la scène. « Les hommes éjaculent quand elles sont sur eux ou ils bandent seulement ?

— D'après mon expérience personnelle, il n'y a pas émission de fluides corporels.

— Alors quel intérêt ? Au lycée, les mecs passaient des heures à se plaindre de l'engorgement de leurs parties et maintenant les hommes payent pour ça ?

— Je ne suis pas la bonne personne pour en parler. La seule strip-teaseuse qui ait dansé sur mes genoux, c'était à l'enterrement de vie de garçon de mon frère et elle avait l'air de ne pas avoir mangé depuis une semaine. On voyait ses côtes. Je n'arrêtais pas d'essayer de lui faire avaler des cacahouètes.

— Trop sexy. » Zadie parcourut la pièce du regard, remarquant que quelque chose avait changé. « Où est passé ton gros pouf années 70 ?

— Helen ne l'aimait pas.

— Quoi ?! Moi je l'adorais, ce pouf.

— Elle le trouvait kitsch.

— C'est pour ça qu'il était cool. Tes meubles de créateurs paraissaient moins prétentieux. »

Grey haussa les épaules. « Que veux-tu que j'y fasse ? Elle ne pouvait pas le supporter.

— Qu'est-ce qu'elle déteste à part ça ? Juste histoire de me préparer mentalement.

— Je ne vais pas me débarrasser de tout ce qui ne lui plaît pas. »

Grey saisit sa tabatière turque dans un mouvement protecteur. « Celle-ci ne sortira pas d'ici.

— Alors c'est à ça que va ressembler ta vie conjugale ? À des querelles sans fin sur ce qui aura le droit de rester dans votre maison ?

— Non. Ma vie conjugale sera faite de nuits sans fin de bonheur absolu.

— Sérieusement. À quoi vont ressembler vos soirées à tous les deux ? Vous allez regarder la télé ? Vous cajoler devant la cheminée ? Baiser non-stop ? Vous lancer des assiettes à la figure ? Donne-moi une idée, en gros. » Zadie commença à paniquer. Et s'il répondait : « Faire des bébés ? » Elle ne le verrait plus jamais. Les gens avec des bébés disparaissaient de la circulation pendant au moins deux ans.

« Je ne sais pas. Qu'est-ce que tu imaginais, avec Jack ?

— Toutes les estimations impliquaient sa présence, et nous savons désormais que c'était déjà trop demander. À toi.

— À peu près ce qu'on fait, toi et moi, j'imagine, répondit Grey. Sortir, papoter, boire des bières.

— Helen ne boit pas. Et si tu arrives à la faire parler d'éjaculation, n'oublie pas de mettre le haut-parleur, que je puisse entendre.

— Bon, évidemment, pas tout à fait comme ça. Mais une version de ce qu'on fait là. Avec du sexe en prime, si tout va bien.

— Ah, le sexe… soupira Zadie. Je me souviens… »

Zadie songea au conseil de Dorian, coucher avec quelqu'un de sa connaissance et elle se rendit compte que Grey était la seule possibilité. Et c'était parfaitement ridicule. Elle n'avait pas couché avec lui quand il était libre, elle n'allait sûrement pas le faire maintenant qu'il était fiancé à sa cousine. Même s'il était plutôt séduisant. Un beau sourire. Des cuisses musclées. De jolis yeux bleus avec de longs cils que les filles rêvaient d'avoir mais n'avaient jamais. Mais il était hors de question que Zadie couche avec lui, Helen ou pas Helen. Il comptait trop pour elle en tant qu'ami. Pourquoi risquer de tout foutre en l'air pour dix minutes de bagatelle ? Elle préférait encore laisser tomber le sexe que Grey.

Celui-ci baissa les yeux en direction de son entrejambe. « J'espère que me rappeler comment ça marche. Il va peut-être falloir que je révise.

— Ça va bien se passer. En plus, elle est vierge. Si tu es nul, elle ne se rendra même pas compte.

— Comme c'est encourageant. »

Zadie se leva en s'étirant. « Je ferais mieux d'y aller.

— Doug t'attend chez toi ?

— Très drôle. »

Il se leva pour l'accompagner jusqu'à la porte. « Je dirai à Mike qu'il est toujours dans la course.

— Je ne sais pas… fit Zadie. Je songe à tenter ma chance avec quelqu'un qui ne parle pas anglais. Ce sera plus difficile de me sentir insultée si je ne le comprends pas. »

Grey se pencha pour lui faire un petit bisou. « Sois prudente sur la route. »

Tandis qu'elle franchissait la colline pour rejoindre la vallée, elle s'imagina dans le salon de Grey après l'emménagement d'Helen. Le scénario n'était pas très engageant. Ses rencards foireux ne seraient plus de divertissantes anecdotes. Ils provoqueraient la pitié. Helen ne comprendrait pas l'humour de la situation. Elle froncerait les sourcils et s'esclafferait, compatissante. Grey s'esclafferait lui aussi, par solidarité avec sa femme. Elle ne serait plus Zadie, la copine sympa avec qui l'on passe de bonnes soirées, elle serait Zadie, la pauvre fille célibataire, incapable de se trouver un homme correct. Il la verrait à travers les yeux d'Helen.

Et Zadie finirait par connaître le même sort que ce pauvre pouf.

12

Le lundi, Zadie réussit à éviter Nancy jusqu'à l'heure du déjeuner. Dolores mettait une cuillérée de ses macaronis au fromage dans l'assiette de Zadie quand Nancy s'assit à leur table et lança d'une voix perçante : « Alors ?

— Alors quoi ?

— Y aura-t-il un deuxième rendez-vous ?

— Non, certainement pas. » La plupart des autres professeurs profitaient de leur heure de déjeuner pour faire quelques courses ou assister à des cours de yoga. Zadie décida de faire comme eux, la prochaine fois. Elle préférait faire le poirier pendant quarante-cinq minutes plutôt que regarder ces deux gigantesques lèvres bouffies d'ornithorynque la harceler pour savoir ce qui lui déplaisait chez Doug.

« Qu'est-ce qui ne va pas ?

— Il est insultant. » En quête de soutien, elle jeta un coup d'œil vers Dolores, à qui elle avait raconté toute l'histoire à la pause du matin. Celle-ci acquiesça. En amie loyale et déviante sexuelle qu'elle était.

Nancy ouvrit son sachet de légumes verts en salade, qu'elle versa dans un bol. « Bon, d'accord, je reconnais que le coup de la lesbienne était limite, mais je suis sûre qu'il ne voulait pas paraître raciste quand il a appelé le voiturier « José ».

— Vu que le voiturier était asiatique, je pense que si.

— Il était nerveux. Donne-lui une seconde chance. Tu lui as beaucoup plu. Même après que tu l'as traité de crétin.

— Le dédain, ça marche à tous les coups », remarqua Dolores. Zadie avait du mal à imaginer ce que « le dédain » pouvait signifier dans une soirée échangiste. *Tu baises ? Non. Tu baises, maintenant ? D'accord.*

« Nancy, j'apprécie que tu t'inquiètes de mon avenir de vieille fille, mais je crois vraiment que Doug n'est pas la réponse à ma détresse. Je suis désolée, mais je passe mon tour. »

Nancy bouda pendant tout le reste du déjeuner.

Avant la dernière heure, Trevor approcha du bureau de Zadie. Il était vêtu d'un jean délavé et d'un tee-shirt moulant Calvin Klein.

« Ils te donnent ça gratuitement ? » fit-elle en désignant son tee-shirt. Il y jeta un coup d'œil à son tour, décontenancé.

« Ouais, comment vous savez ?

— Oh, je me disais, avec le catalogue et tout ça.

— Vous avez vu mes photos ? » Il avait l'air abasourdi. Comme s'il était inimaginable pour lui qu'un professeur puisse feuilleter le catalogue d'une marque de mode.

Maintenant, Zadie se sentait mal à l'aise. Comme si elle avait avoué passer son temps à mater son torse nu. « J'ai reçu la publicité par la poste. J'ai cru te reconnaître, mais je n'en étais pas certaine.

— Eh si, c'était moi. » Il lui sourit et souleva son tee-shirt.

« Vous me remettez ? »

Doux jésus ! La peau nue et bronzée de Trevor à quelques centimètres d'elle. Et des abdos en acier, bordel de merde. Exactement comme elle les aimait. Elle rougit et détourna le regard tant qu'il n'eut pas remis son tee-shirt. « Pas de doute, c'est bien toi.

— Alors, vous avez trouvé quelqu'un qui est allé à Stanford ?

— Peut-être. Je suis sur une piste.

— Ce serait génial. » Il lui décocha un autre de ses sourires à fossettes. En replaçant une mèche décolorée par le soleil derrière son oreille. « Au fait, si vous n'avez rien de prévu samedi, mon groupe passe au Roxy. On n'est pas terrible, mais après un ou deux verres, ça paraît mieux. »

Trevor sur scène ? Qui chante, joue de la guitare ou tout autre activité sexy dans ce genre ? Hors de question. Ce serait parfaitement insupportable. « Je suis invitée à un enterrement de vie de jeune fille, mais j'essaierai de passer.

— Un enterrement de vie de jeune fille ? Mais venez toutes ! C'est toujours bien d'avoir des filles déchaînées dans le public. Même si elles sont vieilles. »

Si Zadie avait été dotée d'un pénis, il aurait débandé dans la seconde.

Après les cours, elle se rendit au pressing pour aller chercher la robe de demoiselle d'honneur auprès de la petite dame qui s'occupait des retouches. La robe était trop longue, mais c'était bien là le moindre de ses défauts. Elle était rose, brillante et dos nu. Autrement dit, Zadie ne pourrait pas mettre de soutien-gorge. Comment pouvait-on imposer un dos-nu aux demoiselles d'honneur ? Robe de créateur ou pas, c'était ridicule. Et ne lui parlez pas des chaussures. Il avait sûrement fallu un mois de travail à un village entier de Taiwan pour fabriquer chaque paire et il faudrait également un mois à Zadie pour les payer. Et puisqu'elles étaient roses, elle ne pourrait jamais les remettre. Cette garce d'Helen était maléfique. Le mal incarné.

Elle appela Grey de son portable. « Je suis un peu déprimée à l'idée de me rendre à ton mariage sans soutien-gorge.

— Ça pourrait être ta chance. Il paraît que le pasteur est branché nichons.

— Tu sais si ton collègue, là, Karl, est allé à Stanford ?

— Attends. »

Elle s'arrêta à un feu rouge tandis qu'il la faisait patienter. Un type en uniforme de Domino's Pizza dans la Chevrolet à côté d'elle chantait un morceau de rap qu'il scandait de gestes menaçants de la main. Zadie se demanda s'il savait à quel point il avait l'air idiot.

Grey la reprit en ligne. « Nan, désolé. San Jose State. Je savais bien que c'était dans le nord, quelque part.

— Merde. » Zadie aurait sincèrement souhaité aider Trevor, et puis aussi avoir une excuse pour qu'il la serre dans ses bras, par exemple.

« S'il n'est pas accepté, il finira peut-être à l'université de Californie et tu pourras toujours aller faire un tour aux soirées étudiantes, dit Grey.

— Tais-toi. Je vais porter du rose pour toi.

— Il faut que je te laisse. J'ai Helen sur l'autre ligne.

— Demande-lui ce que je suis censée faire de mes seins.

— Mets-les dans ton sac à main. »

Il raccrocha comme Zadie arrivait au feu suivant, le fan de rap toujours à sa hauteur, et toujours en train d'agiter les bras. Pile au moment où elle se disait qu'il pouvait difficilement avoir l'air plus con, il se retourna et la surprit en train de le dévisager. Il lui fit un gros clin d'œil en se léchant les lèvres.

Vraiment, quelle chance elle avait.

13

La journée de l'enterrement de vie de jeune fille commença par l'intrusion du chat du voisin, qui entra par la fenêtre de la chambre de Zadie et vint s'asseoir sur son lit, lui miaulant au visage avec une haleine au thon qui semblait tout droit sortie d'entrailles en putréfaction. Zadie se débarrassa de l'animal, se brossa les dents et maudit Taco Bell, dont les plats ne l'avaient pas rendue nauséeuse au réveil. Sans ça, quel intérêt aurait-on à manger des flageolets recuits ? Ce n'était sûrement pas pour leur aspect appétissant, en tout cas.

En route pour Beverly Hills, Zadie se prépara mentalement à la journée qui l'attendait : elle allait devoir passer son temps à se retenir de dire quoi que ce soit et à ruminer sa contrariété. Elle allait essayer d'éviter de râler ouvertement si c'était possible, mais elle ne pouvait rien promettre. Si quelqu'un commençait à parler de césarienne, du côlon ou de talk-shows télé, elle ne répondait plus de rien.

Lorsqu'elle se gara devant le voiturier de chez Barney's (pas le troquet, le grand magasin), où démarrait la fête, avec un « petit-déjeuner léger » au restaurant sur le toit, elle vit une grande limousine blanche sur le parking. La plupart des invitées venant d'Orange County, elles étaient arrivées ensemble, dans toute leur splendeur et avec chauffeur. Zadie était venue avec sa Toyota. Avec trois semaines de pollution collées à la carrosserie et sept bouteilles d'eau sur le sol côté passager, ainsi qu'un sachet de chips vide. Le voiturier la considéra avec pitié.

Quand elle arriva sur le toit, duquel on pouvait contempler la vue peu spectaculaire de Beverly Hills, au sud de Wilshire Boulevard, les autres étaient déjà là, dans leur tenue de yoga. Elles la bombardèrent de « salut » enjoués. « Zadie, bienvenue ! » fit Helen en la serrant dans ses bras. Denise lui fit un signe, bagel à la main.

Eloise s'exclama, « Oh, c'est pas vrai ! J'ai exactement le même sac, sauf que le mien est plus gros. » La surenchère avait commencé. Oh, cette journée allait être trop sympa. Eloise n'avait rien en commun avec Grey. Et puisque Grey était séduisant, cela signifiait malheureusement qu'Eloise ne l'était pas. Mais elle essayait de compenser par une coupe de cheveux originale, un carré noir de jais asymétrique et lunettes papillon « tendance », pour se rendre plus intéressante. En vain.

Betsy Le Boulet arrivait juste derrière dans le festival des bonjours. Queue de cheval rousse se balançant de droite à gauche, elle s'approcha pour embrasser Zadie. Elle s'était aspergée de parfum Estée Lauder au point que Zadie sentit ses yeux la piquer. « On ne s'est pas revues depuis les vingt-cinq ans d'Helen. » Betsy avait hérité du surnom de boulet parce qu'il fallait vraiment se la traîner. Son amitié avec Helen remontait au lycée. C'était le genre de fille à s'inscrire à tous les clubs, à participer à tous les événements et à courir après tous les garçons. Sans résultat. Cela se solda par des années de frustration sexuelle qui avaient fait d'elle une personne particulièrement détestable. « Tu te souviens de ta coupe de cheveux à l'époque ? fit Betsy Le Boulet en roulant des yeux. J'espère que tu t'étais fait rembourser. »

Oh, cette journée allait vraiment être trop sympa.

Helen fit signe à Zadie de s'asseoir. « Je vais te présenter tout le monde. Voici Gilda. C'était ma colocataire sur le campus à la fac, elle est venue spécialement de Boulder pour être avec nous aujourd'hui. » Elles étaient allées à l'université du Texas. Helen était une étudiante modèle, qui participait à toutes les activités. Enfin bon, ça ne devait pas être très difficile d'avoir les meilleures notes partout quand le cursus se composait de cours tels que « Les textiles » et « Pucci contre Gucci ? »

« Salut Zadie, enchantée. » Gilda semblait normale. Agréable, même. Elle avait un air décontracté de fille du Colorado, simple, la raie au milieu, le tee-shirt un peu large. Zadie songea que Gilda devait sûrement être la seule personne ici présente, en dehors de Denise, à avoir vu Helen sans maquillage.

« Tu te souviens de Marci et Kim, qui font partie de mon association caritative ? »

Vaguement. Elles avaient le style « mère de famille avec pavillon de banlieue » : cheveux bruns jusqu'au menton, tennis en tissu aux pieds. Occupées à couper leurs fruits en tout petits morceaux.

« Et Jane, du lycée. »

Ah oui, Jane Qui Plane. L'hôtesse de l'air. La fille qui ne savait pas que les graines de tournesol venaient des tournesols. Une blonde superbe avec un air de Veronica Lake dont les seins rivalisaient avec ceux d'Helen, mais pas le genre de fille à qui l'on demanderait des conseils pratiques. Elle sourit à Zadie en la saluant de la main.

« Et voici Phoebe et Cassandra, de la boutique. »

Deux fashionistas de vingt-trois ans au physique amélioré par la chirurgie en dos-nu et pantalon de yoga, que Zadie n'avait jamais vues de sa vie. Pouffe et Super-Pouffe. Elle les détesta sur-le-champ, elles et leurs cheveux balayés extra-raides.

« C'est Cassandra qui a déniché les hallucinantes robes de demoiselles d'honneur, alors vous pouvez toutes lui dire merci », remarqua Helen.

Zadie prit note mentalement de poignarder Super-Pouffe à l'aide d'une fourchette à un moment ou un autre de la journée. En attendant, elle piqua un morceau d'ananas et tenta de faire la conversation avec les filles d'Orange County. « Alors vous êtes toutes venues en limousine ? »

Betsy Le Boulet parla très vite pour être la première répondre. « Notre chauffeur était complètement idiot. On a dû lui expliquer comment venir chez Barney's. »

Zadie aurait eu bien besoin d'un cocktail. Pas un à l'horizon. « Il faut dire qu'il ne doit pas venir faire ses courses ici. »

Les autres la regardèrent comme si cette idée ne les avait même pas effleurées.

Eloise intervint : « Alors, il paraît que tu es sortie avec un type horrible l'autre soir ? »

Mais pourquoi fallait-il que Grey aille raconter ça à sa sœur ?

« Oui, le rendez-vous ne s'est pas bien passé.

— Attends, ce n'est rien. Moi, je suis sortie avec un criminel, mardi. Reconnu coupable et tout. » Eloise beurra son croissant avec une fierté dont seule pouvait faire preuve une pro de la surenchère ayant fréquenté un criminel.

Helen fut choquée. « Pour quelle raison a-t-il été arrêté ?

— Délit d'initié. Il a passé deux ans dans une de ces prisons pour col blanc. Il ne me l'a avoué qu'au dessert. »

Zadie aurait parié qu'il avait inventé ça pour échapper au

dernier verre après le dîner. Les hommes avec qui sortait Eloise devaient sûrement se découvrir une soudaine vocation de voleur de voiture pour la fuir au plus vite.

Bien entendu, Helen s'alarma. « Eh bien, j'espère que tu ne comptes pas le revoir.

— Absolument pas. Tu imagines son crédit après une chose pareille ? »

Denise se pencha pour attraper le pot de fromage frais au milieu de la table. « Et il t'a dit s'il avait été la salope de quelqu'un quand il était en prison ? »

Marci et Kim s'étranglèrent, Helen aussi. Le viol en milieu carcéral était effectivement un sujet un brin cru, pour un petit-déjeuner. Ou bien alors elles étaient juste horrifiées de voir Denise manger autant de produits laitiers.

Eloise fronça le nez. « Je ne lui ai pas posé la question. »

Cassandra se pencha pour inspecter le sac à main de Zadie. « C'est un Balenciaga ? »

Zadie se tourna vers elle après avoir jeté un coup d'œil à son sac. « Seulement si on trouve des Balenciaga à dix dollars sur la promenade de Venice Beach. »

Sa réplique n'arracha même pas un sourire à Cassandra. Phoebe affichait le même visage impassible. Fallait pas rigoler avec la mode devant Pouffe et Super-Pouffe.

Gilda vint murmurer à l'oreille de Zadie : « À ton avis, on va arriver à les larguer avant la fin de la journée ?

— J'espère bien ! » Zadie lui sourit, contente d'avoir au moins une alliée à cette table.

Helen posa sa serviette et se mit debout. « Qui est prête à tenter la Kundalini ? » Betsy Le Boulet, Jane Qui Plane, Eloise, Marci et Kim, ainsi que Cassandra et Phoebe, se levèrent toutes d'un bond, ravies. Denise, Zadie et Gilda furent un peu plus lentes à se mettre sur leurs pieds. « Je vous jure que vous allez toutes adorer. En plus, c'est une forme de yoga qui est parfaite pour les futures mamans, alors ne vous en faites pas pour Denise », les assura Helen.

Denise repoussa son assiette ; elle n'avait pas l'air inquiète pour le bébé, juste écœurée. Il faut dire que les tartines de sauce hollandaise ont tendance à provoquer ce genre de réaction.

« Allez, les filles, c'est parti ! » Helen ouvrit la voie jusqu'à l'ascenseur, tandis que Denise se penchait pour vomir discrètement dans le saladier de fruits frais. Zadie ralentit le pas pour s'assurer qu'elle allait bien. Denise leva les yeux vers elle, l'air tout à fait mal en point.

« Encore trois mois comme ça. »

Zadie fit de son mieux pour se montrer positive. « Mais dis-toi qu'après, tu auras un bébé. »

Denise ne parut pas plus heureuse pour autant. « Exactement. »

14

Golden Bridge Yoga se trouvait sur la 3ᵉ Rue et ne possédait aucun parking digne de ce nom, la limousine s'avéra donc utile. Les yogis dans le vestibule se plantèrent devant la vitrine, s'attendant à voir débarquer Madonna ou toute autre célébrité, mais hélas ! il ne s'agissait que d'une poignée de filles en goguette venue découvrir le Zen et leur énergie kundalini.

Ayant assisté à quelques cours de yoga dynamique par le passé, Zadie avait décrété que c'était une discipline qu'elle se félicitait d'avoir essayée mais qu'elle détestait pratiquer. Mais la Kundalini était censée être un yoga plus spirituel qui avait soi-disant mené certaines personnes à l'extase, alors elle espérait que cette expérience se rapprocherait de celle de la presse à cuisses, autrement dit un maigre rayon de soleil dans une journée qui s'annonçait particulièrement sombre.

Elle se laissa tomber sur son tapis, au fond, à côté de Gilda.

« Tu crois qu'elles remarqueront si on s'endort ? demanda Gilda.

— Avec un peu de chance, ce sera le genre de cours où tout le monde a les yeux fermés. »

Elles regardèrent Pouffe et Super-Pouffe se frayer un chemin jusqu'aux rangs de devant pour s'installer à côté de Cindy Crawford. Helen prit place au centre, entourée de Marci, Kim, Jane Qui Plane, Eloise et Betsy Le Boulet. Denise était juste à côté de la porte, au cas où elle serait prise d'une nouvelle envie de vomir.

À peine le cours eut-il débuté que tous se mirent à psalmodier. Zadie fit comme tout le monde, sans avoir la moindre idée de ce qu'elle racontait. Il n'y avait pas d'option « hindi » à l'université de Los Angeles. Pour ce qu'elle en savait, elle pouvait bien être en train de jurer vengeance contre les infidèles. Avec le chant vint le bercement. Et la respiration. Beaucoup de respirations. La respiration du feu. La respiration du chien. Les gens avaient littéralement la langue pendante et imitaient le halètement court de l'animal. Zadie se dit, à Rome... Et elle fit comme les Romains. Après quelques instants, elle sentit effectivement un certain apaisement la gagner. Ça avait un rapport avec la libération des émotions au niveau du diaphragme, selon l'instructeur enturbanné.

Il s'agissait d'effectuer le même enchaînement pendant six minutes, avant de passer à un autre mouvement répétitif pendant encore six minutes. Zadie atteignit l'extase lorsqu'ils furent enfin autorisés à arrêter. Elle parcourut la pièce des yeux. Certaines personnes étaient véritablement en larmes. D'autres rayonnaient de leur feu kundalini tout neuf. Helen était radieuse, comme toujours. Betsy extirpait son pantalon de yoga de sa raie des fesses. Eloise feignait d'avoir atteint la béatitude spirituelle, en essayant de faire mieux que la personne placée à côté d'elle. Pouffe et Super-Pouffe mataient Cindy Crawford en position de la charrue, en évaluant mentalement ses fesses pour savoir si les leurs étaient plus grosses. Marci et Kim psalmodiaient dans une position parfaite, visiblement entraînées pour avoir souvent chanté avec Barney le Dinosaure. Gilda, en position fœtale, faisait une sieste. Jane Qui Plane écrasait une larme. Était-ce l'ennui, ou bien la libération des émotions ? Zadie n'aurait su dire. Denise était partie depuis longtemps, pour vomir aux toilettes ou juste errer dans les rues.

À la fin du cours, elles durent s'allonger sur le sol, sans bouger, et écouter quelques mélopées supplémentaires. C'était le moment que Zadie préférait. Mais au moment où elle s'apprêtait à somnoler, elle fut submergée par des images de Jack. Connerie de respiration du chien et de libération d'émotions. Les images arrivaient très vite. Jack et elle au lit, riant de se voir aussi ridiculement excités. L'enthousiasme contagieux de Jack après une audition réussie, les burgers qu'il avait rapportés pour fêter ça. Jack qui l'embrassait dans le brouillard, la fois où ils avaient grimpé jusqu'au panneau « Hollywood » et que la vallée tout entière était enveloppée d'un nuage, comme s'ils la contemplaient depuis le paradis. Jack aux fourneaux, en train de brouiller des œufs pour le petit-déjeuner pendant qu'elle le regardait depuis le canapé, vêtue de son tee-shirt à lui, un tee-shirt vert de l'État du Michigan. Le jour où ils s'étaient pris une cuite à la plage, lors du premier anniversaire de leur rencontre, et qu'ils avaient cuvé leur vin sur le sable, se réveillant à la nuit tombée, blottis dans les bras l'un de l'autre. Tout. Tous les moments auxquels elle ne s'était pas permis de repenser ces sept derniers mois. Ils défilaient les uns après les autres devant ses paupières closes. Son troisième chakra souffrant de cette libération d'émotion.

Et ils disparurent aussi vite qu'ils étaient venus. Comme si elle l'avait enfin évacué. Et tandis que l'instructeur baissait la musique en leur demandant de se débarrasser de leurs tensions pour étreindre leur paix intérieure et reconnaître leur divinité, Zadie eut l'intuition fugace que tout irait bien dans sa vie. Peut-être que les choses n'allaient pas si mal. Peut-être que tout allait se passer à la perfection. Elle s'y voyait presque.

Comme tout le monde se levait en disant « namasté », Eloise jeta un coup d'œil de l'autre côté de la pièce et remarqua : « Elle ne joue pas dans *Les Feux de l'amour* ? » Zadie regarda dans cette direction et aperçut la rousse anorexique aux sourcils surépilés qui embrassait Jack le jour où elle avait été forcée de regarder le feuilleton, dans la salle d'attente du garage. Elle gloussait avec sa copine en s'épongeant le visage à l'aide d'une serviette. Sans avoir la moindre idée qu'elle venait de voler la béatitude de quelqu'un.

15

Lorsque la limousine se gara devant Elixir, sur Melrose Avenue, Zadie fut la première à sortir. Elle venait de subir un rapport circonstancié sur la réaction de chacune au cours de yoga, sans parler de l'épreuve du vestiaire avec toutes ces femmes nues qui enfilaient leurs mignonnes petites jupes et robes bain de soleil pour la suite de la fête. Zadie était venue en jean et chemisier bleu vaporeux.

« Ça vous a plu ? C'était génial, non ? » s'enthousiasma Helen. Tout le monde renchérit, évoquant avec force exclamations les divers stades de leur nirvana.

« Pour la première fois, j'ai véritablement compris comment fonctionne l'univers », fit Eloise. Zadie la dévisagea comme si elle venait de sniffer de la colle. Cette fille ne comprenait même pas comment marchait sa carte bancaire, alors pour ce qui était du cosmos...

« Zadie, tu as aimé ? demanda Helen, impatiente de savoir.

— Ouais. C'était différent. » C'était la première fois qu'elle avait des hallucinations pendant un cours de yoga, alors ce n'était pas un mensonge.

« Tu n'as pas l'impression que tout est bien dans le monde, maintenant ? Je me sens toujours tellement équilibrée quand je sors des cours de Kundalini »

Zadie n'était pas certaine d'avoir été un jour équilibrée. Mais elle était contente d'avoir senti renaître en elle une certaine confiance en l'avenir, même passagère.

Elixir était un bar d'inspiration asiatique qui servait des breuvages à base de plantes aux vertus apaisantes ou stimulatrices. Zadie choisit un « Virtual Bouddha », puisqu'il était censé produire un état d'allégresse, sensation qu'elle n'avait plus éprouvée depuis un bon bout de temps. Comment Helen parvenait-elle à être aussi heureuse tout le temps ? La vie était-elle simple comme le yoga et les potions à base de plantes ?

Helen serra Zadie dans ses **bras**. « Je suis tellement contente que tu sois là. » Et pendant une seconde, Zadie le fut aussi. Si elle terminait cette journée en ayant retrouvé la paix, elle ne serait pas venue pour rien.

Elles s'installèrent dans leurs fauteuils en osier sur la terrasse de teck qui surplombait une fontaine gargouillant au milieu d'une cour et Jane tendit à Helen son « Chi Devil », cocktail réservé aux femmes, censé favoriser l'excitation sexuelle. « Il faut qu'on te prépare pour ta lune de miel. »

Sauf que le reste de la journée était consacré au shopping, alors on ne voyait pas très bien pourquoi Helen aurait voulu être excitée. Elle rougit et but une gorgée en gloussant ; Betsy Le Boulet fit une arrivée tonitruante à la table. C'était mal parti pour l'allégresse.

« Allez, qui veut être prem's ? » Elle brandit un livre sur l'horoscope qu'elle venait d'acheter au Bohdi Tree, au coin de la rue,

111

pendant que les autres faisaient la queue au « bar ».

« Moi, dit Eloise. Je suis Cancer. » Oui, c'est ça, une vraie plaie, quoi, songea Zadie.

Tandis que Betsy passait en revue l'horoscope de chacune, prédisant fortune, voyage, amour et ennuis de voiture, Zadie prit un instant pour étudier Helen. C'était peut-être vraiment quelqu'un de gentil et adorable. Et aussi agaçante que soit sa perfection, elle ne recelait peut-être aucune intention maléfique. Le fait qu'elle n'aime pas les poufs années 70 ne faisait de mal à personne. Bien sûr, elle avait un chouïa tendance à porter des jugements péremptoires. Mais elle n'était pas la seule. Zadie ne repoussait-elle pas certains hommes tout simplement à cause de leurs chaussures ? Et les gentils cadeaux d'Helen n'étaient pas aussi odieux que Zadie avait bien voulu le croire. En surprenant son reflet dans le miroir au cadre en terre cuite d'Italie avant de quitter son appartement ce matin-là, elle avait vu un gros pâté d'eye-liner étalé sur sa joue. Mieux valait s'apercevoir d'un truc pareil par soi-même plutôt que le voiturier ne vous le fasse remarquer en arrivant. Ou pas, d'ailleurs. Helen lui avait fait une faveur en lui offrant un miroir. Helen était pleine d'attentions.

Zadie baissa les yeux vers son verre vide. C'était quoi, ce truc ? Un genre de cocktail euphorisant ?

« Zadie, écoute, c'est le tien : "Ne laissez pas les autres déteindre sur vous. Vous savez de quel côté vous souhaitez que le vent vous porte. Mercure, qui rétrograde, constituera peut-être un obstacle, mais n'oubliez pas vos priorités." » Betsy fit une mine contrariée. « Je déteste quand Mercure rétrograde. »

Zadie ne dit rien, laissant les autres acquiescer. Elle se foutait pas mal de ce que faisait Mercure. Le jour de son non-mariage, son horoscope disait : « Cette journée se déroulera dans la joie. » On pouvait dire, sans trop s'avancer, qu'elle ne croyait pas à l'astrologie.

Betsy Le Boulet sortit un autre livre de son sac. « Je me suis dit qu'Helen en ferait bon usage. » Elle produisit *Comment séduire n'importe quel signe du zodiaque.* Les autres femmes pouffèrent en faisant des grimaces, comme si elle venait de brandir un godemiché géant. « De quel signe est Grey ?

— Scorpion », répondit Helen.

Betsy se mit à feuilleter l'ouvrage pour trouver la bonne page, et Zadie fronça les sourcils. « Je suis sûre qu'il est Vierge. » Elle se souvenait avoir entendu Grey lire son horoscope à voix haute lors d'un petit-déjeuner chez Hugo, en se plaignant que les Vierges n'avaient jamais le droit de s'amuser. Après quoi, il avait renvoyé ses gaufres, pas assez croustillantes à son goût.

« Non, il est Scorpion. J'en suis certaine. C'est ce qui explique qu'il soit aussi mystérieux. »

Grey ? Mystérieux ? S'agissait-il du même homme ?

Eloise intervint pour les départager. « En fait, c'est Zadie qui a raison. Il est Vierge, il est né en août. »

Helen parut piquée au vif. « Comment se fait-il que j'ignore ça ? J'aurais pu jurer qu'il m'avait dit être Scorpion. » Le reste du groupe se tut soudain, comme s'il s'agissait d'une sorte de mauvais présage. Pouffe et Super-Pouffe lancèrent un regard mauvais à Zadie pour l'avoir révélé.

« Quelle importance ? Les Vierges sont tous des dérangés ou quoi ? » demanda Zadie.

Un voile de glace s'abattit sur Helen. « Non, ça n'a aucune importance. Je suis simplement contrariée de ne pas l'avoir su. »

Betsy leur fit la lecture : « Apparemment, les hommes Vierge sont branchés ordre et perfection. »

« Ah, tu vois ? Il aime la perfection. Tu es parfaite. Ça colle », dit Zadie en faisant un geste en direction d'Helen.

La serveuse leur apporta un plateau de petits sandwiches. Zadie observa les autres, qui ôtaient le pain pour ne manger que ce qu'il y avait à l'intérieur. Helen n'y toucha pas, toujours vexée.

« J'étais persuadée que nous avions eu toute une conversation sur le fait qu'il était Scorpion. » Elle se tourna vers Eloise. « Tu es vraiment sûre de ce que tu dis ? »

Eloise hocha la tête. « J'étais là le jour de sa naissance. »

Helen baissa les yeux, évitant son regard. « Ce n'est pas mon style d'oublier ce genre de choses. » Oh, la honte ! Elle ignorait le signe du zodiaque de son fiancé ! Franchement, Zadie ne voyait pas le problème.

« Vous sortez ensemble depuis six mois. Vous ne pouvez pas tout savoir l'un de l'autre. » Zadie pensait aider, mais les regards assassins des autres semblèrent insinuer le contraire.

Helen chercha le soutien de sa bande de copines. « Vous trouvez que six mois, ce n'est pas assez ?

— Six mois, c'est bien assez long, l'assura Betsy Le Boulet.

— Six mois, ça fait toute la différence entre la couche et le pot, renchérit Marci.

— C'est énorme, rajouta Kim.

— Moi, je ne suis jamais sortie six mois avec quelqu'un, remarqua Jane, visiblement pas du genre à se caser.

— Demande à n'importe quel chirurgien plasticien. Six mois, ça suffit à transformer complètement ton corps. C'est une période de temps é-nor-me », confirma Super-Pouffe. Zadie l'observa attentivement. Était-il possible que six mois plus tôt, elle ait été grosse et courte sur patte ?

« Six mois, c'est le nombre de mois de grossesse qui s'étaient écoulés avant ma première hémorroïde. » Personne ne savait vraiment si ça avait un rapport, mais Denise n'était pas obligée de dire quoi que ce soit de sensé, vu qu'elle avait déjà vomi trois fois et qu'il n'était que 13 heures.

« Tu aurais le temps de traverser le pays à pied en six mois », lança Eloise, qui ne ratait jamais une occasion de faire de grandes proclamations à propos de choses dont elle n'avait pas la moindre idée. Zadie ignorait combien de temps il fallait pour aller d'un bout à l'autre du pays en marchant, mais elle était certaine qu'Eloise n'avait jamais ne serait-ce que traversé la ville à pied.

Gilda se pencha pour prendre le pain du sandwich d'Helen et le mit dans sa bouche. « À l'école, en six mois, tu sortais au moins avec deux mecs. C'est dire. »

Helen n'était pas apaisée pour autant. « Je sais. Je sais. C'est juste que je n'arrive pas à croire que Zadie en sache plus que moi sur Grey. »

Les autres se tournèrent vers Zadie comme si on venait de la surprendre en train de sucer Grey.

« C'est mon meilleur ami. Désolée. » Elle ne savait pas trop pourquoi elle s'excusait, mais c'est ce qu'on attendait d'elle.

Helen lui tapota la main. « Je sais. Et j'ai vraiment de la chance. Sinon, comment je saurais tous ses petits secrets ? » Elle sourit à Zadie et toutes les autres lâchèrent un soupir de soulagement. L'orage était passé. Mais pour une raison ou une autre, Zadie n'était pas dupe.

La journée ne faisait que commencer.

16

Fred Segal, sur Melrose Avenue, était le genre de boutique que Zadie évitait en général. Pourtant, on y trouvait plein d'articles tendance en tout genre : vêtements, bijoux, bougies, maquillage. Mais c'était juste que Zadie refusait de payer les sommes ridiculement élevées que des tas d'autres gens – heureusement pour Fred – étaient prêts à débourser. Un tee-shirt à soixante-quinze dollars ? Et il fait le cunnilingus pour ce prix-là ? Sinon, pourquoi ne pas se contenter de H & M ?

À peine les filles eurent-elles débarqué de leur limousine de quinze mètres de long que Pouffe et Super-Pouffe foncèrent dans le magasin comme s'il distribuait de l'argent. Eloise les suivit de près. Sûrement dans l'idée de se trouver une nouvelle paire de lunettes papillon. Marci et Kim se ruèrent sur la section enfants, car il était hors de question que leurs rejetons soient les seuls de la crèche à ne pas porter du Juicy Couture. Jane Qui Plane fila tout droit vers le rayon lingerie, Denise fit une halte au café pour remplacer la nourriture précédemment dégueulée, Gilda se dirigea vers les produits de beauté. Laissant Zadie seule avec Helen et Betsy Le Boulet, à flâner au rayon jeans. Zadie en tint un à bout de bras.

« Je sais que c'est la mode depuis quelques années mais est-il vraiment obligatoire que le monde entier voie ma raie des fesses ? Je ne crois pas.

— La taille basse est plus flatteuse, témoigna Helen, dont la raie des fesses devait sûrement être bordée d'or.

— Alors, Zadie, quel autre secret connais-tu à propos de Grey, qu'Helen ignore ? fit Betsy, bétonnant à jamais son statut de boulet, une main sur la hanche, l'air d'attendre que Zadie révèle la présence de furoncles violets sur les testicules de Grey ou autre chose dans ce genre.

— Je suis sûre qu'Helen sait tout ce qu'elle a à savoir. »

Celle-ci se raidit. « Que veux-tu dire par là ?

— Très exactement ce que je viens de dire. » Zadie était déconcertée. Comment cette phrase pouvait-elle susciter une réaction pareille ?

« Autrement dit, il y a d'autres choses que je n'ai pas à savoir ? »

Zadie leva les yeux au ciel. « Ce n'est pas ce que je voulais dire. » Elle soupira, consciente que d'autres questions allaient suivre, et qu'elle ferait donc mieux de développer un peu. « Grey est un livre ouvert. Tout ce qu'il y a à savoir sur lui est sous ton nez. Fais-moi confiance, il ne cache aucun vilain secret.

— Que tu saches », remarqua Betsy. On pouvait toujours compter sur elle.

« Bon, tu es au courant pour cette histoire de travesti, non ? »

Helen et Betsy devinrent tellement livides que Zadie dut très vite les rassurer avant d'être éblouie par leur pâleur. « Je plaisante. »

Une fois que leur circulation sanguine eut repris un cours normal, Zadie poursuivit. « Enfin, elle était transsexuelle, alors techniquement, ça ne veut pas dire qu'il est gay. »

Helen lui lança un jean à la figure en riant, soulagée de voir que sa cousine se moquait d'elle. Betsy Le Boulet lui jeta un regard en coin, comme si elle n'en était toujours pas certaine.

Zadie, faute de mieux, les suivit dans leurs déambulations à travers la pièce d'à côté, labyrinthique – Conseil à l'intention de Fred : abattre quelques murs. Puis elle observa Marci et Kim, qui débattaient sur le thème : est-il correct, oui ou non, qu'une enfant de quatre ans porte un tee-shirt nombril à l'air ?

« Si c'est pour aller au terrain de jeux, oui. Pour le catéchisme, non, répondit Marci.

— Mais quel est le message que transmet un ventre de bébé ? Je n'ai pas envie que les hommes associent le nombril de Britney Spears à celui de Madison et qu'ils en soient excités », déclara Kim.

Elles délibérèrent ensuite pour savoir s'il était approprié de laisser Duncan porter du rose. Zadie avait envie de leur faire remarquer qu'il était gravement inapproprié de dépenser deux cents dollars dans une tenue destinée à un enfant assez jeune pour se chier dessus, mais elle se retint, dans l'esprit du Virtual Bouddha.

Lorsque Eloise et Super-Pouffe descendirent l'escalier d'un pas résolu avec leurs sandales compensées et talons aiguilles, toutes les têtes se tournèrent dans le magasin, scandalisées par leurs éclats de voix. Apparemment, elles avaient toutes deux jeté leur dévolu sur un sac à main Stella McCartney et Eloise, plus costaud, l'avait arraché des mains de Super-Pouffe, qui était donc très fâchée.

« C'est clair, tu ne connais rien à la déontologie du shopping. »

Eloise, qui n'avait pas le triomphe modeste, lui rétorqua :

« J'ai sorti ma carte de crédit la première, et c'est la seule déonto-logie qui compte. »

Helen, que toute agitation au sein du groupe dérangeait pro-fondément, intervint. « Les filles, ce n'est qu'un sac à main. Pas la peine de se mettre dans cet état. »

Super-Pouffe n'était pas de cet avis. Elle se dirigea d'un pas lourd vers la section Beauté. Qui réunissait exclusivement des produits hors de prix. Zadie la suivit, espérant la voir pleurer. Super-Pouffe retrouva Pouffe du côté des sels de bain et déclara « Je me fous qu'elle soit la sœur du marié, c'est une vraie salo-pe. » Pouffe acquiesça et toutes deux s'en allèrent se consoler en reniflant des bougies parfumées à quarante dollars pièce.

Gilda se tourna vers Zadie, avec à la main un shampoing au miel. « Il est quatre dollars moins cher en parapharmacie.

— Ce n'est pas ici que tu trouveras des bonnes affaires.

— Il y a vraiment des gens qui portent ce genre de choses ?

— Oui, mais pas moi.

— Je suis allée faire un tour dans le magasin d'Helen, hier, et les fringues n'étaient pas mieux.

— Tu prêches une convaincue. Je n'ai pas manqué un seul épisode de *Sex and the City*, pourtant je n'arrive toujours pas à comprendre pourquoi Carrie est censée être une figure emblématique de la mode. Dans neuf épisodes sur dix, elle est habillée comme une attardée mentale.

— Dieu merci. Et moi qui me disais que je ne pouvais pas comprendre parce que je vis dans le Colorado, fit Gilda en riant.

— C'est la première fois que tu viens rendre visite à Helen ?

— Je crois qu'elle essayait de me tenir à distance. Elle avait peut-être peur que j'en sache trop. » Elle fit un clin d'œil, comme si elle plaisantait, mais Zadie fut intriguée.

Si Helen avait un côté sombre, alors là, Zadie allait passer une année entière à fêter ça.

17

Tout le monde se retrouva enfin dans la limousine, factions rivales séparées ; il était temps de se rendre au Peninsula pour le thé. Oui, le thé. Non qu'aucune d'entre elles fût britannique, mais ce semblait être une occupation très féminine, très chic, alors c'était au programme. Merci, Betsy.

Ce que les filles d'Orange County ignoraient, c'est que le Peninsula, un hôtel chichiteux de Beverly Hills aux tarifs plus qu'excessifs, était fréquenté par un assortiment de call-girls qui retrouvaient leurs clients sous les lambris du bar, sombre et discret. Ou bien dans le « living-room » clair et ensoleillé. Celui-là même où elles prenaient le thé. Zadie avait appris cela en lisant un roman de Jackie Collins. Ce n'était pas parce qu'elle enseignait la littérature qu'elle n'avait pas le droit de lire les bons bouquins.

Lorsqu'elles furent toutes installées sur les sofas de bon goût, à déguster leur Earl Grey petit doigt en l'air, en admirant les arrangements floraux de deux mètres de haut qui les entouraient,

Betsy décréta qu'il était temps de passer à la séquence « Conseils de nana ».

« Que chacune donne des petits secrets pour un mariage heureux. Qui commence ? »

Visiblement, Betsy n'avait pas pris en compte le fait que Zadie, Jane, Eloise, Pouffe et Super-Pouffe n'étaient pas mariées, mais bon. Elles n'avaient qu'à écouter et en prendre de la graine.

Denise parla la première. « N'oublie pas de prendre ta pilule. »

Helen la serra dans ses bras d'un air enjoué. « Oh, arrête, je sais que tu as hâte de devenir maman. Et moi tatie », ajouta-t-elle en passant la main sur le ventre de sa sœur.

Denise essaya de sourire et de se montrer ravie à l'idée de sa prochaine maternité, mais l'épuisement provoqué par la nausée permanente était évident. « Tant mieux, parce que tu vas payer de ta personne en baby-sitting. À l'instant où cette chose sortira de moi, je me paye une semaine au Mexique à m'enfiler des Corona sur la plage.

— Tu dis ça maintenant, mais crois-moi, tu changeras d'avis à l'instant où tu verras son visage, l'assura Marci. Il suffit d'un sourire et tu ne voudras plus jamais le quitter.

— Je ne sais pas trop si je dois m'en réjouir », remarqua Denise.

Betsy posa sa tasse d'un air résolu. « On n'est pas en train de parler mariage, là. On parle bébé. On met la charrue avant les bœufs. »

Gilda leva la main. « Voici ma règle préférée : s'il fait le moindre commentaire sur ta prise de poids, attends qu'il se soit fait pardonner par un petit cadeau pour coucher avec lui. »

Les autres posèrent leurs tasses pour applaudir. Même Betsy.

« Bien joué. Quoi d'autre ? »

Marci y alla de son conseil. « Moi, je suis une grande fan de la sortie en soirée, une fois par mois. Tu sais, tu te maquilles, tu mets un soutien-gorge et tu sors de la maison, quoi. »

Kim confirma d'un hochement de tête. « Surtout une fois que tu as des enfants. Il faut qu'il te voie comme une amante, pas seulement une mère. »

Marci s'étrangla. « Oh là là, ça, c'est vraiment su-per important ! » Elle se tourna vers Denise. « C'est d'ailleurs pour ça qu'il ne faut pas le laisser assister à l'accouchement. Une fois qu'il aura vu son enfant sortir de ton vagin, tu peux oublier le cunni. Je crois que nos mères avaient raison de faire patienter nos pères dans le couloir. »

Zadie chercha une serveuse du regard. Si elle était obligée d'entendre des précisions d'ordre gynécologique, il lui fallait un verre.

À son crédit, Betsy parut tout aussi dégoûtée. « Bon, ça recommence, on va trop loin, là. Est-ce que quelqu'un a un conseil pour Helen qui ait un lien avec le mariage, mais pas avec les enfants ? »

Zadie sauta sur l'occasion. « Eh bien, assure-toi de le faire filer le jour du mariage. Au cas où. » Elle plaisantait. Évidemment.

Les autres la dévisagèrent. Elles n'avaient pas compris. Elles se mirent à murmurer, pour souligner le caractère déplacé de la remarque. Eloise les mit au parfum. « Le fiancé de Zadie n'est pas venu le jour du mariage. »

Étranglement collectif. Toute ingestion de thé cessa dans l'instant.

Pouffe s'exprima la première. « Tu es sérieuse ? Il n'est pas venu du tout ?

— Et nan. Il n'est jamais arrivé. » Zadie n'arrivait pas à croire qu'elle s'était mise dans cette situation. Mais en même temps, ça faisait du bien de plaisanter à ce propos. La comédie, c'est de la douleur, plus du temps, avait-elle lu quelque part.

Toutes se penchèrent en avant, impatientes d'en savoir plus. « Que s'est-il passé ? » Gilda était adorable. Elle paraissait vraiment touchée.

« Je suis rentrée chez moi et j'ai beaucoup bu.

— Quelle était son excuse ? demanda Jane.

— Il était occupé. À Vegas. Avec ses potes. Et il a décidé qu'il n'avait pas vraiment envie de perdre sa liberté. Maintenant qu'il était « célèbre » et tout... »

Pouffe dressa l'oreille. « Il est connu ?

— Si on veut. Il joue dans un feuilleton. *Les Feux de l'amour.* »

Pouffe donna immédiatement une petite tape sur le bras de Super-Pouffe. Celle-ci faillit en avaler son sachet de thé, tellement elle était excitée. « Quel personnage ?

— Nate Forrester. Mais il s'appelle Jack. Jack Cavanaugh. »

Super-Pouffe faillit se pisser dessus. « Toi, tu étais fiancée à Jack Cavanaugh ?

— Euh... Oui.

— Oh, c'est pas vrai ! C'est pas vrai ! » Pouffe et Super-Pouffe se mirent à échanger furieusement quelques messes basses. Zadie était habituée. Un jour qu'elle était avec Jack, il avait quasiment été taclé par un groupe d'adolescentes dans une épicerie. À chaque fois qu'ils sortaient manger quelque part, il y avait toujours au moins une femme dans le restaurant qui le reconnaissait et venait voir Zadie pendant qu'il était aux toilettes en demandant si c'était bien lui et si elle était bien sa petite amie. C'était plutôt excitant au début, mais c'était devenu lassant. Sûrement parce que Jack notait chaque fois que quelqu'un le reconnaissait.

« Quel connard, fit Gilda.

— Ah, ça, on ne peut pas dire que c'était un cadeau. »

Betsy Le Boulet n'aimait pas qu'on lui en remonte. Elle gardait son conseil pour la fin et il était de taille. « Je suis sûre que Grey ne te fera jamais un coup pareil, alors je vais te donner LE truc le plus important pour un mariage réussi. N'allez jamais vous coucher fâchés. »

Elles la dévisagèrent, pantoises. Elle avait trouvé ça où ? Sur un autocollant ? Sur un magnet de frigo ?

La conversation se recentra illico sur Zadie.

« C'était quand, ton mariage ? voulut savoir Super-Pouffe.

— Il y a sept mois.

— Ouah ! Tu as l'air tellement forte. Félicitations. » Pouffe la félicitait ? Mais pourquoi ? Elle n'avait pas besoin de félicitations pour survivre à Jack, mais elle avait bien besoin d'un Martini si elle voulait survivre à cet enterrement de vie de jeune fille.

« Eh bien, tu sais, il faut une grande force d'âme et beaucoup d'introspection pour arriver à dépasser un malheur pareil, mais j'ai l'impression qu'au final, je suis meilleure aujourd'hui. » Zadie faisait clairement preuve d'ironie, elle ne tenait absolument pas à partager ses démons intérieurs avec ces femmes. Malheureusement, son sarcasme passa inaperçu.

« Je suis tout à fait d'accord, dit Betsy. Helen m'avait parlé de ton « mariage » et j'avais eu de la peine pour toi, mais je crois qu'à long terme, tu seras bien plus avisée quand la prochaine relation se présentera. Quand j'ai rencontré Barry, j'étais certaine que je ne pourrais jamais trouver quelqu'un d'aussi bien que Bob, mais finalement Barry est celui sur qui je pourrai toujours compter, et c'est encore le plus important. »

La dernière chose que souhaitait Zadie était des conseils sur les relations amoureuses provenant d'une femme qui avait fait fuir tous les hommes qu'elle avait croisés jusqu'à ses vingt-cinq ans. Tandis que les autres continuaient à évoquer tout bas ce qui pourrait guérir Zadie, celle-ci lança un regard désespéré à Denise. Qui vint à sa rescousse.

« Laissons tomber ces conneries sur le mariage. Et si on donnait plutôt à Helen des conseils sexuels. » Denise leva sa tasse pour porter un toast. « À la dernière vierge de vingt-huit ans de Los Angeles. »

Toutes levèrent leur tasse, à défaut d'avoir l'accessoire adapté, et trinquèrent. Zadie vit Gilda baisser les yeux en se mordant la lèvre, mais avant qu'elle pût demander pourquoi, Jane prit la parole.

« Sers-toi de tes dents, mais pas trop. »

Les autres se mirent à glousser et Eloise sortit sa science. « Les exercices de Kegel. J'insiste vraiment là-dessus. Serre-le toutes les cinq secondes et il en voudra toujours plus. »

Imaginer Eloise cramponnant le pénis d'un pauvre type puis l'entendre conseiller à Helen de faire la même chose à son frère… C'en était trop pour Zadie. Elle se leva et se rendit aux toilettes.

Dans les plus jolies toilettes du monde, Zadie caressa l'idée de voler quelques-unes des petites serviettes toutes douces, mais à l'instant où elle ouvrait son sac à main, Jane arriva. Celle-ci s'assit dans le fauteuil devant la coiffeuse et passa un coup de brosse dans ses cheveux scandaleusement soyeux.

« À ton avis, on finira par boire quelque chose aujourd'hui ? Ou bien on va rester cantonnées au thé et aux boissons aux plantes ? » demanda Jane.

Zadie la contempla avec respect. « Je te soutiens. Il suffit de convaincre les autres. Grey voulait que je m'assure qu'Helen s'amuse, mais je ne sais pas si c'est possible avec ces filles.

— Je suis sûre que Betsy aura un avis là-dessus. Elle est encore plus chiante que quand on était au lycée. Je ne te parle même pas de la sœur de Grey… Attends. Dommage que ces deux-là ne soient pas lesbiennes, elles auraient formé le couple parfait. » Elle ouvrit son poudrier et passa la houppette sur son nez, front et menton, qui ne brillaient pourtant pas. Jane avait une peau sans pore. Avec tous ces vols à haute altitude, ils avaient dû s'évaporer.

À cet instant, une call-girl entra dans les toilettes pour une retouche de rouge à lèvres. Zadie l'observa, fascinée. Elle n'avait aucune preuve que cette femme était une call-girl, mais à en juger d'après sa beauté, son décolleté plongeant, l'endroit où elles se trouvaient et le paquet de fric qu'elle aperçut dans son sac à main, c'était un pari qu'elle était prête à prendre.

« Salut, Jane. »

Jane connaissait des call-girls ? Cette journée réservait décidément quelques surprises.

« Salut, Estelle. Comment ça va ? » Jane ne se montra pas aussi amicale que la fille l'avait été, mais elle fut cordiale. Elle se tourna vers Zadie. « Prête ? »

Tandis qu'elles se dirigeaient vers le salon de thé où étaient installées les autres, Jane désigna les toilettes d'un signe de tête. « Elle va à New York une fois par semaine en classe affaires. Je crois qu'elle a un petit ami très riche.

— À mon avis, elle en a même plusieurs », répondit Zadie.

Elles reprirent place sur le canapé et Zadie constata avec horreur qu'elles en étaient toujours aux conseils sexuels.

« Lèche-lui la raie des fesses », dit Pouffe sur un ton entendu impliquant qu'elle en avait léché plus d'une, et avec succès. Super-Pouffe confirma d'un hochement de tête. Visiblement, elles avaient comparé leurs notes. Et le coup de langue sur la raie des fesses avait été très apprécié.

« Rrrrrooooooh » firent les autres, en chœur, et Betsy Le Boulet se propulsa d'un coup sur le bord de son siège, baissant la voix pour prendre le ton de la confidence. « Quand il est sur le ventre, frotte tes mamelons de haut en bas sur son dos. »

Atroce image que celle des mamelons de Betsy. D'ailleurs, on aurait dit le nom d'un groupe de punk merdique. Les Mamelons de Betsy. Ils pourraient peut-être faire la première partie de « Eloise Presse-Bite. »

« Éteins la lumière. » Merci pour cette suggestion originale, Marci. « C'est plus romantique. » Ouah. Ces filles étaient vraiment à la pointe, côté sexe.

Super-Pouffe continuait à dévisager Zadie. « Et tu es toujours en contact avec Jack ?

— Franchement, tu serais restée en contact, toi, s'il t'avait plantée le jour de votre mariage ?

— C'est juste que je préférais m'en assurer avant de dire ce que je vais dire. » Super-Pouffe marqua un temps d'arrêt, comme si ce qu'elle s'apprêtait à annoncer relevait de la plus haute importance. « Il y a trois mois, j'ai taillé une pipe à Jack Cavanaugh. »

Toutes les conversations s'interrompirent.

« Je ne te connaissais pas, alors tu ne peux pas m'en vouloir », poursuivit Super-Pouffe.

Zadie ne réagit pas. Elle n'en eut pas besoin. Tout le monde le fit pour elle.

« Oh, non ! lâcha Helen.

— Où ça ? demanda Betsy.

— Alors, reprenons tout depuis le début », fit Eloise, ravie, qui se retenait à peine de se frotter les mains devant l'horreur de la situation.

Tout à coup, Super-Pouffe faisait déjà moins la maligne. « Ne te fâche pas, je n'aurais rien dû dire. Mais j'ai pensé qu'il valait mieux t'en parler.

— Pourquoi ?

— J'ai jugé que c'était plus correct.

— Mais pourquoi ça ? » Zadie ne voyait vraiment aucune raison valable justifiant qu'elle eût besoin d'être au courant que Super-Pouffe avait sucé Jack. Elle aurait pu avoir une vie longue et heureuse sans l'avoir jamais su. Enfin, peut-être ni longue ni heureuse, mais en tout cas, elle aurait passé une bien meilleure journée si cette petite garce n'avait jamais ouvert la bouche. Que ce soit trois mois plus tôt ou aujourd'hui.

« Je l'ai rencontré dans un club et puis je suis fan du feuilleton, alors une chose en entraînant une autre, on a fini dans sa voiture sur le parking.

— Tu n'as pas couché avec lui ? s'enquit Betsy.

— Non, j'avais mes règles. Je ne voulais pas qu'il garde ce souvenir de moi.

— C'est vrai que tu es bien trop classe pour ça », lança Denise. Le sarcasme passa à deux mille mètres au-dessus de Super-Pouffe.

« Alors, que s'est-il passé après la pipe ? voulut savoir Eloise, qui ne serait satisfaite qu'après avoir eu les détails les plus humiliants.

— Je suis sortie de sa voiture, je suis repartie vers le bar et je ne l'ai jamais revu. »

Helen ne disait rien, atterrée par cette révélation. Elle posa la main sur le genou de sa cousine. « Zadie, je suis vraiment désolée.

— Je ne comprends pas, remarqua Denise. Tu travailles tous les jours avec Helen. Et tu n'as jamais entendu dire que Jack Cavanaugh avait plaqué sa cousine le jour de leur mariage ? »

Super-Pouffe répliqua, sur la défensive : « J'ai commencé il y a deux mois. Je n'étais absolument pas au courant, je le jure. »

Les autres n'eurent pas l'air convaincues, mais Pouffe lui prit la main en signe de solidarité. Les lécheuses de raie des fesses faisaient front dans l'adversité.

« Vous ne pouvez pas comprendre. Je regarde *Les Feux de l'amour* depuis que je suis en 4e ! geignit Super-Pouffe.

— C'est pas grave, fit Zadie. Je m'en suis remise. »

Tout le monde la regarda comme si elle disait vraiment n'importe quoi, et c'était tout à fait exact, mais elle refusait d'écouter une seconde de plus les excuses de cette pétasse idiote avec son haut en lycra fuschia.

« Je ne l'ai pas épousé, alors qu'est-ce que ça peut me faire, les filles qu'il se tape ? » Elle se tourna vers Super-Pouffe.

« Tu as ma permission de sucer qui tu veux. » Personne ne sut quelle réaction avoir. Un silence pesant s'installa sur le groupe. Zadie soupira, détestant l'idée que seule la pitié qu'elle suscitait avait pu faire taire ces bonnes femmes. « Quelqu'un veut un verre ? »

Jane et Gilda levèrent la main.

« Oh là, oui ! fit Jane.

— On est obligé d'en prendre un seul ? demanda Gilda. »

Mais pour Betsy Le Boulet, ça n'allait pas se passer comme ça. « Ah non, ça n'est pas au programme. Helen ne boit pas. Denise est enceinte. Marci et Kim ont des enfants.

— Si Zadie a envie d'un verre, je crois qu'elle devrait en prendre un, qu'est-ce que ça peut faire ? dit Helen en souriant à Zadie, superarrangeante, maintenant qu'elle avait mauvaise conscience d'avoir embauché une traînée. On va jusqu'au bar ?

— On devrait peut-être aller ailleurs, suggéra Zadie. On risque de se faire aborder par un type qui nous prendra pour son pseudo-rencard. » Il ne faudrait pas deux secondes pour que Pouffe et Super-Pouffe se fassent accoster. Rien que le décolleté de Pouffe aurait suffi à rameuter les clients autour de leur table, tout portefeuille dehors.

« Pourquoi ça ? » demanda Helen, avec innocence.

Zadie espérait ne pas avoir à développer, et heureusement, Jane vint à son secours. « Allons au Sky Bar. On pourra s'installer en terrasse, regarder le coucher de soleil avec un verre de vin…

— Ça a l'air génial. Allons-y, déclara Helen en se levant d'un bond.

— Mais… lâcha Betsy Le Boulet en cherchant un soutien du côté de Marci et Kim. Ce n'était pas prévu. »

Marci et Kim étaient d'accord avec elle. « Je croyais qu'on dînait à l'Ivy.

— Nous pourrons y aller après le Sky Bar, dit Gilda.

— Mais normalement, maintenant on doit offrir ses cadeaux à Helen, argumenta Betsy. »

Des cadeaux ? Merde. Zadie savait bien qu'elle avait oublié quelque chose. Elle lui avait acheté un pouf années 70, pour rire.

« On pourra faire ça plus tard, dit Helen.

— Mais… » commença Betsy, à qui ce changement de plan coupait complètement le sifflet.

« Allez, Betsy, dit Denise. Un verre et on continue le programme.

— C'est la journée d'Helen, lui rappela Eloise.

— Très bien », conclut Betsy, qui abandonnait la partie en faisant clairement savoir à tout le monde qu'elle n'en était pas ravie.

Pouffe et Super-Pouffe auraient accepté n'importe quoi, rien que pour revenir en grâce. Lorsqu'elles constatèrent que la majorité souhaitait prendre un verre, elles firent chorus. « Ça sera sympa, dit Pouffe.

— Il ne faut pas être sur une liste pour entrer au Sky Bar ? » s'inquiéta Super-Pouffe.

Gilda lui décocha un sourire hypocrite. « Tu pourras peut-être faire du charme au videur. Je parie qu'ils ont un très grand parking. »

Gilda plaisait de plus en plus à Zadie.

Lorsqu'elle quittèrent le Peninsula, Zadie aperçut Estelle au bar, en compagnie d'un homme âgé. Cheveux gris argent. Beau costume. Grand sourire. Estelle lui souriait en retour. Et pourquoi pas ? Ils savaient tous deux exactement ce qui allait se passer le lendemain matin. Il n'y avait aucune attente quelle qu'elle soit, et chacun serait satisfait à sa manière.

Zadie se dit qu'Estelle était peut-être la plus sage de toutes.

18

Les voituriers de l'hôtel Mondrian, qui abritait le Sky Bar, étaient habitués à ce que des limousines se garent devant le perron. Situé en plein milieu du Sunset Strip, c'était un endroit qui attirait les fêtards. Bien que ce groupe ne pût réellement revendiquer cette appellation. Mais si Zadie s'en mêlait, l'alcool allait bientôt couler à flots.

En sortant de la limousine, elle entendit Eloise et Pouffe produire quelques bruits lascifs à destination d'un pauvre mâle qui n'avait rien demandé. En suivant leur regard, Zadie se rendit compte qu'il ne s'agissait pas d'un homme en chair et en os, mais d'une affiche gigantesque sur un immeuble voisin : l'éternelle pub Gap qui attirait le regard de tous ceux qui se trouvaient coincés dans les éternels bouchons de Sunset Boulevard.

Là, fixant Zadie droit dans les yeux, se trouvait un Trevor de soixante mètres de haut, qui ne portait rien d'autre qu'un pantalon de velours vieilli. Le pouce sur sa boucle de ceinturon. Sourire séducteur aux lèvres. Et ce qui semblait être un sexe impressionnant dans son pantalon. Les gens de Calvin Klein avaient dissimulé ça dans un jean baggy, mais ceux de Gap avaient préféré le souligner. Que ferait-on sans Gap ?

« Non mais tu imagines ? Une nuit. Rien qu'une nuit », dit Eloise, dans tous ses états. Zadie eut envie de lui en coller une.

« Je connais quelqu'un qui le connaît. Elle m'a dit qu'il est incroyable, raconta Pouffe. Ils sont sortis ensemble il y a cinq ans et tous les soirs, il l'emmenait en haut de Mulholland Drive pour lui faire l'amour sous les étoiles.

— Il y a cinq ans, il était en 4ᵉ. Il n'avait donc pas le permis, rétorqua Zadie, interrompant l'adoration du culte de Trevor. C'est un élève à moi. »

Eloise se retourna aussi sec, détachant son regard de son entrejambe couvert de velours.

« Il est au lycée ? » La douleur dans sa voix. Fin du fantasme.

« Trevor Larkin ? demanda Pouffe, dépitée de découvrir que son ragot était inexact. Tu es sûre ?

— Si tu veux, je te montrerai son dernier devoir. Je lui ai mis un B. »

Helen était devant la porte de l'hôtel. « Allez, les filles, on risque de rater le coucher de soleil. »

Zadie jeta un dernier coup d'œil au torse nu de Trevor et entra. Ce n'était pas le moment d'être excitée.

Elles traversèrent le hall immaculé rempli de personnel vêtu d'uniformes couleur crème et Jane fit un signe de tête en direction d'une femme à la réception, qui attendait sa clé, avec l'air de s'ennuyer infiniment. La femme lui rendit son salut puis se retourna pour arracher sa clé des mains du réceptionniste avant de se rendre à l'ascenseur au pas de charge en jetant un coup d'œil à sa montre. Jane connaissait des sacrées pétasses.

« J'espère qu'on pourra entrer, remarqua Super-Pouffe.

— Mais oui. Il est tôt, dit Jane. De toute façon, il n'y a que des ploucs européens et les VRP qui traînent ici. »

Effectivement, elles ne virent aucun gros videur arrogant en costard près de la piscine, où était installé le bar, elles entrèrent donc sans problème et prirent place sur les épais matelas fleuris. Visiblement, le Sky Bar ne s'embarrassait pas de préliminaires et s'assurait que ses clients se retrouvaient dans le même lit avant de quitter les lieux. Mais Zadie ne s'en plaignait pas. Être allongée sur un lit à l'ombre d'un ficus, avec vue sur une bougainvillée rose vif et sur toute la ville était carrément plus agréable que d'être assise sur un canapé au Peninsula. Elle regarda Jane. « Bon plan.

— Boire en extérieur m'a toujours paru plus festif, dit Jane.

— Et à partir de maintenant, festif sera notre mot d'ordre », lança Zadie. Il était temps que la fête commence. Elle l'avait promis à Grey. Elle regarda autour d'elle, à la recherche d'alliés potentiels. Le groupe d'Allemands à l'air blasé fumant clope sur clope sur le matelas voisin ne l'aiderait pas vraiment. Avec un peu de chance, elles verraient débarquer des Australiens. Aucun habitant de Los Angeles ne serait là avant la nuit.

Une serveuse absolument sublime en sarong et haut de bikini vint prendre leur commande. Zadie prit l'initiative. « Je vais prendre une Margarita, sans sel.

— Un gin tonic, dit Jane.

— Un pinot gris, dit Gilda.

— Une San Pellegrino pour moi, annonça sombrement Denise.

— Deux Cosmopolitan, annonça Pouffe en montrant Super-Pouffe et elle.

— Un whisky Coca », fit Eloise. Prouvant une fois de plus son mauvais goût. Mais qui buvait du whisky ?

« Coca light pour moi, demanda Betsy.

— Pareil, enchaîna Marci.

— Moi aussi, dit Kim.

— Oh, allez les filles, prenez un verre. On a une limousine. Personne ne conduit, dit Gilda.

— On ne le racontera pas à vos enfants, renchérit Zadie.

— Une gueule de bois, c'est pas marrant, avec un petit de trois ans. Ils ne comprennent pas que maman est dans les choux et a envie de dormir », expliqua Kim.

Une raison de plus pour ne pas se reproduire, selon Zadie.

« Ton mari ne peut pas s'en occuper ? » demanda Jane.

Marci et Kim se regardèrent et éclatèrent de rire. Manifestement, soit leurs maris étaient des gros dormeurs, soit ils étaient de parfaits imbéciles.

Helen se tourna vers la serveuse. « Je vais prendre un verre de chardonnay. »

Helen commandait de l'alcool ? Ah ça, c'était un grand jour. Que les péchés commencent.

Betsy n'en revenait pas. « Mais tu ne bois pas.

— C'est mon enterrement de vie de jeune fille. Je ne crois pas qu'un verre de vin me tuera.

— Je t'assure, ça ne va faire qu'améliorer les choses, dit Zadie. D'ailleurs, j'en recommande deux.

— C'est parti ! s'écria Eloise.

— Ça risque de devenir intéressant », remarqua Gilda sans s'adresser à personne en particulier.

Jane ôta ses chaussures et marmonna : « Eh bien, j'espère. »

Des vieux tubes de Prince en fond musical, le soleil brillait et l'alcool n'allait pas tarder. Les choses commençaient à s'arranger. Lorsque la serveuse apporta leur plateau, Zadie descendit sa Margarita en deux secondes et en demanda une autre. Elles formèrent un cercle et posèrent leurs verres au centre.

« Ah, ça c'est une sortie entre filles, fit Eloise.

— Attendez, il faut que quelqu'un fasse une photo, dit Denise. En souvenir du premier verre d'Helen. »

Marci sortit un appareil jetable de son sac à main et tout le monde acclama la première gorgée de vin d'Helen. « Hmm, c'est délicieux ! »

Oh oui, c'était suffisant. Une gorgée. Bienvenue dans le monde de « Mais j'ai vraiment dit ça ? » et de « Où est-ce que j'ai mis mon soutien-gorge ? ».

Helen but une autre gorgée. « Et si on jouait. C'est quoi, les jeux auxquels on est censés jouer dans ce genre de fête ?

— Je ne suis plus très sûre du genre de fête dont il s'agit, alors ne me demande pas, dit Betsy avec la bouche en cul-de-poule, comme aurait dit grand-mère Davis.

— Arrête de jouer la prude, Betsy. On prend un verre, on n'est pas en train de se taper des marins », dit Jane. Hmm, voilà qui ne manquait pas de sel. Plus la journée avançait, plus l'opinion de Zadie sur Jane changeait.

« Si on jouait à "Moi, jamais" ? proposa Denise. Vous savez, on dit "Je n'ai jamais fait l'amour dans une voiture" et celles qui l'ont déjà fait doivent boire.

— Je ne vois pas l'intérêt de faire l'amour dans une voiture, nota Betsy.

— Certaines d'entre nous couchaient déjà avec des mecs au lycée », répliqua Jane.

Pouffe et Super-Pouffe ricanèrent et le regard de Zadie passa de Betsy à Jane. Apparemment, la guerre ouverte était imminente. Betsy était rouge, plus de colère que de gêne. Jane assumait totalement. Elle sirotait allègrement son gin tonic en scrutant les alentours de la piscine, à la recherche de mecs. Un type avec une queue de cheval et un coup de soleil la salua de la tête.

« Cette remarque était tout à fait déplacée », siffla Betsy.

Helen posa son verre et les attrapa l'une et l'autre par la main.

« Les filles, s'il vous plaît. Nous sommes de vieilles amies…

— D'accord, je commence, fit Eloise, pour s'attribuer le mérite d'avoir mis un terme à la prise de bec. Je n'ai jamais couché avec plus d'une personne sur une période de vingt-quatre heures.

— J'espère bien que non ! » s'exclama Betsy. Helen rougit et gloussa. Gilda fronça les sourcils et réfléchit. Jane but. Pouffe aussi. Betsy était outrée. « Jane ! Mais que t'est-il arrivé ? C'est un truc d'hôtesse de l'air, c'est ça ?

— Absolument, Betsy. On doit baiser tous les pilotes avant l'embarquement. » Et Jane prit une autre gorgée, rien que pour énerver Betsy.

Super-Pouffe se lança. « Alors, moi, je n'ai jamais laissé un mec me filmer. »

Comment pouvait-elle le savoir ? Jack pouvait bien avoir un caméscope dans son tableau de bord. Voire, une équipe en train de tourner un documentaire sur lui qui filmait par la lunette arrière. Quand on avait affaire à un type qui prenait note de chacune des fois qu'une femme le reconnaissait pendant son jogging, il y avait fort à parier qu'il filmait toutes les fellations de fan.

Pour la plus grande horreur de toutes, Eloise but.

« C'était de très bon goût. Et j'en possède l'unique copie.

— Eloise ! Comment peux-tu en être certaine ? s'offusqua Helen.

— Parce que je l'ai vu sortir la cassette du caméscope.

— Il aurait très bien pu en avoir un deuxième qui tournait à ton insu, dit Jane en tentant d'instiller un peu d'insécurité dans l'esprit de la femme la plus sûre d'elle au monde, alors qu'il n'y avait vraiment pas de quoi.

— Je lui fais confiance. C'est un client à moi. Il sait que je peux le baiser. » Eloise était avocate fiscaliste. Spécialisée dans les fraudeurs.

« Tu lui as fait payer un supplément ? » s'enquit Jane.

La vache. Jane avait plus de jugeote que dans les souvenirs de Zadie. La Jane dont elle se souvenait, du temps des soirées pyjamas d'Helen au lycée, ne savait même pas qu'on était censés retourner les crêpes. Elle les laissait brûler sans moufter en une bouillie boursouflée, jusqu'au jour où quelqu'un l'avait mise au parfum.

« Crois-moi, avec les tarifs que je lui prends, ça fait des années que je le baise », dit Eloise.

La serveuse arriva avec une autre tournée. « Et voilà, mesdames. »

« Nous n'avons rien demandé, fit Betsy avec une moue.

— C'est de la part de ces messieurs, là-bas », expliqua la serveuse en désignant un troupeau de mecs de l'autre côté de la piscine, qui dégustaient bourbons et cigares. Un gros rougeaud leur fit un signe de la main. Sa coupe de cheveux semblait indiquer qu'il n'était pas de Los Angeles : pas vraiment longs dans le cou, mais approchant. Les filles lui rendirent son salut et il leur adressa un grand sourire.

« On lui rend la politesse ? demanda Helen.

— Bien sûr », dit Jane.

Betsy était d'un autre avis. « Non, certainement pas ! Pour ce qu'on en sait, c'est peut-être un psychopathe, ce type.

— Il a quelques amis mignons », remarqua Eloise, en matant celui avec la moquette sur le torse. Pas de surfeurs dans la bande.

« On n'est pas là pour faire des rencontres, on est là pour fêter le mariage d'Helen et pour sympathiser, argua Betsy.

— C'est ce qui est dit dans le manuel ? demanda Zadie. Pourquoi il y a autant de règles à respecter ? J'ai l'impression d'être à l'école catholique.

— C'est facile à dire, ce n'est pas toi qui as passé deux semaines entières à préparer cette journée. » Betsy était agent immobilier.

Et elle était nulle. Sur l'un des marchés les plus actifs et les plus surévalués du pays, elle ne parvenait à vendre qu'une maison tous les six mois. Elle avait beaucoup de temps à tuer. Barry, son mari, qu'elle menait par le bout du nez, payait les factures grâce à son plan d'épargne en voie d'assèchement. Zadie n'éprouvait pas la moindre culpabilité à bouleverser le programme que Betsy avait passé deux semaines à élaborer. De toute façon, combien de temps lui avait-il fallu pour décider qu'elles prendraient un petit-déjeuner, un cours de yoga, une boisson aux plantes, un thé ? Ce n'était pas comme si elle leur avait réservé Sea World pour qu'elles puissent toutes nager avec les dauphins. En plus, elles avaient passé la journée à faire des activités approuvées par Betsy et si l'heure était venue de flirter avec des résidents de l'Amérique profonde pourvoyeurs de boissons et poilus du torse, alors ainsi soit-il. Zadie fit signe à la serveuse d'apporter une tournée à ces messieurs.

« Je ne suis jamais allée aux toilettes la porte ouverte », proposa Marci. Tout le monde but, y compris sa bonne copine Kim. « Vous rigolez ? couina Marci. Jamais, jamais, je ne supporterais que Tim me voie aux toilettes.

— Je croyais qu'il avait assisté à l'accouchement ? demanda Eloise.

— Je n'ai jamais couché avec un homme qui ne soit pas américain, annonça Denise. Enfin, je veux dire, je ne suis pas raciste, ni rien, mais il se trouve que je ne me suis jamais tapé un étranger, dans un pays étranger. »

Gilda but. « À la fac. »

Jane aussi. « Les avantages du métier. » Elle sourit à Betsy d'un air suffisant.

Helen rougit et porta ses mains à son visage. « Eh bien, on forme une sacrée bande ! » Le vin commençait à faire son effet. Elle était un peu plus animée à chaque gorgée, et parlait avec les mains.

« Absolument, fit Gilda en trinquant avec elle. Je n'ai jamais couché avec quelqu'un de dix ans plus âgé que moi. »

Pouffe et Super-Pouffe terminèrent leur verre. Jane but très sagement.

« Les mecs plus vieux ont plus de fric », expliqua Pouffe, peaufinant son personnage de salope vénale. Dont personne n'avait d'ailleurs jamais douté. Cette femme portait des chaussures en lamé argenté. Manolo Blahnik ou pas, elles étaient laides et vulgaires. Zadie n'avait jamais vraiment compris l'emprise de Manolo sur les actrices, mannequins et vendeuses pétasses qui portaient ses chaussures. Il y avait une dose d'héroïne dans la semelle ou quoi ? Pourquoi les femmes devenaient-elles aussi fébriles une fois qu'elles les avaient aux pieds ?

« Je n'ai jamais bu à m'en rendre malade », fit Kim. Ouah. Kim était désormais la personne la plus chiante du bar. Même si, là non plus, personne n'en avait jamais douté. Tout le monde but sauf Helen. Dont l'œsophage virginal n'avait jamais été confronté à la régurgitation d'alcool.

La serveuse réapparut, plateau chargé. « Mesdames, vous avez de sacrés fans. » Le groupe aux bourbons et cigares leur fit un nouveau signe de la main, que les filles leur rendirent. L'arrangement n'était pas si mal. Ils ne seraient peut-être même pas obligés de se parler. Les femmes vidèrent leurs verres et acceptèrent la nouvelle tournée.

Helen se mit à glousser. « Je me sens un peu pompette.

— Deux verres de vin, c'est sûrement beaucoup pour quelqu'un qui ne boit pas, commenta Betsy.

— Un troisième ne me fera pas de mal, hein ? J'enterre ma vie de jeune fille. Je suis censée faire des folies. » Elle secoua sa chevelure en exécutant une petite danse. Grey aurait été fier de voir ça, songea Zadie.

« Dites-moi qu'on ne manque pas de pellicule », fit Denise,

ravie de la tournure que prenaient les événements. Marci prit une nouvelle photo d'Helen, qui adoptait une pose sexy.

Jane trinqua avec elle. « Je crois que cette nouvelle facette d'Helen me plaît bien.

— À moi aussi », enchaîna Zadie. Et c'était vrai. Helen un peu ivre était impayable. Zadie regarda les autres et déclara : « Je n'ai jamais vu Helen saoule. » Elles éclatèrent toutes de rire et burent quand même, pour fêter ça.

Betsy faisait à nouveau sa bouche en cul-de-poule. « Si on continue à jouer à ce jeu, on n'a qu'à y aller franchement dans le ragot. Je n'ai jamais… couché avec Grey. »

Tout le monde la dévisagea, consterné.

« Et s'il en était autrement, nous t'aurions botté les fesses », fit Gilda.

Betsy se mit à fixer Zadie. « J'essaye simplement de savoir s'il y a quelqu'un ici qui l'a fait. »

Zadie posa sa Margarita « Tu te fous de moi ?

— Eh bien, c'est tout de même ton « meilleur ami », comme tu dis. Avec les privilèges que ça comporte ? »

Jane secoua la tête. « Betsy, tu es vraiment trop conne. Ne te donne même pas la peine de répondre, Zadie.

— Je suis tout à fait d'accord, rebondit Denise, en changeant de sujet. Je n'ai jamais fait l'amour dans des toilettes.

— En fait, j'aimerais bien que Zadie réponde », déclara Helen.

Tous les regards se tournèrent vers elle. Zadie compris, qui venait enfin de saisir tout le sens de l'expression « avoir des palpitations ». « Tu penses que j'ai couché avec Grey ?

— Non, je ne pense pas, mais puisque la question est posée, je voudrais bien en avoir la confirmation. Alors ?

— Sûrement pas ! »

Helen se raidit. « Tu le trouves si peu attirant que ça ? »

Zadie n'arrivait pas à croire qu'elle devait subir cette conversation. Helen, impayable ? À d'autres. « Qu'on se comprenne bien. Tu es déçue que je n'aie jamais couché avec lui, c'est ça ?

— Non, je suis juste un peu vexée que tu aies l'air de dire que tu es au-dessus de lui. »

Zadie dévisagea Helen. En essayant de se convaincre que c'était l'alcool qui lui inspirait cet accès de folie. « Helen, je trouve que Grey est un homme parfaitement merveilleux. Je n'estime pas être au-dessus de lui, et d'ailleurs je ne l'ai jamais été. Cela répond-il à ta question ?

— Oui. Merci. » Elle vida le reste de son vin et chercha la serveuse des yeux. « Où est passée la pétasse en bikini ? Je veux un autre verre. »

19

Comme Zadie tentait de décompresser après avoir été accusée d'avoir couché avec Grey, le type rougeaud au bourbon approcha de leur groupe.

« Mesdames, permettez que je me présente ? » Il avait un accent du Sud et son treillis aurait eu besoin d'un coup de fer. « Ou bien alors préférez-vous que notre petite love story se poursuive dans l'anonymat ? »

Marci et Kim pouffèrent, par manque de pratique évident de la drague pourrie dans les bars. Pouffe et Super-Pouffe, bien rôdées en revanche, levèrent les yeux au ciel.

Helen lui adressa un grand sourire. « Je suis Helen. On enterre ma vie de jeune fille. »

Le type prit un air éberlué en mettant le dos de sa main sur son front, façon damoiselle en détresse. « Dites-moi que ce n'est pas vrai !

— Eh si, désolée, gloussa Helen.

— Tant pis, mais cela ne m'empêche pas de me présenter. Au cas où vous changeriez d'avis. » Il lui fit un clin d'œil, l'air de se trouver incroyablement spirituel. « Je m'appelle Jim James. Mes potes et moi on est là pour le boulot, on vient d'Atlanta. On espère que vous allez accepter de sortir avec nous ce soir. »

Betsy s'empressa de l'envoyer sur les roses. « On va dîner à l'Ivy. C'est une soirée entre filles.

— Quel dommage. J'ai six amis là-bas qui piaffent d'impatience à l'idée de passer du temps avec vous. » Les six amis leur firent un signe de la main à point nommé. Ils n'étaient pas hideux, mais ils n'étaient pas précisément attirants non plus. Jimbo était de loin le mieux de la bande.

« Pourquoi vous ne vous joignez pas à nous ? » proposa Helen, s'attirant des regards meurtriers de Betsy, Pouffe et Super-Pouffe. Visiblement, Jimbo et ses potes n'étaient pas à la hauteur de leurs exigences.

Zadie sourit à Jimbo. « C'est une excellente idée. Vous n'avez qu'à prendre vos fauteuils et venir participer à notre petite fête. » Elle aurait fait n'importe quoi pour exaspérer à la fois Betsy et Super-Pouffe. Pouffe, c'était juste la cerise sur le gâteau.

« Formidable. Je vais chercher les petits chenapans et je reviens. » Il retourna auprès de ses amis pour transmettre l'invitation. Ils écrasèrent leurs cigares et ramenèrent leurs transats.

Les reproches fusèrent en direction d'Helen et Zadie. « Pourquoi vous les avez invités ? Maintenant on va être obligées de leur parler ! gémit Betsy.

— Oh, détends-toi, Betsy, je m'amuse, c'est tout, soupira Helen.

— Je me demande ce que Grey penserait de tout ça », remarqua Eloise.

Zadie leur fit les gros yeux. « Nous sommes dans un lieu public et tout le monde est entièrement vêtu. Je doute qu'il trouverait quoi que ce soit à redire, Eloise. Pourquoi tu ne prendrais pas un autre verre en bavardant avec ces mecs ? Peut-être que demain matin, tu auras une nouvelle vidéo dans ta collection. »

Avant qu'Eloise ait le temps de répliquer, Pouffe se mit à pleurnicher : « Mais c'est des beaufs ! Ils ne sont même pas d'ici.

— Ne sois pas si snob, merde ! » lança Helen. Tout le monde tourna la tête dans sa direction pour la dévisager. Elle venait bien de jurer, là ? « On va boire quelques verres avec eux et après on ira dîner. Arrêtez de vous engueuler. C'est ma fête. »

Zadie ne put se retenir : elle éclata de rire. Mis à part le dérapage sur le thème « tu as couché avec Grey ? », l'alcool semblait réussir à Helen, elle devenait fréquentable.

Denise dévisagea sa sœur, bouche bée. « Mais qui es-tu ? »

Helen sourit et leva son verre en direction des types, qui approchaient. « J'enterre ma vie de jeune fille. »

Après les présentations et la commande d'une nouvelle tournée, la conversation battait son plein. Apparemment, ces messieurs vendaient du linoléum. Sujet fascinant. Heureusement, ils étaient conscients de l'ennui que suscitait leur thème de prédilection en termes de drague et ils passèrent très vite à autre chose : pourquoi le Sud est le meilleur endroit au monde, quelle quantité de bœuf ils étaient capables d'ingérer en une fois, et le fait que le bourbon soit la seule et unique boisson digne de ce nom.

Zadie aurait bien aimé les garder avec elles toute la soirée, histoire de faire chier le contingent de pétasses, mais elle trouvait leur compagnie totalement ennuyeuse. Son interlocuteur était un certain Billy qui avait insisté pour lui masser les pieds en discutant. De l'inconvénient d'être installée sur un matelas géant.

« Alors, quel est votre programme, ce soir, mesdames ? Parce que si vous avez besoin d'un strip-teaseur, je crois que je peux faire un effort. » Il lui jeta un regard concupiscent en caressant son cou-de-pied.

L'idée de voir Billy ôter sa chemise et son treillis était à peu près aussi ragoûtante que sa proposition, un peu plus tôt, de donner à ses pieds un « bain de langue ». Elle s'en était tirée par la plaisanterie, mais plus il frottait ses pieds, plus il semblait évident qu'il parlait tout à fait sérieusement.

Jane se débattait avec un charmeur du nom de Bobby qui jurait avoir déjà voyagé sur un de ses vols, et avoir reçu un supplément de cacahouètes de sa part. Gilda était coincée avec un gros plouc pur sucre qui n'arrêtait pas de réclamer qu'elle lui lance des glaçons dans la bouche. Betsy, Eloise, Pouffe et Super-Pouffe s'étaient réfugiées dans un coin, pour discuter de la méchante Zadie qui dévergondait Helen ; quant à Marci et Kim, elles étaient ensorcelées par Buddy, expert en histoires de couches-culottes et autres récits gore du même acabit. Denise était partie vomir aux toilettes.

Helen, elle, était maintenant officiellement saoule et papotait avec Jimbo, qui profitait au maximum de son état.

« Quelque chose me dit que tu n'es pas encore prête à te marier, mademoiselle Helen. » Il vint poser le doigt sur le bout de son nez, ce qui la fit glousser.

« Oh que si. J'ai toujours voulu être une mariée. » Encore une minute et elle allait avoir du mal à articuler.

« Tu es sûre de vouloir devenir sa femme ? demanda-t-il.

— Bien sûr, je l'aime.

— Mais chérie, j'ai comme l'impression qu'après deux ou trois verres supplémentaires, tu pourrais m'aimer encore plus. Si ça se trouve, c'est le destin qui a voulu qu'on se rencontre ce soir.

— Si c'était le destin, je ne me marierais pas dans deux jours.

— Peut-être que tu vas te marier, mais peut-être pas. » Il posa sa main sur sa cuisse. Elle ne l'écarta pas.

Zadie jeta un coup d'œil dans sa direction, oubliant un instant la fascinante histoire de Billy et de sa chute de cheval, et constata avec inquiétude qu'Helen n'avait toujours pas repoussé la main de Jimbo. Elle paraissait fascinée par son accent traînant et ses gros yeux de vache marron. Oh-oh. Zadie chercha un soutien du regard. Jane esquivait les tentatives de Bobby pour l'embrasser dans le cou. Gilda exhibait son alliance pour refouler son plouc amoureux. Et les Pétasses Associées se tenaient toujours à l'écart. Kim et Marci s'étaient jointes à elles, lassées des histoires d'excrément de Buddy.

Billy arrivait au point culminant de son anecdote. Impliquant un serpent sur une piste et une ruade de sa monture. Zadie tenta d'adopter l'expression de surprise appropriée en hochant la tête attentivement, mais quand son regard vint à nouveau se poser sur Helen, elle aurait juré voir sa main venir effleurer l'entrejambe de Jimbo. Oh ! doux jésus. Grey lui avait demandé de décoincer un peu Helen. Pas de faire en sorte qu'elle branle des inconnus.

« Je crois qu'on devrait y aller », déclara Zadie en se levant.

Helen la regarda avec un air parfaitement nonchalant. « Pourquoi se presser ? »

Gilda était sur la même longueur d'ondes que Zadie. « Il faut qu'on aille manger. »

Jane repoussa Bobby une bonne fois pour toutes et se mit sur ses pieds. « Je suis prête. »

Les pétasses et les mamans étaient quant à elles plus que prêtes. « Il est temps, lâcha Betsy. On est déjà en retard pour notre réservation. »

Helen leva les yeux vers elles. « Rien à foutre de l'Ivy. Je veux de la viande. »

20

Elles n'avaient pas réservé au Palm, mais elles décidèrent de tenter leur chance. C'était un petit restau sans prétention sur Santa Monica Boulevard, dans un immeuble beige doté de marquises vertes. À l'intérieur, les murs étaient couverts de caricatures de célébrités et les serveurs étaient les mêmes depuis des décennies. Selon Jimbo, le Palm proposait les meilleurs steaks de la ville.

Elles entrèrent et Helen se dirigea tout droit jusqu'à une table vide, sans même prendre la peine de consulter le maître d'hôtel. Lorsque celui-ci s'aperçut de son état d'ébriété avancé, il décida de les laisser s'installer, plutôt que de risquer une scène. Il prit la fuite, horrifié, lorsque Helen lui mit une main aux fesses.

Le serveur approcha et Helen annonça : « Je prendrais bien un Martini. »

Betsy s'alarma immédiatement. « Tu es sûre ? Je crois que tu as assez bu. »

Helen se mit à la fixer avec un regard mauvais. « Betsy, si tu me dis encore une fois que j'ai assez bu, je raconte à tout le monde que tu as eu une liposuccion. »

Le silence s'abattit sur la tablée. Betsy rougit si violemment que c'en était quasiment audible, et baissa les yeux vers son couvert. « C'était seulement pour le haut des bras. » Elle resserra son gilet et bouda, jusqu'à ce que Pouffe lui confirme qu'elle avait l'air mince.

Lorsque l'apéritif arriva, Gilda leva son verre pour porter un toast, faisant son possible pour maintenir la paix. « Je propose de poursuivre la soirée dans la détente et la bonne humeur. Maintenant qu'on s'est débarrassé des mecs d'Atlanta, on peut continuer à papoter entre filles. »

Marci sortit un sachet de thé de son sac à main et le plongea dans une tasse d'eau chaude. « Je n'arrive pas à croire que Buddy a cinq enfants.

— À mon avis, ils ont tous cinq enfants, remarqua Eloise. Ça me dégoûte de voir des hommes mariés essayer de se taper des filles quand ils sont en voyage d'affaires. » En réalité, elle était juste vexée qu'aucun ne l'ait draguée. Apparemment, les coupes de cheveux bizarres et les lunettes sévères ne plaisaient pas aux gars du Sud.

« Ah, ça, ils voulaient de l'action, c'est certain, confirma Jane.

— Comment as-tu pu laisser Jim te tripoter comme ça, Helen ? J'étais sur le point d'appeler la sécurité », lâcha Eloise, sur un ton accusateur. Helen fit comme si elle n'avait pas entendu. Elle était trop occupée à suçoter l'olive au bout de son petit pic en plastique d'un air lubrique, à l'attention de l'aide-serveur qui l'observait depuis le fond de la salle. Il lui sourit et se rajusta.

Betsy la prit sur le fait. « Helen, voyons ? Qu'est-ce qui te prend ?

— Ah, ça, tout le monde sait que c'est pas Grey en tout cas, rétorqua Helen, qui donna une grande claque sur la table en les regardant toutes. On n'a jamais baisé, lui et moi, non mais vous y croyez, vous ? »

À nouveau, le silence. Puis un tir croisé de : « Oh là là ! », « D'où tiens-tu ce langage, jeune fille ? » et de « Je ne t'ai jamais vue comme ça ». Et la désormais familière rengaine : « Je crois que tu assez bu. »

Mais Helen n'était pas décidée à se calmer. Elle poursuivit son laïus en sirotant son Martini : « Je parie que si les mecs de ce restaurant apprenaient que je suis vierge, ils se jetteraient tous sur moi. »

Betsy prit un air concerné. « Tu ne comptes pas le leur annoncer quand même ?

— J'espère bien que non, lança Eloise. Pourquoi voudrais-tu attirer leur attention ? »

Helen jeta un œil vers le cinquantenaire en veste sport à la table voisine, qui prenait le dessert en compagnie de sa femme lissée au Botox. Elle se pencha vers lui et lui donna une petite tape sur le bras. « Vous vous êtes déjà tapé une vierge ? »

Le couple la dévisagea avec effroi.

Helen se mit à suçoter l'olive suivante sur son petit pic. « Ça vous dirait d'essayer ? »

Elles furent escortées vers la sortie par le directeur du Palm, au milieu des cris d'Helen qui répétait en boucle : « Mais je plaisantais ! Attendez, vous croyez vraiment que j'aurais voulu baiser ce type ? » Ses amies la traînèrent jusqu'à la limousine. À un moment, Betsy finit même par lui plaquer fermement la main sur la bouche.

Zadie resta derrière pour s'excuser platement auprès des personnes auxquelles Helen avait fait sa proposition. « Elle n'est pas comme ça, d'habitude. Elle se marie dans deux jours. Et le stress suffirait à faire péter les plombs à n'importe qui. Je suis vraiment,

vraiment désolée. » Mais le couple ne digérait toujours pas l'affront. Apparemment, voir leur dîner d'anniversaire de mariage interrompu par une vierge en chaleur n'était pas exactement ce qu'ils attendaient de leur soirée au Palm.

Lorsqu'elles eurent repris la route, Helen fit s'arrêter le chauffeur pour aller acheter du champagne. Elle lui demanda également de faire glisser le toit ouvrant pour qu'elle puisse se mettre debout sur Sunset Boulevard. « Regardez ! Tout le monde me voit ! » Elle but une gorgée de champagne à la bouteille et fit un signe de la main à des lycéens en goguette dans la voiture de papa, qui roulaient dans la file d'à côté.

« Elle est complètement paf, remarqua Kim.

— Bon, maintenant, on peut aller à l'Ivy, s'il vous plaît », les supplia Betsy, qui tentait désespérément de reprendre le cours du programme.

Marci s'inquiéta. « L'Ivy, c'est un endroit plutôt calme, non ? Je ne sais pas trop si je pourrais supporter de me faire jeter de deux restaurants le même soir. Il vaudrait mieux un drive-in.

— In and Out Burgers me paraît être une bonne idée », fit Denise. Elle tira sur l'ourlet de la minijupe de sa sœur et cria par le toit ouvrant : « Helen, ça te va, un burger ?

À mon avis, on ferait mieux de la ramener à l'hôtel et de la mettre au lit », suggéra Eloise.

Zadie ne voyait pas de quoi elle voulait parler. « Quel hôtel ?

— On passe tout le week-end au Beverly Hills. On a eu une réduction parce que c'est là qu'a lieu le mariage, expliqua Betsy.

— C'est sûrement la meilleure solution », approuva Gilda.

Helen s'extirpa du toit ouvrant et vint se rasseoir, l'air décidé. « Vous savez où on va aller ? Au magasin Hustler.

— Mais pourquoi ? geignit Betsy. Ils vendent des pornos, làdedans. Et puis, le propriétaire, c'est Larry Flint. Ce type est un pervers.

— Grey a attendu six mois pour coucher avec moi. Il faut absolument que notre nuit de noces soit inoubliable. Ils vendent bien des gadgets coquins ?

— Oh oui, plein, confirma Jane.

— Alors c'est parti ! J'ai besoin de quelques accessoires ! »

Eloise fut immédiatement séduite par cette suggestion. « Il paraît qu'ils vendent des cockrings. Ça intensifie carrément les sensations de l'homme, vous savez. »

Zadie était répugnée. Eloise se rendait compte qu'elle parlait de son frère, merde ? Même elle se sentait mal à l'aise en imaginant Grey avec un anneau pénien, mais apparemment, ça ne posait pas le moindre problème à Eloise.

« Remarque, c'est vrai que j'aurais besoin d'un nouveau tube de lubrifiant », fit Pouffe.

Eloise se tourna vers elle. « Sècheresse vaginale ? »

Super-Pouffe donna un coup de coude à Pouffe. « Ce n'est pas pour ça qu'elle s'en sert... »

Pendant que Zadie tentait d'oublier le fait que Pouffe aimait se faire prendre par derrière, Helen rampa par-dessus elles toutes pour aller taper sur la vitre qui les séparait du chauffeur.

« Il nous faut des cockrings. Tournez ici. »

21

Zadie n'était jamais entrée chez Hustler. Ce n'était absolument pas une question de pruderie. Elle aimait même beaucoup le sexe, pour être honnête. Mais elle n'avait jamais ressenti le besoin de le pimenter de vibromasseurs, de peintures corporelles, de godemichés ou autres fantaisies. Traitez-la de puriste, mais pour elle le sexe, c'était un corps d'homme nu, et le sien, point. Et l'idée d'un phallus en caoutchouc sans homme attaché au bout ne l'inspirait pas plus que ça. Elle préférait la totale.

Le chauffeur se gara près du trottoir. L'enseigne au néon « Hustler » les illuminait, véritable invitation à investir dans la perversion sous toutes ses formes et dans toutes les tailles.

« Je crois que je vais attendre ici », annonça Kim.

Denise l'attrapa par le bras pour la tirer hors de la voiture. « Allez. Tu trouveras peut-être quelque chose pour épicer un peu ta "soirée rencard". » Jane lui prit l'autre bras. « Tout n'est pas dégoûtant. Il y a des trucs marrants. »

Kim hésitait toujours, mais elle se laissa entraîner par les filles. Son clone, Marci, se montra un peu plus aventureuse. Elle fonça droit sur la lingerie.

Certains clients se retournèrent, éberlués de voir le gros ventre de Denise se frayer un chemin entre les rayons de magazines pornos et érotiques, mais la plupart étaient trop captivés par les milliers de vidéos et DVD pornos exposés pour s'en offusquer.

Gilda en montra un à Zadie. « *Clowns Baiseurs*. Il y en a toute une série, en plus ! Spécialisée dans les scènes de cul avec des gens déguisés en clowns ! »

Zadie en prit une autre et lut le titre à voix haute. « *Tous les trous sont permis*. Comme c'est romantique. Tu crois qu'ils veulent vraiment parler de tous les trous ? Je veux dire, oreilles comprises ? Parce qu'à mon avis, ça peut provoquer une infection.

— Oh c'est pas vrai, attends. Celle-là, c'est la meilleure. » Gilda brandit triomphalement un DVD. « *Pisse, la naine, Pisse !* » Comme elles retournaient la boîte pour voir si la jaquette comportait effectivement des photos de naines en train de faire pipi, elles entendirent un cri strident venu du fond du magasin. Zadie craignait presque de se retourner pour voir de quoi il s'agissait. En fait, elle n'en eut même pas besoin. Helen se précipitait à leur rencontre. Elle portait un gode-ceinture.

« Visez-moi ça ! J'ai une bite ! » Elle la secoua dans leur direction, sans s'émouvoir du fait que l'objet était bleu vif et mesurait au moins vingt-cinq centimètres.

Zadie donna un coup dessus à l'aide d'un exemplaire de *20 000 vieux sous mémère* et Helen fila l'agiter sous le nez de Pouffe et Super-Pouffe, qui étudiaient attentivement les bijoux pour le piercing au mamelon. « Si tu m'avais dit ce matin que je verrais Helen bourrée en train de se balader avec un gode-ceinture, je ne t'aurais jamais crue. Elle qui fermait les yeux devant les scènes d'amour du *Lagon Bleu*. »

Gilda posa la vidéo qu'elle avait dans les mains, *Chérie, j'ai agrandi les godes,* sans quitter Helen des yeux. « Tout le monde a un côté dévergondé, quelque part. » Elles se tournèrent pour voir Jane, qui observait de près un body en résille. « Jane est un peu coquine, je pense. Les deux débiles du magasin d'Helen sont des vraies traînées.

— Attends, qui n'a pas taillé une pipe à un mec sur un parking de boîte ? » Gilda se tourna vers elle, surprise, et Zadie ajouta, très vite, « Je plaisante.

— Moi, ce que je voudrais bien connaître, c'est le sale petit secret de Betsy. Je suis sûre qu'elle aime les trucs tordus. » Elles se tournèrent vers le rayon où celle-ci essayait des boas de plume, sur les instances de Denise, elle-même coiffée d'un chapeau de cow-boy en fausse fourrure qui disait « METS-MOI UNE FESSÉE. »

« Moi, je pense au sexe par Internet. Elle doit avoir deux-trois petits copains en prison. Elle a toujours aimé avoir un public captif. »

Helen rappliqua, titubant sur ses talons et hors d'haleine d'avoir baladé son phallus un peu partout dans le magasin. « Eh les filles ! venez voir dans les cabines. Jane est en train de choisir mon trousseau pour la lune de miel. »

Cinq minutes plus tard, elles étaient toutes réunies pour voir la future mariée sortir de la cabine d'essayage vêtue d'un body en cuir noir qui couvrait à peine ses mamelons, sans parler de ses seins, bien entendu. La tenue consistait en gros en un X géant qui se croisait sur son torse et était attaché aux hanches à un string.

« Qu'est-ce que vous en dites ? demanda Helen.

— Je crois que tu ne sortiras jamais de l'hôtel. Pourquoi t'embêter à aller jusqu'aux îles Fidji ? Reste ici au Comfort Inn », dit Denise.

Betsy, bouche bée, lâcha : « Je vois tes poils pubiens ! »

Marci et Kim se cachèrent les yeux. « Je ne peux pas voir ça », fit Marci. « C'est obscène ! » renchérit Kim.

« Je trouve ça incroyable, s'extasia Super-Pouffe. Grey ne va pas en revenir.

— Digne d'une vraie bombe sexuelle, confirma Pouffe.

— Mon frère est un sacré veinard.

— Plutôt sexy, remarqua Jane. Mais un peu trop, peut-être, justement. Grey risque de ne pas être prêt à ce genre de choses pour la nuit de noces. Garde ça pour la fin de la semaine. »

Zadie n'aurait su quoi dire. Helen ressemblait à une actrice de porno. Une actrice de porno très jolie, très propre sur elle et très virginale. C'était le genre de tenue que Zadie n'aurait jamais eu le cran d'essayer chez elle, et encore moins d'exhiber dans un magasin. Un attroupement commençait à se former. Plusieurs hommes posèrent leurs joujoux et s'approchèrent.

« Tu devrais peut-être essayer la tenue suivante », suggéra Zadie, tout en cherchant des yeux un membre de la sécurité, au cas où.

Quand Helen ressortit de la cabine, elle portait un body blanc en soie, bordé de fourrure, avec voile de mariée assorti.

« C'est mieux ?

— Bien plus adapté à la nuit de noces », acquiesça Jane.

Zadie était d'accord, comme toutes les autres, d'ailleurs. Elle avait passé sa nuit de noces en robe de chambre et grosses pantoufles, alors elle n'était pas franchement experte en la matière. Elle était quand même fière d'avoir réussi à vomir sur les deux pantoufles.

Un homme court sur pattes, d'apparence inoffensif, portant un anorak, s'approcha avec à la main un dos-nu en cotte de maille. « Pardon, mademoiselle, vous pourriez essayer ça, après ? »

Betsy se tourna vers lui et lui donna un coup à l'aide du premier article qui lui tomba sous la main : un coussin en fausse fourrure en forme de bite de soixante centimètres de long.

« Ce n'est pas un peep-show ! » L'homme s'éloigna furtivement, la queue entre les jambes. Betsy se retourna vers les autres filles, sans lâcher le pénis géant. « Non mais c'est pas croyable, ça ! Quel pervers dégueulasse. Les gens n'ont aucun respect pour les soirées entre filles.

— Pas mal, ton coussin », fit Denise en désignant le pénis que Betsy n'avait pas lâché. Zadie se préparait à l'entendre pousser des hauts cris, mais Betsy le serra dans ses bras.

« C'est vrai, c'est plutôt mignon. »

Zadie regarda sa montre. 21 h 15. Elle voulait se souvenir à jamais de ce moment : celui où Betsy avait enfin enlevé le balai de son cul.

« Oh là là, les filles, regardez ce que j'ai trouvé ! » Kim tenait une boîte où il était écrit « TOUT POUR L'ENTERREMENT DE VIE DE JEUNE FILLE ». « On devrait le prendre, il y a des jeux à l'intérieur ! »

Elles quittèrent la boutique avec un sac contenant cinq bodys (y compris celui en cuir noir), le coussin rouge en forme de bite, une poupée gonflable avec godemiché détachable, le fameux gode-ceinture bleu, un sachet de confettis pénis violets, et le kit de l'enterrement de vie de jeune fille. Pouffe et Super-Pouffe avaient également investi dans un lubrifiant saveur pinacolada et Denise, qui ne pensait qu'à la bouffe, avait acheté un truc qui s'appelait le « Beurre de Peter », censé donner un goût à l'appendice de son mari. Jane avait également choisi un voile de mariée agrémenté de petites cornes de diable qu'Helen porterait toute la soirée, ce qui paraissait parfaitement adapté.

Une fois bien calées dans leur grosse bagnole, et coincées dans les embouteillages du Sunset Strip, les filles devaient encore décider de leur prochaine destination. Les sex toys avaient revigoré tout le monde.

« On ne peut pas retourner à l'hôtel maintenant, dit Jane. Il faut suivre les instructions. » Elle sortit le kit de l'enterrement de vie de jeune fille et commença à passer en revue les diverses épreuves de la chasse au trésor. « Faites porter le soutien-gorge de la future mariée à un mec ». Ça devrait être facile. « Trouvez un mec pour lécher le gel parfumé dans le cou de la future mariée ». Aucun problème. « Demandez à un mec de poser à côté de la future mariée en montrant ses fesses ». Ah, ça, c'est bien.

— On va vraiment demander à des hommes de faire tout ça ? demanda Kim.

— Hé, les jeux, c'était ton idée », remarqua Denise en lançant dans les airs une poignée de confettis en forme de bites.

Gilda arrêta de vider ses poumons dans la poupée gonflable. « On devrait demander à quelqu'un de poser avec ce monsieur.

— En tout cas, il est mieux que les mecs d'Atlanta », dit Pouffe en venant poser dessus son ongle manucuré. Une French manucure, remarqua Zadie, avec du blanc qui commençait au milieu de l'ongle. D'un inexcusable mauvais goût.

« Comment on va l'appeler ? demanda Gilda.

— Hans, proposa Eloise. Il a l'air d'un Hans. »

Helen gonfla le godemiché détachable de Hans. « Eh, regardez, ma première pipe ! »

Elles passèrent devant le Saddle Ranch, d'où une foule bruyante débordait déjà jusque sous le porche. Par la porte, elles pouvaient apercevoir des gens chevauchant un taureau mécanique. On aurait dit une gigantesque fête étudiante dans un décor de Western. En d'autres termes, c'était l'endroit idéal. Helen et ses remarques lubriques de poivrote passeraient totalement inaperçues, et n'offenseraient personne.

« Arrêtez-vous là ! » hurla Zadie au chauffeur, en secouant la tête pour ôter les confettis.

Elle se tourna vers les autres. « Mesdames, prenez vos joujoux, on y va. »

22

Le Saddle Ranch, censé figurer une grange, était bondé, il y faisait chaud et la foule était très clairement composée de gens qui étaient tout, sauf des clubbers. C'était plutôt un mélange de jeunes, de touristes et de blancs en survêtements qui s'interpellaient à la manière de rappeurs noirs, et tous se côtoyaient parmi les bottes de foin et les mannequins déguisées en cow-girls.

Quelques secondes après avoir franchi la porte, Helen avait réussi à faire porter son soutien-gorge Chantelle en dentelle blanche au président d'une association étudiante de l'université de Californie. Denise s'acquitta de la photo à l'aide de l'appareil jetable. Lorsqu'il refusa de rendre le soutien-gorge, Betsy le lui arracha des mains en lui passant un tel savon, qu'il fila rejoindre ses amis en marmonnant : « La connasse avec une queue de cheval est complètement cinglée. »

Quelques instants plus tard, un touriste suédois avec un faux air de Bono léchait le gel parfum fraise dans le cou d'Helen, tandis que celle-ci faisait un joli sourire pour la photo. Il parlait très peu anglais et ne semblait pas comprendre qu'il s'agissait d'un jeu. Il s'attarda, en essayant de lécher à nouveau Helen. Super-Pouffe l'écarta d'un coup de pied en disant « Tire-toi, maintenant ». Bienvenue en Amérique.

Jane brandit la liste. « Allez, Zadie, trouve-nous un mec qui voudra bien montrer ses fesses. »

Zadie parcourut des yeux leur entourage immédiat et repéra un pseudo-bad boy dont le pantalon tombait si bas sur les hanches que ses fesses étaient déjà quasiment à la vue de tous. Trop facile.

Un type très mignon en tee-shirt bleu passa près d'elles en se frayant un chemin vers le bar. Il décocha à Zadie un sourire qui disait « Hé, t'es pas mal, toi » et elle l'attrapa par le bras. « Pardon. Ça vous dérangerait de poser pour une photo en montrant vos fesses avec notre future mariée ? » Elle montra Helen du doigt, remarquant au passage que son voile à petites cornes de diable était maintenant tout de guingois sur sa tête, alors qu'elle descendait sa Budweiser.

Le type regarda Zadie, décontenancé. « Vous voulez que je vous montre mes fesses ? Comme ça, ici ?

— Exactement. »

Il haussa les épaules. « D'accord. » Zadie fit signe à Helen d'approcher, pendant qu'il défaisait son pantalon et baissait son caleçon. Denise lui lança l'appareil.

« Alors, Helen, mets-toi accroupie au niveau de ses fesses et dis cheese ! » Helen se baissa, mais elle préféra soudain lui mordre le derrière plutôt que se contenter de poser à côté.

« Oooh ! » Il remonta vite fait son pantalon et se tourna vers Zadie. « Vous ne m'aviez pas dit qu'elle allait me mordre.

— Pardon. Je ne savais pas qu'elle avait faim. »

— Encore heureux que vous n'ayez pas voulu voir ma queue. »
Et il s'en alla, vexé.

Helen hurla derrière lui « Mauviette ! ».

Zadie aurait bien aimé se sentir coupable, mais toute cette
scène était tellement ridicule… « Fais gaffe qu'Eloise ne te sur-
prenne pas en train de mordre les fesses d'un inconnu. À mon
avis, elle a prévu de tout raconter à Grey par le menu.

— Eloise, elle a qu'à venir me mordre le cul, tiens, pour voir,
fit Helen, qui avait du mal à articuler. Ou plutôt, attends. Elle
n'a qu'à se mordre le cul toute seule. » Elle tituba un peu, puis se
précipita vers le bar pour aller chercher à boire. Comment parvenait-elle à rester en équilibre sur ses talons ? Mystère.

Gilda tendit une bière à Zadie. « Les mères de famille ont l'air
de s'ennuyer. » Zadie jeta un coup d'œil et les vit commander des
Coca light au bar. Marci serrait le coussin bite contre elle comme
si c'était une couverture de survie. Kim portait un des boas en
plumes. Eloise, à côté, faisait du gringue à un étudiant. Qui semblait répugné. Pouffe et Super-Pouffe, sûrement en recherche
de fonds pour le loyer du mois prochain, draguaient deux Saoudiens. Betsy essayait de subtiliser le verre d'Helen, mais celle-ci
avait plus de force. Jane était après un mec avec des favoris ridicules. D'après ce que Zadie parvenait à entendre, apparemment,
elle tentait de le convaincre de montrer ses couilles à Helen. Denise était aux toilettes, en train de vomir.

« C'est toujours comme ça, le samedi soir, à Los Angeles ?
cria Gilda par-dessus le vacarme.

— Généralement, je suis chez moi, devant la télé, avec une
bouteille de vin et j'évite ce genre d'endroits. » Elle contempla la
multitude d'hommes avec qui elle ne sortirait jamais. « Tu vois
ce type, là-bas ? Il n'arrête pas de nous montrer sa langue avec
un piercing.

— Je dois reconnaître que je suis bien contente d'être mariée, quand je vois les options qui s'offrent à moi.

— Comment tu as rencontré ton mari ?

— À la fac.

— Va te faire foutre.

— Je sais. Désolée. »

La foule entourant le taureau mécanique se fit plus tapageuse encore, si c'était possible, ce qui força Zadie à tourner les yeux dans cette direction, non sans une certaine inquiétude, et elle vit exactement ce qu'elle craignait. Helen chevauchait le taureau, en compagnie de Hans et de sa bite gonflable. L'animal ruait tandis qu'Helen et Hans simulaient un acte sexuel torride, pour le plus grand amusement de la foule, qui braillait et huait, ravie. Betsy essayait de la faire descendre, mais Helen lui donna des coups de pied jusqu'à ce qu'elle batte en retraite.

« Oh, c'est pas vrai, fit Gilda, l'air ennuyée.

— À ton avis, on tente de l'en empêcher ou bien on se contente de prendre des photos ? demanda Zadie.

— Tant qu'elle ne fait pas ça avec un homme en chair et en os, ça reste un comportement acceptable, j'imagine. Pas respectable, mais acceptable », répondit Gilda en fronçant les sourcils.

Helen avait du mal à tenir à la fois sa bière, Hans, et le taureau. Comme elle commençait à glisser vers la gauche, un groupe d'hommes se précipita pour la remettre en selle.

« Elle a un fan-club, remarqua Gilda.

— Comme toujours, dit Zadie. Est-ce que tous les mecs lui couraient après, à la fac ?

— Disons qu'il y a eu beaucoup de larmes. Et ce n'est pas elle qui les a versées.

— À l'instant où il l'a vue, Grey a été subjugué. »

Zadie se souvenait parfaitement de ce moment. Ils étaient assis à l'église, pendant le mariage de Denise. Au cinquième rang. Helen était demoiselle d'honneur, juste devant la mariée dans l'ordre d'arrivée dans l'allée centrale. Quand Grey l'avait aperçue, son corps tout entier s'était tendu. Il avait attrapé la main de Zadie et sans quitter Helen des yeux, il avait demandé : « Qui est cette fille ? » Et depuis ce jour, il était fou amoureux. Quoi qu'Helen dise ou fasse le convainquait qu'il avait rencontré la femme de ses rêves. Et six mois plus tard, Zadie se trouvait dans un bar de beaufs à regarder Helen baiser en public une poupée gonflable sur le dos d'un faux taureau pour fêter ses noces prochaines. Ah, l'amour !

« Oh ! mon Dieu. Ne te retourne pas. » Gilda regardait par-dessus l'épaule de Zadie et affichait une expression peinée, ce qui, bien entendu, incita Zadie à se retourner. Une action qu'elle regretta sur-le-champ. Eloise était en train de rouler une pelle au type avec les favoris bizarres. Elle tenait son visage entre ses mains, n'hésitant pas à entrer en contact avec les poils graisseux qui lui descendaient jusqu'au menton. Sûrement âgé d'une dizaine d'années de moins qu'elle, il devait également être complètement bourré pour accepter d'être vu en public en train de l'embrasser.

Gilda secoua la tête. « Je ne comprends pas pourquoi les hommes acceptent même de lui adresser la parole, alors pour ce qui est de l'embrasser... Bon, d'accord, celui-là, c'est pas un top model, mais quand même. S'il avait quelque chose dans le crâne, il serait là en train de te draguer.

— C'est pas mon genre, l'informa Zadie.

— Bien sûr que non. De toute façon, il doit être débile. C'est juste que je ne comprends pas pourquoi il n'essaye pas de t'aborder, au moins, au lieu de se taper cette fille.

— Je crois que je n'émets plus les bons signaux. De temps en temps, j'ai bien droit à un sourire, mais je n'arrive pas à me souvenir de la dernière fois où un mec a vraiment essayé de venir me parler.

— Eh bien, vu comme tu es superbe, tu dois carrément envoyer des signaux plus que négatifs si tu ne te fais jamais brancher par personne. » Superbe ? Rien que ça. Au fin fond de son cerveau amer et insensibilisé, Zadie savait qu'elle était séduisante, mais « superbe », c'était un peu exagéré. Peut-être à l'échelle d'un bled paumé du Nebraska, d'une population de cent cinquante habitants, mais pas à L.A.

« Le fait que je me renfrogne en détournant les yeux à chaque fois que je croise un regard ne joue sûrement pas en ma faveur. Mais je ne suis pas encore prête à me remettre à fréquenter des hommes pour l'instant.

— Bon, je sais que ce que je vais dire va paraître complètement con, annonça Gilda, mais je suis bourrée, alors tu ne m'en voudras pas trop. Tu sais, après le 11 Septembre, quand on disait que si on ne partait plus en vacances ni rien, c'était comme si les terroristes avaient gagné ? Bon ! eh bien, si tu ne sors avec personne, c'est comme si Jack avait gagné. »

Zadie y réfléchit un instant. Ce genre d'analogies inspirées par l'alcool étaient souvent les plus profondes, et néanmoins, elle trouvait celle-ci peu appropriée à sa situation. « Ce n'est pas tellement le fait que Jack gagne, le problème. C'est juste que je veux m'assurer de ne plus jamais perdre. »

Gilda soupira. « D'accord, je comprends. C'est vrai. Mais il n'y a vraiment personne ? Même pas un type dont tu te sois entichée à la salle de sport ? Ou que tu aurais croisé à l'épicerie ? Tu as bien dû penser à un mec quelconque ces sept derniers mois. »

Bien sûr qu'il y avait quelqu'un. Mais comment Zadie pouvait-elle avouer à cette femme adorable et normale qu'elle avait envie de coucher avec un gamin de dix-huit ans ?

Jane apparut, avec un plateau de shots de tequila. « Buvez un coup. » Zadie et Gilda prirent chacune un verre qu'elle burent cul sec et Jane repartit, en direction d'Eloise et de son péquenaud.

« Hey ya », le tube d'Outkast, faisait vibrer les enceintes, et le bar tout entier. Zadie commençait à se sentir agréablement éméchée.

« Bon, d'accord, il y a bien un mec. Mais il ne compte pas parce qu'il ne se passera jamais rien, c'est juste un fantasme.

— C'est qui ?

— Un de mes élèves. »

Gilda poussa un cri ravi et saisit au vol deux nouveaux verres de tequila sur le plateau de Jane qui passait par là. « Et dire que je prenais Jane pour la plus coquine de la bande.

— Il a dix-huit ans, il est majeur. Je ne suis pas pédophile.

— Je ne suis pas là pour juger. » Elle tendit un verre à Zadie et toutes deux burent ensemble.

« Tu te souviens de la pub Gap qui a fait baver Eloise et Cassandra juste avant d'entrer au Sky Bar ? lui rappela Zadie. Eh bien c'est lui.

— Oh, chérie, je te suis à fond. » Elles trinquèrent avec leurs verres vides. « Il est hallucinant. Tu l'as sous les yeux tous les jours ?

— J'ai le catalogue pour lequel il a posé sur ma table de chevet. Est-ce que c'est mal ?

— Non, ça veut juste dire que tu es une femme normale, en bonne santé, avec des désirs. Les filles qui voient ce mec et n'ont pas envie de coucher avec lui sont soit mortes, soit lesbiennes.

— Son groupe joue ce soir. Il m'a invitée. En fait, il nous a toutes invitées, dit Zadie.

— Où ça ?

— Quelque part sur le Sunset Strip. Au Roxy, je crois. » Elle avait vu le nom du groupe à l'affiche lorsqu'elles étaient passées devant, mais elle faisait comme si elle avait pris ça à la légère.

« On y va ! s'exclama Gilda, qui était quasiment en train de faire des bonds sur place.

— Tu crois ? Tu ne penses pas que c'est une très très mauvaise idée, au contraire ? » Zadie n'arrivait pas à s'imaginer ce qu'elle ferait en voyant Trevor sur scène. Elle ne danserait pas, c'était certain. Elle n'allait quand même pas se mettre au premier rang avec les groupies. Mais elle pourrait peut-être se cacher tout au fond de la salle et se laisser envoûter par sa beauté tout en préservant son anonymat.

« En tout cas, on ne peut pas rester là plus longtemps, à regarder Eloise agresser des laiderons. Et Helen… Oh merde ! »

Elles levèrent les yeux et la virent qui chevauchait désormais son taureau mécanique en compagnie d'un étudiant très entreprenant. Hans gisait par terre, dégoulinant de bière, légèrement dégonflé par le sordide de la situation. Helen, pendant ce temps, se montrait tout à fait démonstrative dans ses déhanchements avec le petit jeune, qui appréciait visiblement son attention. Ils ne s'embrassaient pas, mais il était occupé à déboutonner son chemisier.

Zadie chercha celle qui était le plus près de sa cousine. « Jane ! » s'écria-t-elle en montrant Helen du doigt.

Jane se retourna, s'arrachant à la contemplation du type mignon qui s'était fait mordre les fesses par Helen, et vit celle-ci. Elle lança à Zadie : « Je m'en occupe. »

Jane se dirigea d'un pas décidé vers le taureau mécanique et éjecta l'étudiant, qui s'écroula sur Hans et le dégonfla un peu plus. Puis elle fit descendre Helen en douceur et l'entraîna en direction du bar, où Zadie et Gilda les rejoignirent.

« Quoi ? Je faisais du taureau, c'est tout ! »

— Mais où est Betsy quand on a besoin d'elle ? » demanda Zadie. Gilda la montra du doigt, assise sur une chaise, contre le mur, bras et jambes croisés, qui les regardait toutes avec une mine renfrognée. Lorsqu'elle vit que Zadie lui faisait signe d'approcher, elle se leva et arriva en tapant des pieds.

« Je suis contente que quelqu'un d'autre que moi ait enfin remarqué le comportement de la future mariée. J'ai bien essayé de l'empêcher de se livrer à un spectacle érotique en public, mais elle m'a donné des coups de pied.

— C'est pas vrai !

— Si ! »

Marci et Kim débarquèrent. En baillant. « On s'en va ?

— J'espère bien », siffla Betsy.

Denise, qui sortait des toilettes, les rejoignit. « Qu'est-ce qui se passe ?

— Ta sœur a perdu la tête et a essayé de coucher avec des inconnus. Ce n'est pas exactement ce qui était censé se passer aujourd'hui, dit Betsy.

— Betsy, si j'avais essayé de coucher avec quelqu'un, comme tu dis, je crois que j'aurais réussi », répliqua Helen, avec toute la supériorité dont ont coutume de faire preuve les gens dans son état.

Pouffe et Super-Pouffe firent leur apparition. « Y a un problème ?

— Nan, répondit Helen.

— Tant mieux, parce que ce mec vient de me proposer de m'emmener faire du shopping ! J'adore les Saoudiens ! s'exclama Super-Pouffe.

— Eh bien tu ferais mieux de lui laisser ton numéro de téléphone, parce qu'on s'en va, décréta Gilda.

— On va où ? » fit Eloise, qui arrivait à leur hauteur, laissant poireauter au bar le type aux favoris.

Gilda sourit à Zadie. « Au Roxy. »

23

Dans la limousine, les jérémiades commencèrent. Betsy, évidemment, fut la première. « Moi, je n'ai pas envie d'aller voir un concert. On était censées dîner et maintenant il est 10 h 30 ! On n'a même pas joué au jeu sur les trucs rigolos à savoir sur Helen et Grey. J'avais même appelé leur mère pour savoir quels étaient leurs jouets préférés quand ils étaient petits et tout !

— La maison de rêve de Barbie, dit Helen.

— Et Grey, c'étaient ses G.I. Joe », dit Eloise.

Denise tapota le bras de Betsy. « Ah, tu vois ? On vient d'y jouer, ça y est. »

Mais cela ne suffit pas à la calmer. Elle croisa les bras et fit sa tête de boudeuse. « Je suis la seule à m'inquiéter de voir Helen saoule en train de faire des obscénités ?

— Il y a beaucoup de degrés différents dans l'obscénité, remarqua Jane. Je crois que nous restons dans le domaine de la virginité.

— Je suis pas saoule, ânonna Helen en tenant au-dessus de sa bouche la bouteille de champagne désormais vide.

— Il était temps qu'Helen se lâche un peu et s'amuse, fit Zadie. En plus, c'est exactement ce que Grey voulait. » Enfin, il ne s'attendait peut-être pas à ce qu'elle se frotte contre des étudiants, mais tant que tout le monde gardait ses vêtements, elle pouvait laisser courir.

Helen la regarda. « Et qu'est-ce que ça veut dire, ça, exactement ? »

Oh, non, c'est pas vrai. Pas encore. « Ni plus ni moins que ce que je viens de dire. Grey veut que tu t'amuses.

— Il trouve que je ne m'amuse pas, normalement ?

— Il te trouve parfaite, Helen. Il est fou amoureux de toi. C'est d'ailleurs pour cette raison qu'il t'épouse dans deux jours.

— Mais il t'a dit qu'il voulait que je "me lâche", c'est ça ? »

Zadie regarda Helen, puis Eloise, qui la dévisageait maintenant avec des yeux accusateurs. « Non. Il a juste dit qu'il voulait que je fasse en sorte que tu t'amuses.

— Parce que je n'en suis pas capable toute seule, peut-être ? Comme si j'avais besoin d'aide pour m'amuser ?

— Helen, c'est ridicule. Ce n'est pas du tout ce qu'il a dit.

— Menteuse. Il me trouve coincée. » Elle avait raison. Grey lui avait bien demandé de faire en sorte qu'elle se lâche. Mais Zadie n'allait certainement pas admettre ça maintenant.

Eloise en remit une louche. « Je pense que Grey aime Helen telle qu'elle est. Je te rappelle qu'il l'a demandée en mariage.

— C'est exactement ce que je viens de dire ! s'exclama Zadie. Il l'aime et il souhaite qu'elle s'amuse. » Ça suffisait maintenant. À chaque fois qu'elle ouvrait la bouche et citait le nom de Grey, elle s'en prenait plein la tête. À partir de maintenant, elle n'ouvrirait plus la bouche que pour boire.

« Eh bien, si Grey a envie que je me lâche, je vais me lâcher.

Je te remercie, Zadie. »

Et merde.

Le chauffeur s'arrêta à un stop et se tourna vers elles. « On est arrivé au Roxy. » C'était un immeuble noir, de trois étages, avec une enseigne au néon et une marquise. Des hordes de fans faisaient la queue sur le trottoir. Certains avaient une allure un peu crade. Bien sûr, il pouvait s'agir d'une pose, ou d'une authentique crasse, mais cela restait à déterminer.

Super-Pouffe fit une grimace. « Qu'est-ce qu'on va faire là-dedans ? »

Pouffe renchérit. « Je m'en fous, moi, de ce groupe pourri. »

Marci s'extasia. « Kim et moi on est allé voir Rick Springfield en concert l'été dernier à Anaheim. C'était in-cro-ya-ble. Il n'a absolument pas changé, il est comme dans *General Hospital*.

— Et quand il a chanté *Jessie's Girl*... Moi j'ai failli pleurer tellement j'étais heureuse.

— On était tout près de la scène, j'ai même pu toucher sa cheville », rajouta Marci. Manifestement, ces deux-là avaient besoin de sortir de chez elles plus souvent, mais Zadie était au moins contente d'apprendre qu'elle avait un point commun avec elles. Elle possédait tous les albums que Rick Springfield avait enregistrés, sans exception.

Eloise leva les yeux vers la marquise et constata : « Il y a six groupes au programme, pas de Rick Springfield.

— Il y en a un seul qui nous intéresse, lui apprit Gilda.

— Les Surf Monkeys, précisa Zadie.

— Et qu'est-ce qu'ils ont de spécial, les Surf Monkeys ? rétorqua Eloise.

— Trevor Larkin en fait partie », répondit Zadie.

Eloise et Pouffe furent à deux doigts de se faire mal, vu la vitesse à laquelle elles sortirent de la voiture. Les autres les suivirent, sans comprendre.

« Qui est Trevor Larkin ? demanda Kim.

— Le type de la pub Gap ! l'informa Eloise. Celui avec la grosse…

— Oh là là, moi aussi j'avais remarqué, fit Marci. J'étais un peu gênée de regarder, mais on aurait du mal à le rater. »

Super-Pouffe n'avait toujours pas capté. « Tu veux dire que Trevor Larkin est membre du groupe ? »

Gilda lui jeta un regard meurtrier. « Bas les pattes. Pas question que tu lui tailles une pipe sur le parking, à celui-là.

— Moi je peux ? s'enquit Jane.

— Il est à Zadie, répondit Gilda.

— C'est un de mes élèves, c'est ce qu'elle veut dire. » Zadie regrettait de ne pas avoir su tenir sa langue imbibée de tequila. Elle ne voulait pas qu'elles sachent qu'elle fantasmait sur Trevor.

« Mais bien sûr que c'est ce qu'elle voulait dire », sourit Jane en lui faisant un clin d'œil.

Helen ouvrit la voie jusqu'à la porte. « Vous croyez qu'ils me laisseront chanter ? »

Une fois à l'intérieur, il était impossible de parler, tant la musique était forte. La vaste salle était plongée dans l'obscurité et le bruit aigu des guitares remplissait tout l'espace. Zadie s'informa auprès du videur, qui lui apprit que le groupe de Trevor n'était pas encore passé. Il pensait que c'était peut-être le prochain, mais vu le gigantesque tatouage qui ornait son crâne rasé et qui disait « Fuite de cerveau », on ne pouvait pas vraiment se fier à lui.

Jane offrit un billet de cinquante dollars à un groupe de jeunes pour qu'ils quittent leur table et qu'elles puissent toutes s'asseoir. Les hôtesses de l'air devaient être mieux payées que Zadie ne le pensait. Le groupe sur scène termina sa prestation, ce qui laissa aux filles le temps d'échanger quelques mots.

« Ça sent la bière rance et les dessous de bras là-dedans », fit

Betsy en fronçant le nez.

Helen tint bien haut le verre de Martini qu'elle venait de se procurer. « Aux soirées où on se lâche. » Elle prit une grande gorgée et regarda Zadie. « Tu crois que ça plairait à Grey, de me voir comme ça ? »

Zadie la regarda. Elle portait toujours son voile à petites cornes de diable et se trimbalait avec la bite gonflable de Hans. Elle avait mis le gode-ceinture à l'envers, et l'appendice bleu ressortait à travers le dossier de sa chaise.

« Je suis persuadée que Grey adorerait te voir comme ça. Il adorerait te voir n'importe comment, d'ailleurs. » Ne jamais contrarier une fille saoule. C'était une règle d'or.

« Il ne m'a jamais vue vomir, comme toi l'autre fois. »

Mais pourquoi Grey était-il allé raconter à Helen qu'elle avait vomi ? Franchement, elle n'avait pas besoin d'être au courant. Même si Zadie n'en éprouvait pas la moindre honte. La plupart des femmes plaquées le jour de leur mariage devaient sûrement vomir sur quelqu'un peu après. Mais elle était énervée qu'il en ait parlé à Helen. Rien n'était-il donc sacré ? Grey avait-il déballé à Helen tous ses secrets en confidences sur l'oreiller ?

« Eh bien, c'est sûrement mieux comme ça. Ce ne serait pas très romantique, répondit Zadie, toujours pour contenter sa cousine, bien qu'elle se sentît trahie.

« Vous savez ce qui est romantique ? » lança Eloise. Comme si elle pouvait en avoir la moindre idée. « Se caresser dans l'obscurité parfaite. »

Zadie essaya de ne plus écouter ce qu'elle disait. Il suffisait qu'un conseil de sexe soit proposé par Eloise pour lui donner instantanément la nausée. Zadie craignait qu'à la fin de la soirée, elle ne lui ait gâché toute possibilité d'acte sexuel.

Betsy, qui boudait toujours, jeta un coup d'œil vers la scène. « C'est lui, le mannequin bien monté ? »

Zadie suivit son regard et vit plusieurs jeunes types, pas aussi jeunes que Trevor, mais jeunes quand même, en train d'accorder leurs instruments et de brancher des trucs. Comme elle était sur le point de répondre non, Trevor apparut sur scène. Son tee-shirt vert lui moulait le torse, son pantalon Gap était assez ajusté pour mettre en valeur ses fesses, tout en étant assez large pour camoufler son entrejambe. Il avait calé derrière ses oreilles d'une façon charmante ses cheveux blonds de surfeur fraîchement lavés. Les cheveux propres, c'était tellement important chez un homme. Les hommes qui se tartinent la tête de gel poisseux se font beaucoup de tort, ainsi qu'à ceux qui sont contraints de les regarder. Quelqu'un devrait écrire un article à ce sujet.

« Oh là là, il est trop sexy », grogna Pouffe, comme à la torture.

Eloise se tourna vers Zadie. « Tu es vraiment sûre qu'il a dix-huit ans ? Il a l'air d'en avoir au moins vingt-trois.

— Oui, à moins qu'il ait redoublé cinq fois. » Elle était bien certaine que ce n'était pas le cas, à en juger d'après ses devoirs. Elle avait été ravie de découvrir qu'il était plutôt brillant, lorsqu'il lui avait rendu sa première copie. Ce qui, bien sûr, était juste pathétique. Pas le fait qu'il soit brillant, mais qu'elle en ait été ravie. Elle n'aurait pas eu la même réaction s'il avait été laid.

En voyant Trevor accorder son instrument, elle se persuada qu'elle n'était là que pour soutenir ses efforts musicaux. Les professeurs étaient censés soutenir la créativité de leurs élèves. Elle ne faisait que son travail. Sa présence ici n'avait rien du tout d'inconvenant. Absolument rien.

Gilda se pencha vers Zadie et lui murmura : « On ne partira pas d'ici tant que tu ne l'auras pas embrassé. »

Zadie leva les yeux au ciel. « Eh bien on risque d'y passer des années.

— Quel âge as-tu ?

— Trente et un ans. »

Gilda calcula la différence. Pas facile après plusieurs verres de tequila. « Mais ça ne fait que treize ans d'écart ! Demi Moore et Ashton Kutcher en ont seize ! »

Zadie n'aspirait pas vraiment à reproduire le comportement des *people* en couverture des magazines.

Mais Gilda ne lâchait pas le morceau. « Il t'a invitée, non ? Il n'a sûrement pas fait ça avec tous ses profs. Alors ça doit bien vouloir dire quelque chose. »

Zadie parcourut rapidement la pièce des yeux, pour s'assurer que ni Nancy ni Dolores ne se trouvait dans l'assistance. Personne à l'horizon. Ouf. Elle ne vit pas non plus la prof de math, ni cette petite délurée d'assistante de langue. Elle se tourna vers Gilda. « J'essaye de lui trouver un piston pour entrer à Stanford. Il fait de la lèche, c'est tout. »

Betsy se pencha en avant, toute bouffie de supériorité. « Non, mais vous vous rendez compte que nous n'avons pas encore offert ses cadeaux à Helen. Ils sont toujours dans le coffre de la limousine. On était censées faire ça au dîner.

— On fera ça plus tard. Écoutons le groupe », dit Denise, l'air de dire à Zadie « je sais que tu en as besoin. »

Mais franchement, elle n'en était pas certaine. Avait-elle vraiment besoin de regarder Trevor sur scène en se sentant coupable d'y prendre du plaisir ? Il était en train de régler la hauteur du micro. Oh ! mon Dieu ! Est-ce que ça signifiait qu'il allait chanter ? Maintenant qu'elle y réfléchissait, il avait une certaine ressemblance avec Jim Morrison, mais en plus jeune, plus propret, plus blond. Jim Morrison était-il surfeur ? Trevor allait-il devenir culte, lui aussi ? Putain. Elle était saoule.

Dès le début du premier morceau des Surf Monkeys, Zadie fut envoûtée. Comme toutes les autres femmes du public. C'était le sexe fait homme, on ne pouvait pas le nier. Il associait à la perfection l'espièglerie impudente et la complainte du garçon triste qui faisait toujours battre le cœur de Zadie un peu plus vite quand elle écoutait la radio. Il était beau comme un dieu. Le reste du groupe était à chier, mais ça n'avait aucune espèce d'importance. Trevor chantait. Il jouait de la guitare. Zadie ne serait pas capable de répéter la moindre parole ou fredonner une de leur chanson si on le lui demandait plus tard, mais ça n'était pas ça l'important.

Elle se pencha pour hurler à l'oreille de Gilda, « Il est entouré d'une sorte d'auréole ou bien je suis juste complètement cuite ? »

Gilda l'attrapa par le bras. « Écoute-moi bien. Tu vas coucher avec lui et me rapporter le moindre détail. La baise par procuration, c'est tout ce qui me reste. »

Elles ne quittèrent pas Trevor des yeux, il s'approchait du premier rang pour chanter la sérénade à ses groupies.

« Allons devant ! » s'exclama Pouffe. Elle entraîna Helen et elles s'y précipitèrent, Super-Pouffe sur les talons. Zadie sentit la boule de chaleur dans son ventre se refroidir. Pourquoi avait-elle partagé Trevor avec elles ? Maintenant il allait tomber amoureux d'Helen. Ou baiser avec Pouffe et Super-Pouffe dans sa loge. Et merde !

En approchant de la scène, elles durent se frayer un chemin à travers une bande d'adolescentes portant des bracelets « Moins de 21 ans ». Celles-ci n'étaient pas du tout ravies de voir débarquer au milieu de leur groupe une future mariée bourrée portant une bite gonflable et un gode-ceinture à l'envers. Sans parler des deux pétasses habillées en putes de luxe couture avec des talons aiguilles de dix centimètres. Helen fut forcée d'en attaquer certaines à coups de pénis gonflable rien que pour maintenir son espace vital. Zadie remarqua que plusieurs étaient dans une de ses classes et s'enfonça dans son siège.

Trevor baissa les yeux au moment où Helen se montrait particulièrement teigneuse avec deux ados au nombril à l'air portant des velours pattes d'éléphant. Son voile était de travers, son mascara avait bavé et elle tapait sur la tête des filles à l'aide des parties génitales de Hans. Trevor grimaça et la montra à son bassiste, qui se mit à rire. Lorsqu'ils terminèrent le morceau, Trevor regarda Helen, se pencha vers le micro et dit, pour se moquer d'elle : « En voilà une qui a l'air bien partie. »

Zadie reprit des couleurs. Trevor n'était pas aveuglé par la beauté d'Helen. Il venait de dépasser le statut de dieu. C'était pitoyable. Elle n'avait pas besoin d'excuses pour aimer encore plus Trevor. Il lui fallait une bonne raison pour se tirer de là. La dignité. La décence. En voilà des raisons. Elle devrait peut-être aller s'asseoir à côté de Betsy, Marci et Kim. Elles sauraient la détourner de son désir. Elles la remettraient sur le droit chemin.

Le groupe se lança dans un nouveau morceau et Helen regagna la table. « Ils sont nuls. On se casse. »

Betsy fixait la scène avec des yeux vitreux. « Encore une chanson. »

Marci et Kim étaient tout aussi exaltées. « On ne peut pas partir avant la fin, dit Marci.

— Rick Springfield, c'est de la merde, à côté », lâcha Kim.

Zadie se sentit confortée. Trevor était irrésistible. Les femmes les plus prudes de Californie étaient d'accord avec elle. Lorsque le groupe termina, Pouffe et Super-Pouffe se dépêchèrent de revenir à la table pour dire à Zadie : « Tu crois que tu peux nous faire passer en coulisses ? »

Zadie n'allait sûrement pas laisser ces deux-là approcher la douce innocence de Trevor. « Non.

— Ce n'est pas grave, dit Pouffe. On n'a qu'à attendre ici. Je parie qu'on va le retrouver au bar dans quelques minutes. »

Autrement dit, il ne restait à Zadie qu'une toute petite fenêtre de tir pour lui parler sans que ces deux pouffiasses ne la ramènent. Elle se leva. « Je vais aux toilettes. »

Gilda lui fit un clin d'œil. Jane lui lança un regard qui voulait dire « Vas-y, et baise-le bien comme il faut. » Denise se contenta de hocher la tête. Pouffe et Super-Pouffe étaient trop occupées à faire leurs retouches de gloss et de poudre pour remarquer quoi que ce soit. Helen volait des verres sur le plateau de la serveuse, que Betsy s'empressait de remettre en place.

Une fois backstage, Zadie se sentit très bête. Qu'allait-elle bien pouvoir lui dire ? *Salut Trevor. J'ai adoré le concert. Je peux t'embrasser ?* Les profs ne devraient jamais être ivres en présence de leurs élèves, mais c'était trop tard. Elle était déjà saoule en arrivant. Alors ce n'était pas le moment de culpabiliser sur ce point.

Elle aperçut un groupe d'adolescentes en pâmoison ; elle devait donc être tout près. Elles rôdaient autour d'une porte où il était inscrit « la pièce verte ». Heureusement, ce n'était pas trop loin des toilettes, alors Zadie pouvait toujours prétendre s'être égarée si Trevor ou n'importe quel élève la repérait. Elle songea un instant aller faire pipi en vitesse, mais elle craignait de le rater et d'être obligée de repartir bredouille en direction du bar, où elle trouverait Super-Pouffe occupée à lui faire une petite gâterie.

En passant devant la porte, elle entendit : « Putain ! Mme Roberts ! » Elle s'arrêta, pas très sûre de ce qu'il fallait qu'elle fasse. Il l'avait vue, elle ne pouvait donc pas continuer à avancer. Elle voulut se retourner et jeter un coup d'œil par la porte, mais avant qu'elle en ait eu le temps, Trevor était déjà dans le couloir, une bière à la main. « Vous êtes venue, j'y crois pas. »

24

Zadie s'adossa au mur, en essayant de paraître cool et de dissimuler qu'elle était saoule. Elle posa une main contre le chambranle pour se stabiliser. « Salut. » Ce fut tout ce qu'elle trouva à dire.

Il lui sourit. « Qu'est-ce que vous avez pensé du groupe ?

— Je vous ai trouvés géniaux.

— Ne vous en faites pas, vous pouvez être franche. On sait qu'on est un peu naze. Mais on s'améliore. » Il avait tellement de recul pour un gamin de dix-huit ans. Zadie tenta de ne pas s'extasier, mais la lumière noire du couloir accentuait son bronzage, et ses dents paraissaient si blanches.

« Je trouve que tu as beaucoup de talent.

— C'est vrai ? Pour la guitare ou le chant ?

— Les deux.

— J'ai foiré le troisième morceau.

— Je n'ai rien remarqué. »

Il se tourna vers les autres membres du groupe, assis sur des canapés miteux dans la pièce verte, en train de boire des Heineken. « Eh les mecs ! Ma prof n'a même pas remarqué que j'ai merdé le pont. » Tous éclatèrent de rire. Zadie se sentit idiote. Était-il évident qu'il avait merdé le pont ? Et d'abord, c'était quoi ce pont ? Pourquoi s'était-il senti obligé d'annoncer qu'elle était sa prof ? Il se retourna vers Zadie. « Désolé. Le batteur m'a tellement fait chier avec ça. Fallait bien que je marque un point. »

Zadie se détendit. Il avait su mettre en valeur sa bêtise.

« Au fait, vous ne deviez pas être à un enterrement de vie de jeune fille ou je ne sais quoi ?

— Si, mais je les ai toutes amenées avec moi. Je crois que tu as vu la future mariée, elle était devant. »

Il se mit à rire. « Sans déconner. Cette fille avec le voile et le gode-ceinture est avec vous ? »

Que l'attitude délurée de sa cousine, d'ordinaire si coincée, fût une source d'étonnement n'avait aucune importance en cet instant précis. Zadie était trop captivée par les yeux verts de Trevor. Oh, ce qu'elle pouvait aimer cette sensation. Ça lui rappelait l'époque où elle était une fille qui allait dans les bars pour brancher des mecs mignons, et pas une femme qui restait chez elle pour les fuir.

« Vous avez dû picoler un peu avant de venir, remarqua-t-il.

— Ouais, on a fait quelques bars en chemin.

— Et vous allez où après ? »

Posait-il la question parce qu'il voulait savoir ou pour se montrer poli ? Zadie n'arrivait pas à décider. « Je ne sais pas trop.

— Où est-ce qu'elle a trouvé ce gode ?

— Au magasin Hustler. »

Il lui sourit. Avec ce qui aurait pu être interprété comme un sourire canaille. « Et vous, vous avez acheté quelque chose ?

178

— Nan. Je n'avais besoin de rien. » N'importe quoi. Elle ne pouvait pas se montrer encore plus chiante, tant qu'elle y était ? Elle aurait dû lui raconter qu'elle avait acheté une culotte comestible, quelque chose comme ça. Non ! Non ! Elle était sa prof. Elle n'avait pas à lui parler de culotte. La honte l'envahit. Peu importait que tout le monde soit d'accord avec elle pour dire qu'il était sexy. Il était déplacé qu'elle soit en train de bavarder avec lui dans un bar. Il fallait qu'elle s'en aille. Maintenant.

Il se pencha vers elle. « Je vais vous dire un truc, mais ne vous mettez pas en colère, d'accord ? »

Tout son corps se raidit. Absolument conscient de se trouver à deux centimètres du visage de Trevor. « D'accord.

— J'étais plutôt content que vous ne vous soyez pas mariée. »

Zadie ne savait pas du tout quelle attitude adopter. Était-il en train de la draguer ? Ça en avait tout l'air. Sinon, pourquoi aurait-il été content qu'elle ne soit pas mariée ? Par sadisme pur ?

« Pourquoi ? »

Il lui sourit. « Je ne devrais sûrement pas répondre à cette question. Vous risquez de me sacquer. »

Alors là… Qu'est-ce que ça voulait dire ? Mais de toute façon, ça n'avait pas d'importance. Elle s'en allait. Elle s'en allait sur-le-champ. Elle ne bougea pas d'un iota.

« Ta note finale dépend de ton contrôle, pas de ce que tu me dis dans un bar. » Mais pourquoi l'encourageait-elle, à la fin ?

Il soutint son regard un instant, comme s'il hésitait à développer sa remarque. Zadie se sentait fébrile. Il était sur le point de parler, quand son batteur apparut.

« Eh, vieux, on va au bar. Le frigo est à sec. »

Zadie n'arrivait pas à décider si elle était soulagée ou irritée au plus haut point.

Trevor haussa les épaules et regarda Zadie. « On y retourne ?

— O.K. »

Ils empruntèrent le couloir. Il marchait devant elle, et elle pouvait lui mater les fesses. Mais ce n'était plus un plaisir coupable. Ce n'était que pure culpabilité. Elle avait été à deux doigts de penser qu'il n'y avait aucun problème à fantasmer sur lui. Mais ce n'était pas vrai. C'était mal, c'était très très mal.

Dès qu'ils pénétrèrent dans la salle principale, il fut assailli par ses groupies adolescentes. « Trevor ! Je t'aime ! » Il s'arrêta pour signer quelques autographes. Zadie aperçut Amy, Brittany et Felicia, trois élèves à elle, parmi l'essaim qui l'entourait. Elle baissa la tête, contourna Trevor et s'enfuit vers sa table avant qu'elles aient l'occasion de la voir.

« On y va, annonça-t-elle.

— Où ? demanda Jane.

— Je m'en fous. On y va, c'est tout.

— Mais Trevor ne va plus tarder », pleurnicha Pouffe.

Helen monta sur sa chaise. « Allons quelque part où on peut danser ! »

Zadie la regarda. « Seulement si tu enlèves ce gode-ceinture.

— Ça marche. »

Gilda entraîna Zadie à part. « Qu'est-ce qui s'est passé ?

— Rien.

— Rien de mal ou rien de bien ?

— Rien comme dans « On s'en va avant que je ne fasse rien de bien », dit Zadie.

Gilda fit une grimace. « Ça ne veut rien dire.

— Exactement. On doit y aller. »

Jane se joignit au conciliabule. « Il t'a draguée, je parie ?

— Non.

— En tout cas, tu as l'air toute chose.

— Ça doit être la tequila. » Zadie ouvrit son sac à main et jeta quelques billets sur la table. « J'attends dans la voiture pendant que vous régliez la note, d'accord ? » Il fallait qu'elle sorte d'ici avant que Trevor ne la voie et ne vienne la retrouver. Elle ne pouvait pas répondre de ce qui arriverait dans ce cas.

Dans la limousine, Zadie fut ravie de trouver cinq nouvelles bouteilles de Moët et Chandon. Le chauffeur aux sourcils broussailleux lui fit un sourire. « La mariée m'a demandé de refaire le stock, avant d'entrer. C'est un sacré numéro, celle-là. » Ah ouais, sans blague ?

Zadie ouvrit une bouteille et se versa une coupe bien pleine. Elle venait d'échapper de peu à une situation atrocement gênante. C'était le moment de porter un toast. Elle vida son verre en se félicitant elle-même. La volonté. Une moralité à toute épreuve. Voilà des valeurs qu'elle pouvait être fière de posséder.

Betsy se glissa ensuite dans la limousine et vint se caler contre la portière opposée. « Dieu merci tu as réussi à faire enlever ce godemiché bleu. Je craignais de ne plus pouvoir faire une seule photo de la soirée. »

Revigorée par le champagne et sa toute nouvelle autosatisfaction, Zadie se pencha pour prendre la main de Betsy. « Betsy, je suis désolée que la soirée ne se soit pas déroulée comme tu le souhaitais. Je sais que tu es déçue, mais je crois que nous devons toutes nous souvenir que c'est la soirée d'Helen et que nous devons faire en sorte qu'elle soit contente. »

Betsy hocha la tête avec gravité. « Tu as raison. C'est juste que je ne sais pas quoi penser de cette Helen nouvelle formule. Tu l'as vue sur ce taureau ? Une vraie vicieuse ! »

Marci et Kim arrivèrent dans la voiture. « Vous étiez en train de parler d'Helen ? » demanda Marci.

Zadie acquiesça. « Je crois que c'est l'alcool. Et l'occasion. Après vingt-huit années de perfection… Il fallait bien qu'elle se lâche un jour. » Zadie tendit une coupe de champagne à Betsy. « Tiens, bois. À mon avis, le reste de la soirée te paraîtra plus facile. »

Betsy le descendit cul sec puis les regarda. « Vous avez déjà remarqué que la première gorgée de champagne a un goût un peu dégueulasse ? Il m'en faut une deuxième pour compenser. » Elle tendit son verre et Zadie la resservit, tandis que les autres arrivaient à leur tour dans la limousine.

Pouffe et Super-Pouffe étaient agacées. « On n'a même pas pu lui adresser la parole. »

Eloise monta ensuite. « Je suis sûre qu'il est backstage avec Pamela Anderson ou quelqu'un dans le genre. »

Helen et Denise firent leur entrée – Helen était toujours motivée pour faire la fête jusqu'au bout de la nuit. « Si on allait au Deep ! J'ai lu un article dessus dans un magazine.

— Si tu as lu quelque chose, ça veut dire que c'est déjà *out* », remarqua Super-Pouffe.

Zadie la regarda comme si elle avait affaire à une imbécile finie. C'était d'ailleurs le cas.

« Aucun des endroits où on est allées ce soir n'est "branché". Si ça avait été le cas, on ne nous aurait pas laisser entrer.

— Parle pour toi », répliqua Super-Pouffe.

Comme Zadie regrettait de ne pas être plus douée en lancer de vomi, Gilda et Jane débarquèrent. « Regardez ce qu'on a trouvé », dit Jane.

Et elle tira Trevor par le bras.

« Salut. » Il passa par-dessus Gilda et se laissa tomber à côté de Zadie. « On va où ? »

25

Oh, doux jésus !

Trevor était assis à côté d'elle. Dans la limousine. « Je peux en avoir un peu ? » demanda-t-il en montrant le champagne.

Zadie secoua la tête. « Je refuse de contribuer à la délinquance d'un mineur.

— Moi pas. » Gilda lui servit un verre. En faisant un clin d'œil à Zadie. Oh, la vilaine, vilaine Gilda.

« Alors, vos copines ont dit qu'on allait danser. » Il désigna Jane et Gilda de la tête.

« On va au Deep », dit Helen.

Trevor sourit. « Cool. J'aime bien cet endroit.

— Comment fais-tu pour entrer dans les bars ? » demanda Zadie, totalement déconcertée de découvrir que Trevor sortait plus qu'elle le soir.

— J'ai une fausse pièce d'identité. Super bien faite. C'est mon père qui me l'a trouvée.

— Ton père accepte que tu ailles dans les bars ?

— Il est plutôt cool pour ce genre de choses. C'est un hippie. Obéir aux règles, c'est pas trop son truc. » Bien, pensa Zadie, il n'ira pas la dénoncer pour avoir couché avec son fils.

Jusque-là, Pouffe et Super-Pouffe le dévoraient des yeux, bouche bée, mais malheureusement, Pouffe recouvra la parole.

« Trevor, salut. Je m'appelle Phoebe. Je crois que tu es sorti avec une fille que je connais. Josie Altman ? » Visiblement, elle avait décidé de ne pas tenir compte de ce que Zadie lui avait dit un peu plus tôt, même s'il était évident que celle-ci le connaissait et savait donc de quoi elle parlait. Pouffe était vraiment une idiote de toute première catégorie.

« Connais pas. Elle est à Yale-Eastlake ? »

Pouffe fronça les sourcils. « Non, elle est serveuse à Newport.

— J'y suis jamais allé. Désolé. »

Super-Pouffe se pencha et posa la main sur son genou. « J'ai adoré ton groupe. Vous êtes vraiment top.

— Merci. Tu dois être vraiment bourrée. »

Gilda s'adossa au siège et regarda Zadie dans le dos de Trevor, l'air de dire « Alors ? » En retour, Zadie lui lança un regard qui signifiait clairement : « J'arrive pas à croire que tu m'aies fait ça. »

Trevor se baissa pour attraper Hans qui traînait, tout dégonflé, sur le sol de la limousine. « Qui est ce pauvre type ?

— Le copain d'Helen, répondit Denise.

— Il est mort », fit Helen en feignant d'être triste.

Trevor ramassa l'oreiller rouge en forme de bite, qui gisait à côté de Hans. « Alors ça, ça doit être à toi ? » Il regardait Zadie.

« Perdu. C'est à Betsy. »

Celle-ci, qui en était maintenant à sa troisième coupe de champagne, l'arracha des mains de Trevor. « Je l'aime bien parce qu'il est tout doux. »

Trevor haussa les sourcils et jeta un regard en direction de Zadie, qui lui sourit en haussant les épaules.

Puis Super-Pouffe se remit à lui peloter le genou. « Trevor, toi et ton groupe, vous allez enregistrer un album ? »

Il se mit à rire. « Un album ? On sait à peine jouer de nos instruments. Si on a pu faire ce concert, c'est parce que je suis mannequin.

— Ah, tu es mannequin ? » fit mine de s'étonner Eloise. Zadie la dévisagea. Non, elle n'était quand même pas en train de prétendre ignorer qu'il était mannequin ! C'était sa façon de jouer les coquettes ?

« J'ai posé pour quelques pubs. Pas grand-chose. Juste histoire de me faire du fric pour voyager en Europe cet été sans être forcé de dormir dans des auberges qui puent la pisse. »

Betsy n'y comprenait rien. « Tu fais au lit ? »

Trevor éclata de rire. « Vous êtes complètement cuites, mesdames. »

Zadie gloussa comme si Trevor était le commentateur du comportement féminin le plus pertinent qu'il lui ait été donné d'entendre. Mais le fait qu'il ait choisi de les appeler « mesdames » n'était pas très engageant. Elle voulait être une fille à ses yeux. Une fille sexy.

Helen descendit d'une traite son verre de champagne, et reprit du poil de la bête. « Alors, Trevor, est-ce que tu es vierge ?

— Helen ! » Une protestation s'éleva dans la voiture.

Trevor le prit bien. Il regarda Zadie en levant les yeux au ciel et se tourna vers Helen. « Pourquoi, tu proposes de me déniaiser ? »

Helen battit des paupières. « Faut pas rêver. »

Eloise la regarda de travers puis se tourna vers Trevor. « Je suis sûre que Trevor a une petite amie.

— Eh non. Je suis libre comme l'air en ce moment. Ma

dernière copine était trop possessive alors je ne sors plus avec personne pour l'instant. » Il posa la main sur la cuisse de Zadie. Elle baissa les yeux. Était-ce intentionnel ? Il avait peut-être simplement besoin d'un endroit où poser sa main. Il avait joué de la guitare toute la soirée. Son poignet était peut-être fatigué.

Jane le remarqua, regarda Zadie, l'air de dire, « Oh, oui, ma petite, c'est bien parti » et resservit Trevor en champagne. Zadie ferma les yeux, honteuse. Ses nouvelles amies étaient en train de saouler un adolescent pour augmenter ses chances avec lui.

« Ce truc a un drôle de goût. Je crois que je vais attendre d'arriver au club pour prendre une bière. » Il tendit le verre à Zadie. « Tu en veux ? »

Elle le prit et le vida d'un coup. Il avait toujours la main sur sa cuisse. Pouffe s'en aperçut et lança un regard assassin à Zadie.

« Trevor, c'est vrai que Zadie est ta prof d'anglais ? » Elle prit un petit air suffisant, comme pour signifier à Zadie : « En trois secondes, je vais te couper tous tes effets, ma petite. »

« Ouais, c'est la seule prof que j'aime bien.

— Pourquoi ? demanda Denise en faisant en sorte que son gros ventre de femme enceinte vienne lui cacher Pouffe.

— Parce qu'elle est cool. »

Zadie rougit. C'est vrai qu'elle était cool. Et le fait que ce soit approuvé par une bombe sexuelle la rendait encore plus cool.

« Et puis elle ne fait pas chier comme les autres profs.

— Qui te fait chier ? s'enquit Zadie.

— Mme Johnson. »

Nancy. Bien sûr.

« Qu'est-ce qu'elle fait ?

— Elle essaye toujours de me faire faire des activités extra scolaires. »

Zadie fulminait. Pour tout ce qui était extrascolaire, il fallait rester après les cours et passer plus de temps avec l'enseignant. Nancy le draguait ! Ou tout au moins, elle faisait tout pour se l'accaparer. Comment allait-il pouvoir suivre l'atelier d'écriture de Zadie si Nancy se le gardait pour qu'il passe son temps au labo.

« Enfin, c'est pas grave. Dans quatre mois, je me tire, je suis à la fac. » Il se tourna vers Zadie. « Au fait, vous m'avez trouvé quelqu'un qui est allé à Stanford ?

— Moi, je suis allée à Stanford », fit Betsy. Pouffe et Super-Pouffe la dévisagèrent, dévorées par la jalousie. Si seulement elles avaient pu dépasser le lycée, elles aussi auraient pu aider Trevor Larkin.

« C'est vrai ? Vous pouvez me recommander ? »

Betsy se servit un autre verre de champagne, désormais incontournable dans cette fête. « Aucun problème.

— Ce serait génial. » Il regarda Zadie. « Je savais que vous auriez un contact pour moi. » Il lui pressa le genou.

« Je suis sûre que le doyen se souviendra de moi, dit Betsy. J'ai réorganisé toute l'administration étudiante. » Elle avait sûrement aussi réorganisé le cursus et l'affectation des salles, mais puisqu'elle aidait Zadie à entrer dans les bonnes grâces de Trevor, celle-ci n'avait plus rien à dire.

Eloise ne quittait pas Trevor des yeux. « Je n'arrive pas à croire que tu as seulement dix-huit ans.

— Je n'ai pas dix-huit ans. J'en ai dix-neuf. Pendant que mes parents tournaient avec Grateful Dead, ils ont oublié de m'inscrire à l'école, alors j'ai commencé avec un an de retard. »

Il avait dix-neuf ans ? Zadie n'aurait pas été plus contente d'apprendre qu'elle venait de gagner au loto. Elle ne savait pas très bien pourquoi une année faisait une telle différence, mais c'était comme ça.

La limousine s'arrêta et le chauffeur se retourna. « On est au Deep. »

Betsy se tourna vers lui. « Vous savez quoi, on ne connaît même pas votre nom.

— Jerry.

— Merci Jerry. On apprécie vos services. » Betsy était dans une période faste. Pleine de bonne volonté pour tout le monde.

Ils s'extirpèrent de la voiture sur Hollywood Boulevard et furent accueillis par une queue immense devant l'entrée du club, un simple bâtiment vert de forme cubique, au coin, sans enseigne. Denise se tourna vers Helen. « On devrait peut-être aller ailleurs. »

Le videur à la porte parcourut l'océan de têtes devant lui et repéra Trevor au moment où il sortait de la limousine.

« Eh, mon pote, entre. » Il lui fit signe de doubler tout le monde.

Trevor fit un geste en direction de Zadie et de toute sa bande. « Elles sont avec moi.

— Pas de souci, man. » Le videur ouvrit la porte et les fit entrer, à la consternation des autres personnes dans la queue. Surtout quand elles aperçurent Kim et Marci habillées comme des sacs, avec leurs tennis en tissu aux pieds.

Une fille en minirobe noire se tourna vers une autre fille en minirobe noire et dit : « Bon, alors, soit je suis devenue obèse depuis qu'on fait la queue, soit ces deux nanas ont baisé quelqu'un pour entrer. »

26

Une fois à l'intérieur, Trevor posa sa main dans le creux des reins de Zadie pour la guider à travers la foule de branchés. Il était tellement classe, il avait tellement confiance en lui. Bien plus que Zadie. Il venait de voyager dans une limousine pleine de femmes adultes et avait réussi à rabattre leur caquet à Helen, Pouffe, Super-Pouffe et Eloise sans le moindre effort. D'accord, elles étaient bourrées, mais quand même.

La spécificité du Deep tenait en ce qu'il exhibait des danseuses très légèrement vêtues dans trois cubes de Plexiglas insérés dans le mur. Il y avait également une petite piste de danse pour les clients, entourée de miroirs sans tain. Mais Helen n'allait pas se contenter de danser avec la foule. Elle se mit immédiatement en tête de pénétrer dans un des cubes. Les femmes qui les occupaient pour l'instant paraissaient pourtant s'emmerder royalement, mais Helen trouvait que ça avait l'air très sympa.

Tandis qu'elle partait à la recherche de l'entrée secrète des cubes, le reste de la bande se rendit au bar. Trevor commanda une Red Stripe, Zadie une Margarita. La tequila lui avait plutôt bien réussi pour l'instant, alors pourquoi s'arrêter ?

Pouffe et Super-Pouffe furent immédiatement accostées et s'en furent se déhancher avec leurs nouvelles conquêtes. Marci et Kim s'affalèrent sur des tabourets de bar, et Betsy, Eloise, Gilda et Jane commandèrent des shots. Denise partit vomir aux toilettes.

Zadie se tenait debout au bar, chaque fibre de son corps consciente que Trevor se trouvait à côté d'elle. Il lança de l'argent sur le comptoir quand le serveur apporta leur boisson puis lui tendit sa Margarita et trinqua. « Aux nouvelles expériences. »

Zadie but une gorgée en se demandant à quelles expériences il portait un toast. À l'Europe ? À Stanford ? Au sexe entre prof et élève ? Il s'accouda au bar, pour lui faire face.

« Tu ne vas pas m'en vouloir, hein ?

— Pourquoi je devrais t'en vouloir ? »

Il lui sourit. Pas de réponse. Zadie s'aperçut que plusieurs femmes autour d'eux l'avaient reconnu. Soit il ne les remarqua pas, soit il les ignora ; il prit une nouvelle gorgée de bière, puis il posa sa bouteille. « Allons danser. »

Toutes ses cellules cérébrales encore en état de fonctionner lui signalèrent qu'il s'agissait d'une mauvaise idée, mais elle le laissa l'entraîner sur la piste. Elle essaya de visualiser la situation comme si elle flottait au-dessus. Elle était là. En train de danser avec Trevor. Il avait ses bras autour de sa taille. Elle avait ses hanches collées aux siennes. Il lui souriait.

« J'avais toujours espéré que tu serais comme ça, mais je n'en étais pas sûr, dit-il.

— Comment comme ça ?

— Tu sais bien.

— Je ne crois pas, non. »

Avant qu'elle puisse creuser cette remarque, elle fut distraite par Helen, qui avait réussi à pénétrer à l'intérieur d'un cube et se lançait dans un strip-tease.

« Eh merde.

— Quoi ?

— Ma cousine est en train de se déshabiller. »

Il se retourna pour jeter un coup d'œil – il n'avait que dix-neuf ans, après tout – et effectivement, Helen, qui avait ôté son haut, luttait pour dégrafer son soutien-gorge. Une fois qu'elle l'eut enlevé, elle s'en débarrassa avec un geste solennel, mais il ne fit que heurter la vitre en Plexiglas pour aller s'échouer sur le sol.

Zadie balaya la salle des yeux. « Comment je peux aller là-dedans pour l'arrêter ? »

Trevor haussa les épaules.

Elle découvrit Betsy et les autres qui s'enfilaient joyeusement leurs boissons au bar, sans avoir la moindre idée qu'Helen était en train d'exhiber ses protubérances mammaires devant une salle remplie d'inconnus.

Des types commencèrent à pousser des cris et à brailler pour l'encourager à enlever aussi sa jupe. Heureusement, cela encouragea également un gros videur noir à éjecter Helen de son cube par-derrière.

« Ne bouge pas. » Zadie retira à regret les mains de Trevor de sa taille et partit à la recherche de l'entrée des cubes. Ce ne fut pas difficile : le videur en sortait en poussant Helen devant lui. Dieu merci, elle était rhabillée. Il la poussait vers la sortie.

Zadie l'attrapa par le bras. « Attendez ! »

Il s'arrêta et Helen s'écria : « C'est ma cousine. Elle vous le dira, je suis une gentille fille ! Je vais me marier ! »

Le videur regarda Zadie. « Je m'en fous pas mal. Notre licence ne couvre pas le topless.

— Elle gardera ses vêtements, promis. »

Eloise se matérialisa à leurs côtés. « Je suis son avocate. Il y a un problème ? »

Le videur jeta un regard à Eloise et roula des yeux, déjà excédé. « Dites à votre cliente de garder ses foutus vêtements, sinon je la mets dehors. » Il s'en alla reprendre son poste dans le coin de la salle. Helen regarda Zadie.

« Je lui plais carrément.

— Je n'en doute pas une seconde. »

Eloise était piquée au vif. « Non mais qu'est-ce qui te prend de te foutre à poil devant tous ces gens ? Je suis en train de prendre un verre au bar et tout à coup, je me retrouve nez à nez avec tes nichons.

— Je me lâche, c'est tout. » Elle sourit à Zadie, l'air de dire « C'est ta faute », et se dirigea vers le bar.

Eloise se tourna vers Zadie, le regard menaçant. « Tu es fière de toi ? Tu as fait d'elle une exhibitionniste. Je ne crois vraiment pas que Grey serait ravi de voir ça.

— Ce n'est pas moi qui l'ai forcée à se déshabiller, elle l'a fait toute seule. Alors ne viens pas me coller ça sur le dos.

— Tu l'as encouragée à boire.

— Toi aussi !

— Oui mais c'est toi qui lui as dit que Grey la trouvait trop coincée. »

D'accord, c'était vrai. Genre. Zadie regarda autour d'elle. Helen avait disparu de la circulation. « Où est-elle passée ? »

Eloise la chercha à son tour. « Et maintenant, tu l'as perdue. Génial. »

Zadie avisa le bar et aperçut un éclat de cheveux blonds bondir vers le haut. Bien évidemment, c'était Helen, qui tombait dans les bras de Jimbo, le vendeur de lino d'Atlanta. Zadie s'approcha d'un pas décidé, Eloise sur les talons. Helen leur fit des grands signes.

« Regardez ! C'est Jim ! » Celui-ci la fit virevolter avant de la reposer sur le sol.

« Chérie, j'ai vu ton petit numéro, et je dois te le dire : tu es la femme de mes rêves », annonça Jim, dont le visage semblait encore plus rougeaud qu'avant.

Zadie le gratifia d'un sourire tolérant. « C'est superchouette, Jimbo, mais Helen se marie dans deux jours. Comme tu le sais. Alors si tu veux bien la lâcher… »

Jim vint lui tordre le bout du nez. « Toi, t'as de la répartie. Tu me plais.

— J'en suis charmée. »

Helen se mit à traîner Jim par le bras. « Viens, on danse ! »

Eloise fronça les sourcils. « Je crois que tu as assez dansé pour ce soir.

— Eloise, c'est mon enterrement de vie de jeune fille ! Je suis censée m'amuser. Quand je danse, je m'amuse. Dis-lui, Zadie. Je t'ai bien vue, toi. » Helen jeta à sa cousine un regard qui en disait long puis entraîna Jimbo sur la piste, où elle se livra à une démonstration obscène, mais comme elle n'était pas si différente des obscénités auxquelles s'adonnaient les autres danseurs, Zadie laissa courir.

Eloise se mit en position de chaperon au bord de la piste, bras croisés, sourcils toujours froncés. Elle se tourna vers Zadie en gardant un œil sur Helen. « S'il tente quoi que ce soit, il va y laisser une partie de ses bijoux de famille. »

Zadie décida qu'Helen était sous bonne garde et fit un petit tour dans le club pour retrouver Trevor, n'arrivant pas à croire qu'elle avait osé le laisser seul dans un bar plein de femmes faciles. Elle le trouva au bar, où Pouffe et Super-Pouffe le collaient comme des mouches. Elle arriva derrière eux, de façon à pouvoir entendre ce qui se disait à leur insu.

Super-Pouffe lui faisait du rentre-dedans. « Enfin bon, si tu as besoin de quelqu'un pour t'acheter une bière ou n'importe quoi, tu peux m'appeler, j'arrive. » Elle exhiba ses implants mammaires et se passa la langue sur les lèvres. Quelle subtilité, quelle délicatesse.

Trevor haussa les épaules. « J'ai une fausse carte d'identité. Je peux m'acheter mes bières. »

Pouffe tenta sa chance. « Quand tu poses pour les catalogues, le public est autorisé ? J'adorerais te voir travailler. » Elle pencha la tête sur le côté et tenta de se donner un air de grande amatrice des beaux-arts et du mannequinat.

Jetant un œil par-dessus l'épaule de Pouffe, Trevor aperçut Zadie.

« Te voilà. » Il tendit la main et l'attira vers lui au sein du cercle. « Tu as retrouvé ta cousine ? » Pouffe et Super-Pouffe ne se montrèrent pas franchement ravies. Il y eut moult haussements d'yeux au ciel et soupirs mécontents.

« Elle est là-bas. Rhabillée. » Zadie lui montra la piste de danse, où Helen continuait à agiter sa marchandise sous le nez de Jimbo.

Super-Pouffe fit une grimace. « Berk, ce n'est pas encore ce type d'Atlanta avec elle ? Je croyais qu'on s'en était débarrassées.

— Il ne me revient pas non plus, si tu veux savoir », dit Zadie.

Pouffe fit une moue de dégoût. « Il a un pli à son pantalon. »

Pendant que Pouffe et Super-Pouffe procédaient à l'éviscération vestimentaire de Jimbo, Trevor sourit à Zadie. « J'avais peur que tu sois partie. »

Il avait peur ? Pourquoi ? Parce qu'il fallait bien que quelqu'un le ramène chez lui ou parce qu'il voulait continuer à se frotter contre elle ? Elle commençait à trouver épuisant d'essayer de déchiffrer les intentions de Trevor. Elle ne pouvait se permettre de croire qu'elle l'attirait. La vie n'était pas sympa à ce point.

Trevor se pencha pour lui murmurer à l'oreille : « J'aurais préféré que ce soit toi qui te déshabilles. »

27

Lorsque certaines choses se produisent, par exemple quand un homme que vous désirez follement vous dit qu'il aimerait vous voir nue, certaines autres choses sont censées s'enchaîner de manière aussi certaine que rapide. Zadie aurait pu le prendre par la main et l'emmener jusqu'à la limousine pour une petite partie de jambes en l'air vite fait sur le siège arrière, en demandant à Jerry de remonter la vitre teintée pour qu'il n'entende rien de leur péché. Elle aurait pu héler un taxi et le ramener chez elle pour nuit de sauvagerie charnelle telle que l'État de Californie n'en a jamais connue à ce jour. Elle aurait pu l'entraîner dans les toilettes et le laisser la prendre contre le mur.

Zadie ne fit rien de tout cela.

Au lieu de ça, elle rougit, puis gloussa, gênée, et baissant les yeux vers le sol, déclara : « Je crois qu'on devrait reprendre un verre. » Elle était partagée ; elle aurait voulu être assez sobre pour se souvenir au cas où il se passerait quelque chose, tout en sachant qu'il fallait qu'elle soit complètement cuite pour aller jusqu'au bout.

Percevant sa gêne, il lui sourit, sans faire de commentaires. Il s'approcha encore. « Seulement si on peut s'éloigner de ces deux-là. Elles sont chiantes. » Il désigna Pouffe et Super-Pouffe de la tête.

Il la prit par la main et l'emmena vers le fond de la salle, où toute la bande à Jimbo d'Atlanta s'était abattue sur le reste de la troupe de l'enterrement de vie de jeune fille. Jane et Gilda descendaient des tequilas avec deux d'entre eux, pendant que Kim, Marci et Betsy tentaient d'expliquer aux autres pourquoi elles refusaient de danser sur un morceau écrit par un misogyne qui « chantait » vouloir tuer sa femme et sa mère. Denise s'avalait toutes les cerises au marasquin du coin réservé à la préparation de cocktails, sous les yeux du barman consterné.

Lorsque Jane et Gilda virent Zadie avec Trevor, elles se mirent à faire des gestes obscènes. Jane fourra à plusieurs reprises sa langue dans sa joue, simulant une fellation, selon la mimique universellement connue. Heureusement, la musique était trop forte pour que Trevor entende Gilda crier : « Alors tu l'as embrassé ou pas encore ? » Zadie secoua la tête, lui lança un regard noir et s'éloigna suffisamment pour être sûre que leurs faits et gestes passent inaperçus.

Trevor lui tendit une autre Margarita Elle ne se souvenait même pas de ce qu'elle avait fait de la dernière. L'avait-elle bue ? L'avait-elle abandonnée sur le comptoir ? répandue sur ses vêtements ?

« Alors, si on couche ensemble et que ça ne te plaît pas, tu ne me sacqueras pas, hein ? »

S'ils avaient été dans un film, ç'aurait été un de ces moments ridicules où la musique s'arrête soudain et toutes les personnes présentes dans le bar entendent ce qu'il venait de dire. Et Zadie se serait peut-être étranglée en buvant. Heureusement, il n'y avait ni caméras ni mauvais réalisateurs dans la salle. Malheureusement, aucune réplique ne venait à l'esprit de Zadie. Elle se contenta de le dévisager en essayant de ne pas trop réfléchir à ce qu'il venait de dire.

En réalité, il n'était pas difficile de deviner qu'il voulait coucher avec elle. Il avait dix-neuf ans. Les jeunes de dix-neuf ans avaient envie de coucher avec tout le monde, non ? Il se masturbait sûrement cinq fois par jour. Il devait même bander en prenant son sexe en main pour pisser. Zadie n'aurait sûrement pas dû se sentir aussi honorée qu'il la considère comme une option sexuelle. Mais elle était quand même trop fière. Il était sexy. Et il avait zappé les jumelles en dos-nu. Il aurait préféré la voir nue, elle, plutôt qu'Helen. Il la trouvait cool. Toutes ces choses allaient l'aider à trouver les nuits moins tristes ces prochains mois.

Bien sûr, coucher avec lui lui donnerait aussi plein de trucs à mouliner dans sa tête durant les longues, longues soirées en solitaire qui l'attendaient.

« Si tu me parles encore une fois de tes notes, je m'en vais. » Elle avait dit ça uniquement parce qu'il était gravement nuisible à son sex-appeal se voir rappeler qu'elle était sa prof, mais cela eut pour effet imprévu de la faire paraître inaccessible.

« Marché conclu, fit-il en trinquant. Alors, tu avais remarqué que je mate tes seins en cours ?

— Bon, on évite le sujet lycée, si tu veux bien. »

Il hocha la tête. « Pas de souci. » Il prit une gorgée de bière. Elle observa les mouvements de son visage tandis qu'il collait ses lèvres au goulot. Ses joues se creusèrent, soulignant encore ses pommettes déjà saillantes. Il avait un menton sublime. Pouvait-on souvent dire de quelqu'un qu'il avait un menton sublime ?

« Tu es saoul ? demanda-t-elle.

— Pas vraiment. Et toi ?

— Très.

— Tant mieux. » Il sourit en coinçant derrière son oreille une de ses mèches rebelles blondies par le soleil. « Alors, tu as déjà pensé à moi ?

— Je ne peux pas répondre. » Elle aurait pu – mais c'était hors de question.

Il lui sourit. « Un jour, je t'ai regardé monter en voiture et tu as soulevé ta jupe à mi-cuisses pour qu'elle ne se prenne pas dans la portière. Après ça, j'ai pensé à toi toute la journée. »

Zadie essaya de se représenter la scène. Il s'agissait sûrement de la jupe qu'elle avait commandée sur le catalogue Boston Proper. Elle se voyait monter dans sa Toyota, avec Trevor qui l'observait depuis le parking où il faisait des figures sur son skateboard. Elle mettait le contact, sa voiture calait, elle redémarrait puis rentrait chez elle tout en se masturbant en pensant à lui.

Il se pencha et lui souffla à l'oreille avant de l'embrasser dans le cou : « Tu ne veux pas savoir ce qui m'est passé par la tête ? »

Oh que si ! Mais elle était incapable de proférer le moindre son. Elle était trop occupée à faire de son mieux pour ne pas se répandre en un tas gluant au contact de ses lèvres sur sa peau. Soudain, quelque chose lui revint à l'esprit.

« Tu m'as traitée de vieille. »

Il arrêta de l'embrasser et fronça les sourcils. « Quand ça ?

— Tu as dit que c'était toujours bien d'avoir des filles déchaînées dans le public. Même si elles étaient vieilles.

— Tu n'es pas vieille », dit-il. En jouant avec une mèche de cheveux de Zadie.

« Tu me trouvais vieille à ce moment-là sinon tu n'aurais pas dit ça.

— C'est sûr, tu es plus mûre que les petites minettes qu'on a comme public. Mais elles ne me plaisent pas.

— Pourquoi ?

— Tu les as vues ?

— Elles criaient ton nom.

— Exactement. »

Il lui décocha un autre de ses sourires. « Moi, c'est ton nom que j'ai envie de crier. » Oh, il était doué, très doué. Il la prit par la main. « Viens, on va danser. » Et il était intelligent. Elle se rendit compte qu'il se rendait compte que plus ils discutaient, plus elle flippait. Il valait mieux en rester aux déhanchements et aux regards.

De retour sur la piste de danse, avec ses mains sur ses hanches, elle se prit à penser que ça pouvait vraiment arriver. Elle pouvait vraiment l'emmener chez elle, le déshabiller et faire de vilaines, vilaines choses avec lui.

« J'ai déjà couché avec quatre filles, si c'est ce qui t'inquiète. Je sais ce que je fais. »

Euh, non, elle ne s'était jamais sentie concernée par le fait qu'il sache ou non ce qu'il faisait. Sa présence à ses côtés et sa chair nue suffiraient à son bonheur.

Le morceau évolua vers un tempo uniquement composé de basses, ce qui leur donna l'occasion de presser leurs hanches dans une sorte de baise préliminaire. Elle allait le faire. Elle allait coucher avec lui ce soir. Zadie ferma les paupières en s'imaginant qu'il avait vingt-cinq ans quand elle fut brutalement interrompue par Gilda.

« Je crois qu'on a un problème. »

Zadie rouvrit les yeux et vit l'air inquiet de Gilda. Celle-ci lui montra Helen et Jim qui étaient maintenant au beau milieu d'une scène inconvenante. Helen avait ses jambes autour de la taille de son cavalier, et celui-ci la plaquait au mur en lui mordillant le lobe de l'oreille. Eloise tentait d'écarter Jim, mais Helen ne l'aidait pas du tout. En fait, elle semblait bien s'amuser.

« Oh c'est pas vrai !

— Je crois qu'on ferait mieux d'y aller, dit Gilda. Il faut qu'on la mette au lit. »

Comme les autres se joignaient aux efforts d'Eloise pour éloigner Jimbo d'Helen, Zadie comprit que Gilda avait raison. Il était temps d'aller coucher Helen, avant qu'elle ne se mette à faire l'amour avec Jim en public. Grey ne lui pardonnerait jamais. Le mariage serait annulé et Zadie se sentirait coupable jusqu'à la fin de ses jours.

Elle regarda Trevor. « Je suis désolée, mais il faut que je la sorte de là.

— Je viens avec toi.

— Tu sais quoi ? Je crois qu'il vaut mieux qu'on en reste là. » Il avait l'air réellement affligé. « Mais… »

Betsy et Eloise, qui avaient réussi à saisir Helen à bras-le-corps, la traînaient en direction de la sortie. Jimbo les suivait de près.

« Il faut vraiment que j'intervienne avant qu'il arrive quelque chose. »

Zadie se dirigea vers la porte. Elle ne pouvait pas croire qu'elle abandonnait le type le plus sexy au monde seul sur une piste de danse, dans un état d'excitation avancé.

28

Le trajet en limousine vers l'hôtel fut tendu. Eloise était furax à cause du comportement d'Helen. Sans parler du fait que Jimbo avait donné un grand coup sur la lunette arrière quand elles avaient démarré. Elles étaient parvenues à sortir Helen sur le trottoir, et Jimbo en avait déduit qu'il était invité à se joindre à elles. Zadie avait été obligée de lui mettre un coup de genou dans les parties pour l'empêcher de monter dans leur voiture. Il n'arrêtait pas de crier : « Mais je l'aime ! »

« À ton avis, qu'est-ce que Grey penserait si je lui disais que tu t'es tapé un gros plouc dans un bar ? demanda Eloise. Il serait anéanti. Tu vas te ma-ri-er, Helen. Il s'agit d'un en-ga-ge-ment. Je croyais que tu étais le genre de filles qui comprenait ça, mais maintenant je me rends compte que je ne te connais pas du tout. »

Helen la dévisagea froidement. La reine des glaces en personne. « Est-ce que tu es en train de me dire que tu vas raconter à Grey ce qui s'est passé ce soir ? Parce que moi, je croyais que tout l'intérêt de l'enterrement de vie de jeune fille, c'était que la future mariée s'amuse. Si tu n'es pas d'accord sur ce point, je me demande bien ce que tu fais là. »

Zadie était forcée de le reconnaître : même saoule, Helen affichait une telle assurance qu'elle obligeait ceux qui la critiquaient à se remettre en cause.

« Qu'est-ce que vous faites ici, toutes, si vous ne voulez pas que je m'amuse ? voulut savoir Helen.

— Mais on veut que tu t'amuses, dit Gilda. On fait juste attention à ce qu'il ne t'arrive rien. » Elle gratifia Helen d'un regard lourd de sens, et s'attira un haussement d'épaules en réponse.

Zadie décida d'intervenir. « Je crois que ce qu'Eloise essaye de te dire, c'est qu'avant, pour t'amuser, tu voulais du yoga et du thé, et que maintenant, tu préfères te frotter contre des VRP. »

Helen la contempla avec un de ces regards plein de supériorité dont elle était spécialiste. « Il aurait mieux valu que je me frotte contre un adolescent, peut-être ? Ça ferait de moi quelqu'un de mieux ? Parce qu'évidemment, je ne suis pas aussi bien que Zadie... »

D'accord...

Zadie se demandait ce qu'elle était censée répondre à cela. « Je t'emmerde, pétasse » était la seule chose qui lui venait à l'esprit.

Heureusement, Jane se dépêcha de parler avant que ça ne sorte. « On ne te juge pas, Helen. On essaye juste de faire en sorte que personne ne profite de ton état.

— Quel « état » ?

— Tu as un peu trop bu, l'informa Denise. Il n'y a rien de mal à ça.

— Vous savez quoi ? Moi aussi, je suis saoule, déclara Betsy. Et je trouve ça plutôt agréable. Je devrais faire ça plus souvent. »

Elle se resservit en champagne. « Qui est partante pour le week-end prochain ? »

Avant que Zadie n'ait le temps de savourer la fierté d'accueillir de nouvelles converties au royaume de l'ivresse, Pouffe et Super-Pouffe remirent Trevor sur le tapis.

« Pourquoi tu n'as pas ramené Trevor avec nous ? geignit Pouffe. Tu te l'es gardé toute la soirée et tu l'as laissé en plan, comme ça.

— C'était vraiment malpoli, commenta Super-Pouffe.

— Peut-être qu'elle l'a baisé dans les toilettes des hommes et qu'elle en avait fini avec lui, fit Gilda en essayant de la faire mousser aux yeux des deux femmes les plus infectes de la terre.

— Oh là là, c'est vrai ? demanda Eloise.

— Non, je n'ai pas couché avec lui. » Zadie avait préféré le bonheur de Grey au sien. Elle ne faisait confiance à aucune de ces femmes pour s'assurer qu'Helen finisse bien seule dans son lit. Même pas à Eloise. Helen était bourrée, mais maligne. Impossible de savoir ce qu'elle leur réservait.

« Et pourquoi ça ? demanda Jane.

— Question de timing », dit-elle en désignant Helen de la tête.

Celle-ci s'en aperçut. « Ne te sers pas de moi comme prétexte, alors que tu es trop froussarde pour coucher à nouveau avec un mec.

— Je n'ai pas peur du sexe.

— Tu as couché avec quelqu'un depuis Jack ? demanda Betsy.

— Non. Mais ça n'a rien à voir. C'est juste que je n'en ai pas eu envie.

— Moi, je n'ai jamais envie, remarqua Marci. C'est trop de tracas.

— Marci ! » Kim était atterrée.

« Non mais c'est vrai, les gosses sont couchés, tu es en pyjama, bien au chaud dans ton lit en train de regarder la télé, alors franchement la dernière chose dont tu as envie, c'est d'avoir du sperme qui te dégouline entre les cuisses toute la nuit. »

Kim haussa les épaules Marci n'avait pas tort.

Denise se tourna vers Zadie. « Tu avais pourtant l'air d'en avoir envie quand tu étais sur la piste. Il est peut-être temps, mais tu angoisses trop pour aller jusqu'au bout.

— Je suis tout à fait d'accord », dit Jane.

Zadie contempla tous les visages pleins d'attente fixés sur elle et espérant un grand moment de communion durant lequel elle expliquerait le fonctionnement de son psychisme. C'était précisément la raison pour laquelle elle avait évité toutes ses amies femmes ces sept derniers mois, leur préférant la compagnie de Grey et de lui seul. Les hommes ne voulaient jamais que vous expliquiez vos sentiments. D'ailleurs, la plupart d'entre eux vous en dissuadaient ouvertement.

« Je vous ai toutes déçues parce que je n'ai pas couché avec Trevor, c'est ça ? Dites à Jerry de faire demi-tour. J'y retourne et je le baise sur le bar pour que vous puissiez toutes en être témoins. »

Gilda vint lui presser la main. « Ce serait vraiment la chose la plus adorable qu'on ait faite pour moi depuis longtemps.

— Tu ne peux pas coucher avec un de tes élèves, quand même, lâcha Kim.

— Très juste, Kim. Et ça tombe bien, on est arrivées à l'hôtel. »

Jerry se gara dans l'allée en demi-cercle du Beverly Hills Hotel, le plus gros bâtiment rose de Los Angeles. Il était situé sur Sunset Boulevard, au beau milieu d'un quartier résidentiel, décor d'autant plus incongru pour une limousine déversant son contenu de femmes ivres en chaleur.

« Quelqu'un peut m'expliquer ce qu'on fait à l'hôtel ? demanda Helen.

— Tu vas te coucher, lui expliqua Eloise.

— Mon cul, oui. »

Jane prit la main. « Pourquoi on n'irait pas prendre un verre au bar ? » Elle guida habilement Helen hors de la limousine et sur l'allée menant à l'entrée de l'hôtel. S'attirant au passage des hochements de tête entendus de la part des voituriers et de deux portiers en uniforme. Comme s'ils voyaient débarquer des mariées saoules sous bonne escorte tous les soirs de la semaine.

Lorsqu'elles eurent toutes passé la porte, elles se dirigèrent vers le Salon Polo décoré dans les tons de vert et sur le thème du cheval. Là les attendaient de grandes banquettes en cuir et du piano en fond musical. Ainsi qu'un gentleman européen assez âgé qui semblait connaître Jane.

« Jane, mon amour. Je ne t'attendais pas ce soir. Je croyais que Cyndi devait venir. »

Jane lui adressa un sourire figé. « Paolo. Bonsoir. Voici mes amies. Nous faisons un enterrement de vie de jeune fille.

— C'est donc ça. Félicitations à la future mariée.

— C'est moi », déclara Helen en tendant la main pour que Paolo y dépose un baiser.

Betsy le détailla de la tête aux pieds. « Comment connaissez-vous Jane ?

— Il prend l'avion pour Dallas une fois par semaine, expliqua celle-ci.

— C'est ça », fit Paolo, l'air parfaitement incapable de donner une seule raison justifiant des aller et retour à Dallas, même sous la menace d'une arme.

Zadie fronça les sourcils. Il y avait tout un tas de gens dans les hôtels qui semblaient connaître Jane et voler sur sa compagnie. « Qu'est-ce que vous faites au Texas ? »

Paolo parut chercher une réponse du côté de Jane, puis finalement en trouva une tout seul. « Du pétrole. »

Jane entraîna le groupe loin de lui, vers une grande table. Elle regarda le barman. « Dani ? Champagne, s'il te plaît ? »

Bon, certes, tous les invités au mariage séjournaient à cet hôtel, mais Jane avait-elle vraiment eu le temps de faire connaissance avec le barman au point de l'appeler par son prénom ? C'était le premier soir des festivités. Quelque chose ne collait pas.

Comme elles prenaient place à la table, Zadie jeta un coup d'œil en direction du bar, où deux magnifiques jeunes femmes d'une vingtaine d'années venaient d'arriver, en compagnie de deux hommes à la cinquantaine bedonnante, qui tentaient de se rajeunir en portant des jeans délavés. Une des filles était blonde et ressemblait à Cameron Diaz, en plus vulgaire. L'autre était noire, et c'était la fille la mieux foutue que Zadie ait jamais vue. Elles paraissaient être en pleines agapes avec leurs laiderons de petits copains. Ça s'embrassait, ça roucoulait, et ça se mettait des mains aux fesses. Tout à coup, Zadie comprit que ces femmes n'auraient jamais touché ces hommes, à moins d'être payées pour, ça sautait aux yeux ; c'est alors qu'elle surprit l'une d'entre elles saluer Jane de la tête.

Zadie se tourna vers Jane, qui rendit le salut.

Eloise prit une coupe sur le plateau de Dani. « Je vais faire comme si rien de ce que j'ai vu ce soir ne s'était passé. Demain, il fera jour et nous serons toutes redevenues normales. Rien de tout ça n'aura plus d'importance.

— Parle pour toi, dit Betsy qui continuait à s'enfiler du champagne. Je risque d'avoir sacrément mal aux cheveux demain, mais je m'en fous. Vous vous rendez compte ? Je ne me suis jamais pris la moindre cuite à la fac ! Mais qu'est-ce qui m'a pris ?

— Helen n'avait jamais été saoule avant aujourd'hui, lui rappela Denise.

— Alors que moi, ça a dû m'arriver au moins trois cent fois, remarqua Super-Pouffe.

— C'est comme ça que tu te retrouves à tailler des pipes à des acteurs sur les parkings ? demanda Betsy, sans la moindre pointe de malice.

— Tu sais quoi, je trouvais que le champagne te faisait du bien, mais finalement, non, tu es toujours aussi garce, répliqua Super-Pouffe.

— Mesdames, on en est toutes au même point, alors inutile de se chamailler », les interrompit Denise, qui était pourtant la seule du lot à être sobre. Même Marci et Kim carburaient au champagne, désormais. Ce qui poussa Marci à se répandre en confidences superflues.

« La dernière fois que j'ai baisé, c'était pour notre anniversaire de mariage. Ça a duré environ trois minutes. Et je suis censée me contenter de ça jusqu'à la fin de mes jours ? »

Jane haussa les épaules. « Non, tu n'es pas obligée. Je peux t'apprendre quelques trucs si tu veux. »

Tandis que Jane proposait son expertise, Zadie remarqua que le rendez-vous de Paolo, Cyndi, venait d'arriver. C'était la pétasse qu'elles avaient croisée au Mondrian un peu plus tôt. Celle qui attendait sa clé.

Zadie donna un coup de pied à Gilda sous la table. Celle-ci la regarda et Zadie annonça qu'elle devait se rendre aux toilettes. Gilda lui emboîta le pas.

Dans les toilettes au sol de marbre beige, Zadie dit à Gilda ce qu'elle avait en tête. « Jane est une call-girl.

— Quoi ?!

— Je n'ai aucune preuve, mais j'ai en la très forte intuition.

— Je croyais qu'elle était hôtesse de l'air.

— Il faut bien qu'elle dise quelque chose, non ? »

Gilda n'en revenait pas. « Mais pourquoi crois-tu que c'est une pute ?

— Elle connaît des gens dans tous les hôtels où on est allées, et Paolo a fait comme si elle était venue à son rendez-vous par erreur. »

Gilda avait du mal à saisir. Elle venait de Boulder, dans le Colorado, après tout. Les call-girls ne s'y bousculaient pas franchement. D'accord, Zadie était saoule et elle avait lu tout un tas de romans trash, mais elle était certaine d'avoir de quoi étayer son point de vue. Au moment même où elle allait souligner que Cyndi était visiblement une pro, le sosie de Cameron Diaz entra pour une retouche de maquillage.

Zadie en profita pour mener l'enquête. « Salut, comment ça va ? »

Le clone de Cameron se retourna. « Bien, merci.

— Votre petit ami et vous, vous formez vraiment un joli couple. Comment vous vous êtes rencontrés ? » demanda Zadie.

La femme fronça les sourcils, pas certaine de comprendre où Zadie voulait en venir. « À une fête, le week-end dernier.

— C'est vrai ? Vous en avez de la chance. Je parie que ce n'est pas facile à trouver, un homme comme ça. »

La femme referma son sac à main d'un coup sec et étala son rouge à lèvres. « Merci, je lui dirai qu'on a votre bénédiction. » Elle lança à Zadie un regard qui disait « va te faire foutre » et sortit.

Zadie regarda Gilda. « Tu vois ?

— Je vois quoi ? Tu viens d'énerver une fille aux toilettes.

— C'est une pute.

— Ce n'est pas une pute, elle est belle !

— Et tu crois que les mecs paient pour se taper des mochetés ? »

Gilda réfléchit un instant. « Ça ne prouve toujours pas que Jane est une call-girl.

— Alors comment connaît-elle Cyndi ?

— Qui est Cyndi ?

— La fille qui est venue retrouver Paolo.

— Paolo doit avoir… soixante ans.

— À ton avis, qui fait appel à des services tarifés ? Trevor ? »

Helen fit irruption dans les toilettes. Avec une mission. « Dépêchez-vous toutes les deux. Le serveur homo vient de nous indiquer un club de strip masculin. »

29

Elles étaient de retour dans la limousine. Zadie était irritée au plus haut point. Elle avait abandonné Trevor pour s'assurer qu'Helen atterrirait dans son lit et maintenant, elles s'en allaient voir des strip-teaseurs ? Putain ! Elle s'était sacrifiée pour rien.

« Pourquoi est-ce qu'on relâche Helen en public ? voulut savoir Zadie.

— C'est vrai, renchérit Gilda. Je ne suis pas sûre que ce soit une bonne idée.

— La salle sera pleine d'homos. Dans quel pétrin pourrait-elle se fourrer ? » dit Denise.

Zadie regarda Helen ; celle-ci était occupée à ressusciter Hans en lui soufflant dans le pied, qui ne comportait pourtant aucune valve.

« Helen veut voir le sexe d'un garçon tout nu, annonça Helen, qui de manière tout à fait charmante, parlait maintenant d'elle-même à la troisième personne.

— Je pense vraiment que ce n'est pas une bonne idée, répéta Gilda.

— Du moment que c'est un pénis gay, ça ne me gêne pas. Elle devrait quand même en voir un avant celui de Grey », dit Eloise. Zadie était absolument répugnée. Était-ce parce que Zadie était fille unique qu'elle trouvait anormal d'évoquer les parties génitales d'un frère ou d'une sœur, ou bien était-ce Eloise qui était complètement détraquée ?

Zadie jeta un coup d'œil à sa montre, puis à Marci et Kim, qui venaient d'ouvrir une nouvelle bouteille de champagne. « Je croyais que vous deviez rentrer vous occuper de vos enfants.

— Rien à foutre, des gosses, lança Marci. Il serait temps que nos maris se rendent un peu utiles.

— Payer le crédit, ça ne compte pas, ajouta Kim. J'en ai plein le dos de cet argument. J'ai accouché, j'élève ces petits merdeux, et pourtant on me traite comme si j'étais une facture de plus. Qu'il aille se faire foutre. Je veux une centrifugeuse, et je la mérite, merde !

— Tim ne tire jamais la chasse. Je vous l'avais dit ? demanda Marci. Il pense faire des économies d'eau, mais ce n'est pas vrai, parce que je passe derrière lui pour tirer la chasse à chaque fois qu'il laisse sa pisse dans les toilettes. Comme si je n'avais que ça à faire.

— Roger me traite comme une idiote parce que je ne vérifie pas le prix du carburant quand je fais le plein de la jeep, riposta Kim. Mais qu'est-ce que ça peut faire ? Il faut bien que je mette de l'essence, alors quelle importance ? »

Denise regarda Helen en souriant. « Tu vois ce qui t'attend ?

— Il est physiquement impossible pour une femme de vivre avec un homme sans avoir à se plaindre de quelque chose, dit Betsy. Barry laisse traîner son courrier partout. J'en trouve jusque dans la buanderie. Il doit lire une lettre, la poser, et ensuite en lire une autre et la poser ailleurs. S'il ne m'avait pas fallu aussi longtemps pour le trouver, celui-là, je le forcerais à vivre dans le garage. »

La limousine s'engagea sur Santa Monica Boulevard et toutes collèrent leur visage aux vitres. Un fabuleux assortiment de jolis hommes gays aux muscles luisants paradait dans la rue. Le genre d'hommes qu'elles avaient toutes poursuivis de leurs assiduités à la fac. C'est avec l'âge qu'on apprend à repérer les homos.

Betsy montra du doigt un gentleman à la mise parfaitement impeccable. « Regardez-le. Je vous garantis qu'il n'a jamais laissé traîner une enveloppe ailleurs que sur la console en noyer de son entrée. »

Jerry se gara devant un immeuble quelconque avec une unique enseigne au néon. « On y est. Amusez-vous bien, mesdames. »

Betsy se tourna vers lui. « Jerry, j'espère que vous ne nous jugez pas.

— Pas du tout. Je laisserais ma propre femme venir ici. Il faut dire qu'elle ne risquerait pas grand-chose. » Il rit avec l'air de dire « Y'a que des pédés dans le coin ».

Toutes sortirent de la limousine et pénétrèrent dans le bâtiment en file indienne, laissant à Jane le soin de régler le prix d'entrée, ridiculement élevé.

Zadie resta derrière. « Merci, Jane. Je te rembourserai. »

Elle haussa les épaules. « T'en fais pas. J'ai eu un bon mois. »

Un bon mois ? Comment une hôtesse de l'air pouvait-elle avoir un « bon mois » ?

Comme elles descendaient le couloir sombre qui menait à la salle où résonnait du disco à pleins tubes, Zadie remarqua que Jane portait un sac en crocodile de chez Hermès. Elle avait entendu Nancy s'extasier sur ce même sac à main au déjeuner, un jour, et bien que ça n'ait aucun intérêt, elle se souvenait qu'il coûtait la bagatelle de cinq mille dollars. Si Zadie avait été en pleine enquête criminelle, ce sac à main aurait constitué une preuve.

Jane se tourna vers elle. « Tu viens ?

— Je te suis. »

30

Zadie avait déjà assisté à un spectacle des Chippendales, pour l'enterrement de vie de jeune fille de sa copine Dorian, ce qui remontait à la période sombre où les hommes arboraient des brushings. Mais les Chippendales ne l'avaient en aucun cas préparée au spectacle des West Hollywood Boys. Le public était exclusivement composé d'hommes et au moment où les filles s'installèrent, le prétexte du strip-tease ne tenait déjà plus, puisque les danseurs étaient en string. En mini, mini-string. Et ils n'avaient pas peur de voir déborder leurs parties intimes ni de caresser les clients. En fait, Jane se prit un sexe de taille colossale dans la figure à l'instant où elles s'installèrent à leur table. Elle désigna Helen et incita son nouvel ami à diriger son membre dans sa direction. « C'est son enterrement de vie de jeune fille, chatouille-la un peu. »

Zadie songea que Grey ne serait pas très content d'apprendre qu'Helen s'était retrouvée avec un pénis dans l'oreille, qu'il soit gay ou pas. Elle l'entendait d'ici : « Une bite est une bite. » Mais Eloise ne semblait pas s'en offusquer, alors comment Zadie aurait-elle pu dire quoi que ce soit ? Si elle tentait d'objecter, Helen se collerait sûrement l'appendice en question dans la bouche, rien que pour l'énerver.

Gilda se pencha vers Zadie. « On n'aurait pas dû venir ici. On aurait dû l'enfermer dans sa chambre. C'est une chose qu'elle fasse semblant de coucher avec une poupée gonflable, mais là, avec tous ces hommes nus, je crains le dérapage. Homo ou pas. Il y a bien trop de queues qui traînent dans cette pièce. »

Helen serait-elle capable d'offrir sa virginité à un strip-teaseur gay deux jours avant son mariage ? Vu comme c'était parti, ce serait bien la veine de Zadie. Mais ces types ne pouvaient sérieusement pas constituer une menace. Si ? Jimbo était dangereux, et il se trouvait bien, bien loin de West Hollywood.

Les filles étaient occupées à se rincer l'œil. Betsy gratifiait un black costaud d'un gros pourboire pour son mouvement de fesses ; Kim et Marci encourageaient un Latino qui bandait ses muscles. Eloise était en train de lécher le serveur.

Helen bondit rejoindre le strip-teaseur sur scène à ce moment-là, un Italien super bien foutu qui s'appelait « Sexy Giovanni », et se mit à le peloter. Pour ne pas la contrarier, il la renversa en arrière et déposa un chaste baiser sur ses lèvres. La foule hua. Elle lui mit la main au paquet, pour remporter leur faveur. Les hommes applaudirent, ravis de voir un peu d'action salace, en dépit du fait que c'était une fille qui se trouvait sur scène avec leur stripeur préféré.

« Tu vois ? dit Gilda, inquiète. C'est comme ça que ça commence. »

Zadie échangea un regard avec Eloise, qui haussa les épaules. « Il est gay, ça ne compte pas. »

Zadie commençait à avoir mal au crâne. « Je vais aux toilettes. S'il y en a pour filles. »

Elle était au milieu de ce qui lui sembla être dix minutes non-stop de pisse quand elle entendit la porte claquer. « Zadie ? »

Celle-ci sortit de la cabine et trouva Gilda, l'air désespéré.

« Qu'est-ce qui ne va pas ?

— Bon, je sais que j'aurais dû t'en parler plus tôt, mais Helen m'avait fait jurer de garder le secret. »

Sa cousine avait un secret ? Première nouvelle. Son passé blanc comme neige faisait partie des choses qui lui étaient toujours restées en travers de la gorge.

« Ce n'est pas la première fois qu'Helen est saoule. »

Zadie fronça les sourcils. Déconcertée. Helen ? Saoule ? Avant aujourd'hui ? C'en était trop pour son cerveau imbibé de tequila.

« À la fac, on était allées à Cancún pour les vacances de printemps.

— Je me souviens, fit Zadie. Elle est revenue avec tout un tas d'histoires à propos de ruines mayas.

— Oui, eh bien on n'a rien vu de tout ça. »

Zadie eut l'impression qu'elle était sur le point d'apprendre quelque chose d'affreux. « Et vous avez vu quoi, alors ?

— J'ai vu Helen coucher avec trois mecs, casser le cou d'un autre, voler un collier de diamants et chanter Lionel Richie au karaoké. »

31

La colère de Zadie d'avoir dû abandonner Trevor, son agitation quant à la relation d'Helen et Grey et son irritation concernant l'absence de papier-toilette convergèrent toutes en un moment lumineux de confusion inoffensive, suivi d'une rage indignée.

« Tu es en train de me dire qu'Helen n'est pas vierge ?

— Pas le moins du monde, dit Gilda.

— Elle a déjà couché avec quelqu'un ?

— Seulement cette nuit-là. Elle a juré de ne plus jamais boire une goutte d'alcool. Et elle s'y est tenue. Enfin, du moins pendant toutes nos années de fac. Je ne peux pas me porter garante pour ce qui s'est passé depuis qu'elle revenue vivre ici, mais d'après ce qu'elle m'a raconté, elle a un comportement de sainte. Je crois que la nuit qu'elle a passée dans cette prison mexicaine lui a vraiment fait peur.

— Elle est allée en prison ?? »

Non seulement Helen avait menti à Zadie toutes ces années, en prétendant être parfaite et dénuée du moindre péché à son actif, mais elle avait menti à Grey, qui croyait épouser la fille la plus innocente au monde. Non qu'il ait tenu à tout prix à épouser une vierge, mais il ne s'attendait sûrement pas à avoir affaire à une menteuse. Pourquoi n'avait-elle pas tout déballé ? Pourquoi créer tout son personnage sur une très grosse tromperie hypocrite, et qui plus est, incroyablement chiante ?

Zadie pouvait comprendre qu'Helen fasse croire à grand-mère Davis qu'elle était une petite saintenitouche encore vierge qui chiait des marshmallows, mais pourquoi mentir à Denise ? Zadie et elle avaient passé d'innombrables soirées bien arrosées à discuter de l'apparente défaillance d'Helen, à se demander comment elle pouvait être aussi pure alors qu'elles deux aimaient tellement, tellement le sexe et l'alcool. Et tout ce temps, ça avait été un mensonge. Zadie se sentait trahie.

Gilda avait un air coupable. « Je lui avais promis de ne rien dire, mais je m'inquiète de ce qui pourrait lui arriver ce soir. Je n'ai pas assez de liquide sur moi pour payer sa caution. »

Faire sortir Helen de prison était une chose que Zadie n'aurait jamais imaginé avoir à faire un jour. « Elle a vraiment cassé le cou d'un mec ?

— C'était de la légitime défense.

— Et le collier ?

— C'est pour ça qu'elle est allée en prison, mais c'était un malentendu. Elle n'a juste plus le droit de se rendre au Mexique. »

Helen était interdite de séjour dans un pays ?

« Qui c'était, ces trois mecs ?

— L'un était en dernière année à l'université du Texas, le deuxième, en lune de miel et le troisième, un serveur de l'hôtel. »

Un type en lune de miel ?? Non mais c'est pas vrai. Helen n'était pas seulement une traînée, c'était une vraie salope.

« Et où tout ça s'est-il passé ?

— La chambre du premier, la nôtre, la cuisine de l'hôtel. »
L'endroit où l'on préparait la nourriture ? Zadie frissonna, et se
jura de ne plus jamais manger de guacamole.

« Et cette histoire de cou cassé ?

— Ça, c'était dans la rue. Un type a essayé de l'emmener de
force, alors elle lui a refermé la portière sur la tête. »

À ce stade, Zadie ne savait plus que dire. Elle se contentait de
fixer Gilda, bouche bée. « Tu es donc en train de me dire que ma
cousine est une salope violente doublée d'une voleuse ? »

Gilda se mordit la lèvre. « Je n'irais pas jusque-là, mais c'était
plutôt déjanté, comme soirée. Elle s'est sentie très mal, après,
quand on a été de retour en cours. Le serveur a été viré. Elle lui
a envoyé de l'argent pendant quelques semaines, et puis je crois
que ça lui a passé. »

Et c'était pour le serveur qu'elle avait culpabilisé ? Zadie ne
trouvait même pas la force de commenter.

« À quel moment a-t-elle décidé qu'elle allait mentir sur cette
histoire ?

— Dans l'avion, au retour. Elle a dit qu'elle voulait tout recommencer à zéro. Je lui ai promis de ne jamais en parler à personne, mais j'ai peur qu'elle ne fiche en l'air son avenir avec Grey
si elle nous refait le même coup aujourd'hui.

— Euh, effectivement, je ne pense pas que Grey serait ravi
d'apprendre qu'elle a baisé avec tout un tas de mecs pendant la
soirée.

— Alors il faut qu'on la sorte de là. Maintenant. »

Zadie acquiesça. « On y va. »

Elles revinrent dans la salle et constatèrent qu'Helen était
toujours sur scène, en train d'essayer d'ôter le string de ce foutu
Sexy Giovanni à l'aide de ses dents. L'assistance était déchaînée,

tout le monde l'encourageait, applaudissait, y allait de son commentaire graveleux.

Eloise assistait au spectacle avec une naïve innocence, estimant qu'Helen ne risquait pas le moindre ennui dans cette situation. Même Betsy la soutenait, trouvant tout cela hilarant au possible. Kim et Marci gloussaient toujours en reluquant le playboy latino. Pouffe et Super-Pouffe s'ennuyaient, puisque personne dans cette pièce n'avait envie de coucher avec elles. Jane et Denise avaient chacune un danseur sur les genoux. Un strip-teaseur gay sur les genoux d'une femme enceinte était un spectacle que Zadie espérait bien ne jamais revoir de sa vie, mais ce n'était pas le moment de s'inquiéter de la capacité de son cerveau à refouler ce qu'elle venait de voir. Elle avait une mission.

Zadie grimpa d'un pas décidé sur la scène et attrapa Helen par les cheveux. « On s'en va. Tout de suite.

— Aïe ! Tu me fais mal.

— Je m'en fous. On se casse. »

La foule se mit à huer. Quelqu'un jeta une olive sur Zadie. Ça n'était pas son affaire. Elle était en train de sauver le mariage de son meilleur ami, alors le mépris du public était bien peu de choses, à côté.

« Pourquoi tu es aussi méchante ? pleurnicha Helen.

— Je suis au courant, pour Cancún. Alors tu la fermes et tu sors d'ici comme une gentille fille, sinon je raconte tout aux autres. »

Helen cessa immédiatement de geindre. « Bien. »

Lorsqu'elles passèrent devant leur table, les autres considérèrent Zadie comme s'il n'y avait pas pire rabat-joie sur la planète.

« Que se passe-t-il ? demanda Eloise.

— On s'en va. Tout le monde en voiture. »

Betsy n'y comprenait plus rien. « Pourquoi ? » Gilda vint à la rescousse de Zadie. « Parce qu'Helen doit aller se coucher.

Maintenant. »

Jane se dépêcha de donner un pourboire à son strip-teaseur et les rejoignit.

« Ce type est gay, que voulez-vous qu'il arrive ?

— Je refuse de prendre le risque », répondit Zadie.

Pendant que les autres payaient leurs consommations et faisaient leurs adieux à leurs homos tout nus, Zadie empoigna Helen et la traîna jusqu'à la limousine. Gilda les suivait de près. Helen la fusilla du regard.

« Tu lui as dit ! Je savais bien que je n'aurais pas dû t'inviter.

— Je l'ai fait pour ton bien, alors tu devrais peut-être te montrer reconnaissante. »

Avant que Zadie eût pu rappeler à Gilda que les femmes ivres ramenées de force dans le droit chemin se montraient rarement « reconnaissantes », Helen se tourna vers elle et la fixa avec les yeux de Satan. « Si tu le racontes à Grey, je nierai tout en bloc et il finira par te détester pour avoir tenté de nous séparer. »

Zadie la dévisagea. Si elle avait eu un meilleur contrôle de ses facultés mentales, elle aurait certainement pu lui répondre par une répartie cinglante incluant les mots « salope » et « menteuse », mais étant bourrée, sidérée, complètement sur le cul, suite aux révélations de Gilda, elle se contenta de regarder Helen en secouant la tête. « Je ne sais vraiment pas qui tu es. »

Les autres montèrent en voiture avant qu'Helen n'ait l'occasion de l'éclairer sur ce point.

« Dieu merci, on en est sorties, dit Super-Pouffe. C'était révoltant.

— Répugnant », renchérit Pouffe.

Betsy arriva juste derrière. « N'importe quoi. S'ils avaient été hétéros, je parie que tu serais à poil sur le capot d'une voiture à l'heure qu'il est.

— Bon, alors toi, t'es gentille, tu ne m'adresses plus la parole de la soirée. J'en n'ai rien à foutre d'être polie avec toi à ce stade, répondit Super-Pouffe.

— Ça, c'est clair. Ce n'est pas comme si j'avais une bite », fit Betsy.

Zadie la regarda, sentant naître un tout nouveau respect pour Betsy à cet instant précis.

Denise passa la tête à l'intérieur. « Imaginez, si j'avais eu mes premières contractions pendant le strip ! Morte de rire ! » Elle grimpa par-dessus tout le monde pour s'installer près de la vitre, en cas de nouvelle nausée. « Vous me voyez en train de raconter à Jeff que j'ai perdu les eaux pendant qu'un mec frottait ses bijoux de famille contre moi ? »

Marci et Kim entrèrent dans la limousine en gloussant. « Vous avez vu Javier ? Il était trop beau ! s'extasia Kim.

— On aurait dit un gros caramel. Pas un poil, seulement des muscles, commenta Marci.

— Il m'a donné son numéro, ajouta Kim. Pour faire du baby-sitting. C'est vrai, pourquoi je n'aurais pas droit à avoir une baby-sitter sexy à mater, moi aussi ? Roger a l'air à deux doigts de se pisser dessus à chaque fois qu'il raccompagne cette foutue pom-pom girl. En plus, cette garce me bouffe tous mes yaourts. »

Eloise fut la dernière à monter. Elle était dans tous ses états. « J'espère qu'on a une bonne raison pour s'en aller, parce que je suis presque sûre que j'aurais pu convertir notre serveur. »

Le fait que la femme la moins séduisante du groupe se mon-trât certaine de transformer un gay en hétéro fut le coup de grâce. Si elles ne démarraient pas dans la seconde, la tête de Zadie allait sûrement exploser.

Elle se tourna vers le chauffeur. « Jerry, on rentre à l'hôtel.

— Pourquoi ? » gémit Helen.

Zadie la contempla avec un regard de condescendance mépri-sante. « Parce que tu vas te marier. »

32

De retour au Beverly Hills Hotel, Helen se laissa escorter jusqu'à sa chambre par Zadie et Gilda, bien qu'elle n'en fût pas vraiment ravie. Il n'était qu'1 h 30. Dans son esprit, cela signifiait qu'elle avait encore une demi-heure devant elle pour boire dans les lieux publics.

Zadie la maintenait fermement par le coude pour emprunter l'ascenseur. « Et dire que je t'ai laissée me culpabiliser d'avoir couché avec Jack après notre troisième rendez-vous. Comment tu as pu me prendre de haut comme ça alors que toi tu t'étais tapé trois mecs en une seule nuit ?

— Ça ne compte pas. J'étais saoule !

— Moi aussi ! »

Helen haussa les épaules et détourna les yeux. Son hypocrisie ne semblait pas vraiment la perturber. Ou peut-être que si. D'une toute petite voix, elle demanda : « Tu vas lui dire, n'est-ce pas ?

— À Grey ? Non, je ne vais pas lui dire ! Attends, tu ne

crois quand même pas que j'ai envie de lui annoncer que tu n'es qu'une gigantesque imposture ? C'est toi qui vas t'en charger.

— C'était il y a sept ans. En quoi ça le regarde ?

— Ça n'aurait aucun intérêt, si tu n'avais pas fait tout un plat de ta très haute moralité. Tu as menti de A à Z, Helen. Et Grey n'est pas du genre à tolérer les mensonges. »

La porte de l'ascenseur s'ouvrit au cinquième étage. Direction : la suite nuptiale.

« Autrement dit, tu penses qu'il va rompre s'il apprend ce qu'il s'est passé ?

— Je ne pense rien du tout. »

Helen paraissait perdue. « Mais je suis vraiment obligée de dire quelque chose, si toi tu ne dis rien ? On ne peut pas juste le laisser croire ce qu'il croit ? »

Zadie n'était pas d'humeur à raisonner. « Va dans ta chambre, couche-toi. Et essaye de ne tuer personne et de ne rien voler. »

Helen regarda Gilda. « Tu lui as absolument tout raconté ? »

Celle-ci haussa les épaules. « J'essayais de te sauver. »

Les yeux d'Helen vinrent se poser sur Zadie, puis à nouveau sur Gilda. « Elle est au courant pour… »

Zadie l'interrompit en mettant ses mains sur ses oreilles. « Si les prochains mots qui sortent de ta bouche ne sont pas « Lionel Richie », je ne veux rien entendre. »

Helen prit un air contrit et se tut. Gardant pour elle Dieu seul sait quel infâme secret.

Zadie regarda dans le sac à main de sa cousine. « Où est ta clé ?

— Je ne sais pas. »

Zadie ronchonna, énervée. Elle allait enfermer Helen dans sa foutue chambre d'hôtel, même si elle devait défoncer la porte.

Un coup de fil à la réception plus tard, la future mariée était dans sa suite nuptiale, mais elle refusait de mettre sa chemise de nuit, insistant pour dormir avec son voile à petites cornes de diable et le gode-ceinture par dessus sa tenue de yoga. Zadie n'était pas d'humeur à discuter ce genre de détails, aussi la laissa-t-elle faire. Elle posa trois petites bouteilles d'Evian du minibar sur sa table de chevet et rapprocha du lit la poubelle en inox, au cas où Helen vomirait. Ce qui, étant donné la quantité d'alcool qu'elle avait absorbé, était le scénario le plus probable.

Zadie se tourna vers Gilda. « Elle a vomi au Mexique ?

— Comme tu n'imagines pas. »

Zadie mouilla un gant de toilette, qu'elle posa à côté de l'eau. Elle ne savait pas très bien pourquoi elle se montrait aussi prévenante, mais elle se sentait tellement coupable par rapport à Grey d'avoir laissé Helen se saouler à ce point. « Si tu es malade, vise là-dedans et essuie-toi la bouche avec ça. »

Helen grogna, déjà à moitié endormie depuis l'instant où elle s'était allongée.

Une fois dans le couloir avec Gilda, Zadie sentit qu'elle se détendait enfin. Elle se laissa glisser le long du mur et s'assit par terre.

« On a réussi. Elle y est pour la nuit. »

Gilda lui serra la main. « Félicitations. Impressionnante démonstration de force.

— Si jamais tu as besoin d'une garce, appelle-moi.

— Grey t'en seras reconnaissant, j'en suis sûre. »

Zadie soupira. « Si elle avait couché avec quelqu'un ce soir, ça l'aurait tué. Je suis sérieuse, ça l'aurait tué.

— Je ne dis pas qu'elle l'aurait fait, mais c'est juste que je préférais ne pas prendre de risque, dit Gilda.

— Trois mecs en une nuit ? » Zadie n'en revenait pas.

« Je t'ai dit qu'elle a eu des morpions ? »

Zadie sourit. De cet instant, elle ne se sentirait plus jamais inférieure à Helen.

33

Quand Zadie et Gilda rejoignirent les autres dans le Salon Polo, celles-ci étaient en train de régler la note. Le dernier service était terminé depuis longtemps et il n'y avait plus personne d'autre dans la salle, à part le barman.

« Elle s'est endormie ? demanda Betsy.

— Elle ronflait comme un sonneur quand on l'a laissée, répondit Zadie.

— Je n'arrive toujours pas à croire comment tu l'as tirée hors de la scène, dit Eloise. Elle pourrait te coller un procès pour coups et blessures.

— Je l'ai fait pour Grey, alors je suis à peu près sûre qu'il retirerait la plainte. »

Zadie balaya le groupe du regard et constata que l'effectif avait diminué. Super-Pouffe manquait à l'appel. « Où est Cassandra ?

— Elle a trouvé sa nouvelle vocation, dit Jane.

— Et qu'est-ce que ça veut dire, exactement ? fit Pouffe en

fronçant son petit visage d'un air contrarié. Elle est juste en train de discuter avec un mec. Je ne sais pas pourquoi tu en fais toute une affaire. Tu n'arrêtes pas de ricaner depuis qu'elle est allée le rejoindre. »

Jane sourit, toujours aussi mystérieuse.

Betsy mit Gilda et Zadie au courant. « Elle est dans la limousine de Paolo… "pour apprendre à le connaître", ce qui, j'en suis sûre, implique un orifice ou un autre.

— Je prends vingt pour cent pour avoir arrangé le coup, dit Jane en faisant un clin d'œil à Zadie. C'est un de mes réguliers, alors je me suis dit que je pouvais lui faire ce petit plaisir.

— Je le savais ! s'écria Zadie.

— Vingt pour cent de quoi ? demanda Kim.

— Oui, je n'y comprends rien. Régulier de quoi ? » renchérit Marci.

Zadie se sentait triomphante. Elle observa les autres, avec une délectation absolue, quand Jane leur annonça la nouvelle.

« Mesdames, je suis call-girl. »

Elles la regardèrent toutes fixement. Sans rien comprendre du tout.

« Mais non. Tu es hôtesse de l'air, dit Betsy.

— Avant, oui. Jusqu'à ce que je découvre la façon la plus facile au monde de gagner de l'argent. Attendez… Comment croyez-vous que je me paye ce genre de tenue ? » Elle désigna ses vêtements d'apparence coûteux, et son sac à main, hors de prix, selon les sources de Zadie.

« Attends voir, dit Pouffe. Tu t'es arrangée pour que Cassandra couche avec ce type ?

— Il est plein de fric. Elle aurait couché avec lui dans tous les cas. Alors tu veux plutôt dire que je lui ai fait une faveur. »

Pouffe fit un petit bruit outré, comme si ce n'était pas vrai, alors qu'elle savait très bien que ça l'était.

C'était extraordinaire. Super-Pouffe était dans une limousine avec un vieux qui allait lui tendre des biffetons. Zadie regrettait de ne pas être là pour voir sa tête.

« Holà, holà… Revenons en arrière, intervint Eloise. Comment tu t'es lancée là-dedans ? »

Évidemment, elle voulait tous les détails logistiques au cas où elle aussi, elle déciderait que ce changement de carrière serait profitable. Même si Zadie ne voyait pas bien quels dégénérés pourraient allonger du fric pour sauter Eloise. Peut-être le genre de gens qui ne baisent que des animaux en peluche les bons jours.

Gilda regarda Zadie. « Je n'arrive pas à croire que tu avais raison. »

Betsy ne supportait pas que quelqu'un ait été au courant avant elle. « Tu savais ? ?

— Je m'en doutais », dit Zadie.

Jane haussa les épaules. « Je n'en ai pas honte. Mais je n'étais pas vraiment sûre que vous étiez toutes prêtes à l'entendre. » Elle se tourna vers Zadie. « Qu'est-ce qui m'a trahie ?

— Paolo, Cyndi et ton sac à main. »

Jane leva son verre pour saluer Zadie.

Complètement retournées, Marci et Kim n'avaient pas quitté Jane des yeux. « Alors, en fait, tu es une prostituée ? demanda Kim, prenant peur.

— Je ne fais pas le trottoir. J'ai une petite liste de clients entre lesquels je tourne.

— Tu touches combien ? se renseigna Marci.

— Cinq cents de l'heure. »

Tout le monde siffla, s'étrangla, ou laissa échapper une exclamation choquée. Impressionnées.

« C'est plus que moi qui suis expert-comptable et diplômée en droit », fit Eloise.

Jane haussa les épaules. « C'est la loi de l'offre et de la demande. C'est trois mille s'ils veulent que je passe la nuit avec eux. »

Nouvelle salve de ooh ! et de aah !

Maintenant, Pouffe était tout ouïe. « Attends un peu. Cassandra va gagner cinq cents dollars pour baiser avec ce type ?

— Trois cents. Je lui ai fait une réduction parce qu'elle est nouvelle.

— Alors tu es aussi mère maquerelle ? demanda Betsy.

— Ça date de ce soir. Je n'y avais jamais pensé avant, mais cette fille a ça dans le sang. »

Pouffe lâcha un grognement indigné.

Jamais Eloise n'avait paru plus envieuse de quelqu'un. « Tu ne nous as toujours pas dit comment tu avais commencé.

— De la même façon que Cassandra. Je sortais avec des copines un soir, des copines qui avaient plus de fric qu'elles n'auraient dû en avoir en étant secrétaires, et en moins de temps qu'il n'en faut pour le dire, je me suis retrouvée avec dix réguliers.

— Mais tu dois faire quoi, exactement ? demanda Kim, toujours perdue.

— La même chose que toi. Sauf que je suis payée.

— Et tu es obligée de les écouter chier avec la porte ouverte après ? » se renseigna Marci.

Jane fronça les sourcils. « Je ferais payer double pour ça.

— Helen est au courant ? » demanda Betsy.

Jane secoua la tête. Zadie remercia Dieu de ses petits bienfaits. Si Helen l'avait appris ce soir, elle aurait sorti Super-Pouffe de la limousine pour s'occuper de Paolo en personne. Et sûr qu'elle aurait trouvé le prétexte parfait pour se justifier. Après tout, trois cents dollars, c'était un couvert de plus à la réception.

Gilda trinqua avec Jane. « À ma première copine call-girl.

— Moi je trouve ça répugnant », déclara Pouffe.

Betsy lui jeta un regard qui en disait long. « Tu es juste dégoûtée qu'elle ne t'ait pas envoyée, toi, dans la limousine de Paolo.

— Ce n'est pas parce que je suis jolie que je suis une pute », affirma Pouffe.

Eloise marmonna dans son verre. « T'es pas si jolie que ça. »

À cet instant, Super-Pouffe arriva comme une fleur. Aussi sereine que possible. Aucun signe d'affrontement moral de quelque sorte que ce soit. Elle s'assit à la table.

« J'ai raté le dernier service ? »

Toutes les filles la dévisageaient sans rien dire.

« Quoi ? »

Jane se lança. « Paolo t'a plu ?

— Ouais, il était sympa. »

Les autres attendirent qu'elle développe. La nervosité parut la gagner.

« On a juste fait un petit tour dans sa limousine. Il est carrément trop vieux pour être mon copain, mais je lui ai dit que je sortirai quelques fois avec lui.

— Je n'en doute pas une seconde, fit Jane.

— Vas-y, montre-nous le fric », dit Betsy.

Super-Pouffe changea de couleur. « Quoi ?

— On sait toutes qu'il t'a payée trois cents dollars pour coucher avec lui, expliqua Gilda. Alors c'est pas la peine de mentir. »

La main tremblante, Super-Pouffe vida le Martini de Pouffe. « Je ne vois pas de quoi vous voulez parler. »

Le téléphone de Jane vibra. Elle y jeta un œil et sourit en lisant le message. « Paolo dit que tu étais fantastique et qu'il a hâte de te revoir la semaine prochaine. »

Super-Pouffe faillit sourire de fierté, avant de se rendre compte qu'elle était officiellement grillée. Elle tira Pouffe par la main en disant « On rentre ». Elle se tourna vers les autres. « Et vous, les pétasses, si vous n'êtes pas dans la limousine dans cinq minutes, on vous laisse là. » Elles s'en allèrent en tapant des pieds, dans ce qu'elles imaginaient sûrement être une démonstration impressionnante de mauvaise humeur.

« Je t'appelle, lança Jane derrière elles. J'ai un type assigné à domicile à Encino qui va t'adorer. »

Gilda regarda les autres. « Tout le monde ne dort pas ici ? Pour le dîner de répétition demain ? »

Marci et Kim se levèrent à regrets. « Pas nous, dit Kim. On doit aller s'occuper de nos bébés et de nos maris. On se voit demain soir. »

Kim regarda Marci. « Et dire qu'on doit encore passer une heure dans la voiture avec ces deux-là. Je me ferais jeter du club « Maman et moi » s'ils apprenaient que je fréquente des putes. » Elle se tourna vers Jane. « Sans vouloir t'offenser.

— Pas de problème », dit Jane. Diplomate jusqu'au bout des ongles.

Comme tout le monde se levait pour partir, Denise sortit des toilettes. « Qu'est-ce que j'ai raté ? »

34

Zadie éprouvait un sentiment palpable de soulagement en traversant le hall. La soirée était terminée. Son taxi l'attendait. Elle avait survécu. En plus de ça, elle avait tout de même réussi à se faire de nouvelles amies, découvert toute la vérité à propos de sa saintenitouche de cousine et empêché ladite cousine de réduire le cœur de Grey en mille morceaux, ce qui serait sûrement arrivé si Helen s'était égarée entre les bras d'un plouc vendeur de lino ou d'un strip-teaseur gay. L'un dans l'autre, la soirée avait été réussie. Elle était sur le point de passer la porte quand elle entendit une voix familière derrière elle.

« Salut. »

Elle se tourna tout doucement, en sachant parfaitement à qui appartenait cette voix. Il était là, tout sourire, dans toute sa gloire telle qu'immortalisée par la pub Gap.

« Je me suis souvenu que ta copine avait dit que vous étiez toutes descendues ici, alors j'ai tenté le coup.

— Trevor. »

Ce fut tout ce que Zadie parvint à dire à ce stade. L'excitation était un peu retombée, mais pas assez pour qu'elle ne le trouve pas insupportablement désirable.

Il s'approcha. « Tu rentres ? »

Oui. Absolument. Et elle ne pouvait sûrement pas le ramener avec elle. N'était-ce pas contre le moindre semblant de convenance qui lui restait encore ?

Heureusement, Jane et Gilda, qui sortaient des toilettes, traversèrent le hall au même moment. Accueillant Trevor comme s'il s'agissait de leur meilleur ami perdu de vue depuis longtemps.

« Trevor ! On espérait bien te revoir. » Jane fit un clin d'œil à Zadie.

Gilda le serra dans ses bras, puis regarda Zadie. « Vous allez chez toi ? »

Celle-ci tenta de sortir une explication qu'elle n'avait pas vraiment. « Je ne… »

Jane lui tendit la clé de sa chambre. « Moi, je vais traîner un peu dans la chambre de Gilda, alors je n'aurai pas vraiment besoin de la mienne avant quelques heures. Vous n'avez qu'à la prendre. »

Et voilà. Elle avait Trevor, une chambre d'hôtel, et les encouragements d'une call-girl à faire bon usage des deux premiers éléments. Qu'était-elle censée faire ?

Le trajet en ascenseur jusqu'au cinquième étage fut insoutenable. Elle était adossée contre une paroi, lui contre une autre. Il lui souriait.

« Tu es énervée que je sois venu ?

— Pourquoi je devrais être énervée ?

— Parce que tu m'as jeté une fois, et en général, ça veut dire que la fille ne veut pas de toi. »

La seule chose que Zadie entendit dans cette phrase fut le mot « fille », qui la mit en joie.

« Crois-moi, tu n'aurais pas voulu te trouver où nous sommes allées après.

— C'était quoi… Un club de strip-tease ?

— Comment tu sais ?

— Un enterrement de vie de jeune fille ? Attends. C'est classique. J'espère seulement que tu n'as pas eu ta dose d'homme nu. »

Elle se rendit compte tout à coup qu'elle était sur le point de voir Trevor nu. Elle ne trouva aucune réplique piquante. Elle se contenta de le regarder, avec un sourire en coin. Anticipant toute la joie qui allait bientôt s'abattre sur elle.

« Je peux t'embrasser, maintenant ? » demanda-t-il.

Zadie hocha la tête. Et pourquoi pas après tout ? Jane baisait des mecs pour leur argent. Eloise se laissait filmer au lit par ses clients. Marci était forcée d'entendre son mari chier. Elle n'était pas plus dévergondée que les autres.

Il s'avança d'un pas, glissa sa main sur sa nuque et remonta ses cheveux comme il l'embrassait. C'était incroyable. Elle embrassait Trevor. Dans un ascenseur. En route pour une chambre d'hôtel. Il avait un goût de bière. Sa langue était chaude. Elle le sentit bander contre elle. Pour la première fois depuis sept mois, elle avait à nouveau l'impression d'être un être humain.

L'ascenseur sonna, ils sortirent sur le palier et Zadie vérifia le numéro de chambre. Trois portes après celle d'Helen. Elle inséra la clé dans la serrure et attendit que la lumière verte apparaisse. Ce qui se produisit dès le premier essai. Excellent présage. Trevor avait maintenant ses mains sur ses fesses. Il les remonta pour les placer autour de sa taille.

« Je n'arrive pas à croire que je suis avec toi, dit-il. Ça fait tellement longtemps que j'en rêve. »

Avant d'ouvrir la porte, Zadie prit un instant pour savourer la très douce ironie de la situation. Elle était le fantasme de Trevor. Si seulement elle pouvait enregistrer ça pour se le repasser plus tard.

C'était une suite arrangée avec beaucoup de goût dans des tons ocre avec des tentures de velours bordeaux. D'évidence, Jane avait passé quelques nuits complètes en compagnie de ses clients pour pouvoir se l'offrir. Ou alors elle avait eu droit à la réduction spéciale call-girl. Zadie ôta ses sandales et s'assit sur le canapé en soie couleur crème, nerveuse, maintenant qu'ils se trouvaient dans la chambre. Trevor comprit et se rendit au minibar.

« Cool. Ils ont de la Corona. » Il ouvrit une bouteille et la regarda. « Tu veux quelque chose ? »

Zadie repéra la mignonnette de José Cuervo et estima qu'il valait mieux se laisser tenter par le señor si elle voulait aller au bout de ce que lui intimait sa libido mais que lui interdisait encore à moitié son cerveau. « Je vais prendre la tequila.

— Avec ou sans glace ?

— Donne-la-moi comme ça. » Elle en prit une gorgée et reposa la bouteille. En se rendant compte qu'elle n'avait ni citron ni sel. Il s'assit à côté d'elle sur le canapé. « Tu es conscient que tu ne pourras jamais, *jamais* parler de ça à personne », dit-elle.

Il fit passer son tee-shirt par-dessus sa tête. « Je le jure. » Il s'approcha pour l'embrasser à nouveau. Avec les deux mains dans ses cheveux, cette fois. Pourquoi était-ce aussi sexy ? Zadie l'ignorait, mais elle n'allait pas s'arrêter maintenant pour analyser.

Il déboutonna son haut et plaça ses mains sur ses seins. Il commença par une caresse, puis les prit à pleines mains. Comme s'il n'arrivait pas à croire à quel point ils étaient gros. Heureusement, elle portait un joli soutien-gorge. Il aurait été regrettable que Trevor voie ses soutifs décolorés et détendus. Elle avait mis son balconnet en satin de chez Victoria's Secret qui remontait son sein le plus gros un bon centimètre plus haut que le plus petit. Étant donné que Trevor les pétrissait comme de la pâte à modeler, elle était sûre qu'il ne le remarquerait jamais. Lorsqu'il vint enfouir son visage entre ses seins, Zadie posa sa tête sur l'accoudoir en soupirant. Oh oui, putain, oui !

« C'est quoi, ça ? » Il extirpa de son décolleté un confetti violet en forme de pénis.

« Oh, c'est pas vrai, fit Zadie, maudissant Denise en silence. Ne cherche pas. »

Il y jeta un coup d'œil en riant puis s'en débarrassa pour reprendre la vénération de sa poitrine. Il leva les yeux vers elle. « Ils sont sublimes. »

Elle ne pouvait se résoudre à défaire sa braguette. Elle aurait vraiment eu l'impression de faire dans le détournement de mineur en bonne et due forme. Elle attendit qu'il prenne sa main pour la mettre sur son sexe, comme avaient coutume de faire les jeunes de dix-neuf ans (d'après les souvenirs de son adolescence), et là elle put palper ce que tout le monde avait maté sur Sunset Boulevard.

Oh la vache !

Elle retira sa main, surprise.

« Qu'y a-t-il ? » demanda-t-il entre deux baisers sur ses seins, maintenant débarrassés du soutien-gorge.

« Rien. » Elle tenta de la jouer cool. Il n'était pas bienvenu que Trevor apprenne qu'il avait la plus grosse queue qu'elle avait jamais eue entre les mains. Jack était bien monté, mais Trevor était d'une taille indécente. Pas étonnant qu'il préfère les femmes mûres. Une fille de seize ans prendrait ses jambes à son cou devant un truc pareil. Zadie avait toujours pensé que les mannequins hommes avaient du rembourrage dans le caleçon pour ce genre d'affiche. Pas vraiment, en fait.

« Ça va ? demanda-t-il.

— Je...Je vais bien. Très bien. »

Il enleva son pantalon et elle reprit ses caresses pendant qu'il faisait la même chose avec son jean à elle. Elle eut un instant de panique, en essayant de se souvenir quelle culotte elle avait enfilée, puis se détendit quand elle y jeta un œil et constata qu'il s'agissait d'une culotte de soie de chez Frederick, souvenir de son « trousseau ». C'était comme si tout l'univers lui indiquait qu'elle devait coucher avec Trevor. Sa culpabilité s'était envolée. Clairement, ceci était la volonté d'une puissance supérieure. C'était son destin. Sinon pourquoi aurait-elle porté des sous-vêtements corrects ?

35

Lorsqu'ils eurent fini, Zadie se détacha de lui et se laissa tomber contre les coussins du canapé. Trois fois. Jamais, de toute sa vie, on ne l'avait baisée trois fois de suite. Au beau milieu de la deuxième, il lui avait dit qu'il l'aimait. Elle ne l'avait pas pris trop à cœur, mais elle avait apprécié l'esprit général de cette déclaration.

Trevor posa sa tête sur l'accoudoir en essayant de reprendre son souffle. « Putain. »

Exactement. Les derniers doutes de Zadie quant à son sex-appeal avaient été effacés en un clin d'œil. Des mois de thérapie ne l'avaient menée nulle part. Trente minutes avec Trevor lui avaient fait atteindre un nouveau degré d'estime de soi, inconnu à ce jour. Elle était une bombe sexuelle.

« Tu te souviens de la fois au distributeur de boissons ? »

Elle sortit de sa béatitude pour se concentrer sur ce qu'il disait. Parlait-il du jour où elle avait fantasmé sur sa nuque, rêvant d'y poser ses lèvres ?

« Je me suis retourné et tu étais juste derrière moi, reprit-il. J'ai failli t'embrasser, ce jour-là. Mais je me suis défilé. »

Trevor avait failli l'embrasser ? Au lycée ?

« Ça t'aurait sûrement foutu les jetons, hein ? Je suis content d'avoir attendu ce soir.

— Je suis bien contente aussi », répondit-elle. Elle tenta de s'imaginer Trevor en train de l'embrasser devant le distributeur, avec Nancy déboulant dans le couloir et les prenant en flag'. Un tel scénario ne lui aurait apporté que des ennuis. Jalousie. Accusations. Chômage.

« On ne peut rien faire du tout au lycée. Tu as bien compris, hein ? Je serais virée si quelqu'un l'apprenait.

— Je sais. T'inquiète. » Il la contempla en souriant puis roula sur elle pour l'embrasser encore. Était-il possible qu'il remette ça une quatrième fois ? Zadie n'était pas sûre d'en être capable. Vu sa taille.

Elle l'embrassa puis fila vers le dossier du canapé, pour qu'ils se retrouvent à nouveau côte à côte. « Tu m'as épuisée. »

Il afficha un large sourire. Fier. « Ça t'a plu ? »

Pour être franche, ça lui avait plus plu en théorie qu'en pratique. Toute la partie baise était bien. Agréable, même, bien que rapide. Mais côté préliminaires, il était un peu faible. Elle n'avait pas eu d'orgasme. Certes, elle n'en avait pas espéré autant – surtout quand elle repensait à son premier amoureux de dix-neuf ans, à la fac, avec qui une durée totale de trois bonnes secondes s'étaient écoulées entre le baiser et la pénétration. Mais Zadie n'était pas là pour parler technique. C'était le contact qu'elle recherchait. La peau nue de Trevor contre la sienne. Cette simple pensée avait été une des seules choses qui l'avaient aidée à tenir ces derniers mois et la réalité ne l'avait pas déçue.

Même si la discussion après l'amour était un peu maladroite. Elle n'avait jamais précisément fantasmé sur cette partie de la soirée. Dans sa tête, il disparaissait toujours immédiatement après, ce qui lui laissait amplement le temps de se regarder un petit film à la télé.

Elle passa sa main sur ses épaules parfaitement sculptées d'avoir fendu les vagues. « Oui, ça m'a plu. » Une épaule comme ça aurait dû servir de modèle pour un bronze, songea-t-elle. Ou être sculptée dans le marbre. Lors de son semestre en Italie pendant sa dernière année de fac, elle avait été frappée par les nombreuses statues d'Antinoüs, le magnifique petit ami de l'empereur Hadrien, au Vatican. Apparemment, Hadrien l'avait proclamé dieu et il engageait des artistes pour qu'ils immortalisent les charmes irrésistibles d'Antinoüs sous forme de statues, qu'il expédiait un peu partout dans l'empire. Zadie regrettait de ne pouvoir faire la même chose avec Trevor : une sculpture qu'elle mettrait dans son salon pour lui rappeler cette nuit. Et une copie, à placer dans le jardin de Jack, assortie d'un message hargneux.

« C'est ce qu'il m'avait semblé. Tu avais l'air plutôt contente. » L'air soulagé, il vint écarter une mèche de cheveux, dégageant le visage de Zadie. « Tu as fait beaucoup plus de bruit que les autres filles avec qui j'ai couché. »

Zadie rougit. Elle avait dû réveiller la moitié de l'hôtel.

Il jeta un coup d'œil à sa montre. « Il faut que j'y aille. Mes parents sont énervés si je rentre après 3 heures. »

Le fait que Trevor mentionne ses parents calma immédiatement les ardeurs libidineuses de Zadie. Elle souligna une dernière fois ses pectoraux à l'aide de son index, le regarda s'asseoir et enfiler son caleçon. Lorsqu'il fut bien rhabillé, reboutonné, il se pencha pour l'embrasser encore.

« Je n'ai jamais passé une soirée pareille. Je suis sérieux. » Il la regarda avec une telle intensité qu'elle en eut presque les larmes aux yeux. Elle ne pouvait même pas répondre. Elle l'embrassa et fit courir ses mains le long de ses muscles. Il était un don du ciel.

Envoyé pour la guérir. Dr Reed serait si fière. Et Dorian allait se faire dessus quand elle lui raconterait.

Il se leva, enfila son tee-shirt. « Alors… Je peux t'appeler ?

— Bien sûr. » Rien qu'à l'idée, Zadie était tendue. C'était hors de question.

Il sourit. « Tu me donnes ton numéro ?

— On verra ça mardi. Mais pas à l'école. Je vais trouver un moyen. »

Elle remit son jean, les boutons de son chemisier. Il l'observait.

« Si seulement je pouvais dire à Jared comme tu es sexy quand tu es nue, mais ne t'en fais pas. Je ne dirai rien. »

Cette fois, Zadie paniqua. Jared Blair était le fils de l'un des membres du conseil d'administration du lycée. Si un jour Trevor, défoncé, lâchait à Jared qu'il l'avait sautée, elle perdrait son travail. Et il était fort peu probable qu'elle obtienne des recommandations. « *Zadie Roberts ? Ah oui, celle qui baise des terminales.* »

« Trevor, je ne peux que souligner combien il est important que tu n'en parles à personne. Sinon, je finirai SDF. Et tu ne pourras pas m'appeler si je vis dans un frigo sous l'autoroute.

— J'ai compris. Pas de panique. »

Elle remit ses sandales, attrapa son sac à main et tous deux sortirent ensemble de la chambre. Il prit son menton dans sa main et l'embrassa une dernière fois sur le pas de la porte. Le baiser le plus doux que l'on puisse imaginer.

« Désolé, dit-il. Je n'ai pas pu m'en empêcher. »

Si Zadie n'avait pas été aussi préoccupée à l'idée de perdre son boulot, elle aurait défailli. Au lieu de quoi, elle empoigna ses fesses pendant qu'il la serrait contre elle. Après tout, si elle se faisait descendre, autant descendre en beauté.

36

Trevor se dirigea vers l'ascenseur, mais Zadie s'arrêta, désignant le couloir.

« Il faut que j'aille jeter un œil sur ma cousine. Histoire de m'assurer qu'elle ne s'est pas étouffée dans son vomi.

— O.K. On se voit au lycée. » Il lui décocha un sourire qui signifiait qu'il allait passer ses heures de cours à l'imaginer nue.

Quand l'ascenseur se referma sur lui, Zadie se rendit à la chambre d'Helen. En approchant, elle fronça les sourcils. Pourquoi y avait-il du bruit ?

Elle colla sa tête contre la porte et perçut les gémissements caractéristiques de deux personnes en train de faire l'amour. Une voix de femme qui disait « Oh oui ! Oh oui ! » suivie d'une voix d'homme qui disait « Oh la vache ! Tu es la femme parfaite. » Un accent du sud. C'était Jimbo. Elle en était certaine. Ses craintes furent confirmées lorsqu'il s'écria : « Ah ! on n'en trouve pas des comme toi à Atlanta. »

Bordel de merde !

Dans l'intervalle des trente ou quarante minutes qu'elle avait passées avec Trevor, Jimbo avait trouvé le moyen d'accéder à la chambre d'Helen et commencé à la baiser. Celle-ci avait dû lui donner la clé de sa chambre au Deep. Putain ! Qu'était-elle censée faire ? Ce n'était pas comme si elle pouvait frapper à la porte et sauver l'affaire. Ils étaient déjà en pleine action. Le mal était fait.

Putain !

Grey allait la tuer. C'était entièrement sa faute. Elle aurait dû rester pour monter la garde au pied du lit de sa cousine. Elle savait qu'Helen était saoule. Elle savait que c'était une salope refoulée. Et pourtant, elle l'avait laissée seule, certes inconsciente dans sa chambre d'hôtel fermée à double tour, mais libre d'accueillir des messieurs comme bon lui semblait.

Putain !

Zadie resta là quelques secondes de plus en essayant de déterminer ce qu'elle devait faire. Lorsque Jimbo dit : « Allez, retourne-toi, on va voir ce que tu vaux de l'autre côté », elle n'eut d'autre choix que de s'en aller.

Elle avait échoué. Grey lui avait demandé de faire en sorte qu'Helen s'amuse et oh, oui, apparemment, elle s'amusait beaucoup, mais certainement pas de la façon qu'avait imaginée Grey. Le pauvre était chez lui, persuadée que sa future femme devait savourer un cocktail et une bonne tranche de cheesecake. Pas en train de se faire sodomiser par un gros plouc.

Elle demanda au portier de lui appeler un taxi et fit les cent pas dans le hall de l'hôtel jusqu'à ce qu'il arrive. Elle n'avait même pas rendu sa clé à Jane. Elle savait que si elle voyait n'importe quelle fille de la soirée, elle raconterait tout et elle se disait que moins il y avait de personnes au courant, mieux c'était. Elle n'avait toujours pas décidé ce qu'elle allait dire à Grey. Et dire qu'elle hésitait à lui parler de Cancún. Qui avait tout de l'excursion au couvent, comparé à ça.

Le taxi arriva, elle indiqua sa destination au chauffeur arménien. Il se tourna vers elle et la regarda. « Ça va ? »

Elle profita de sa sollicitude et du fait qu'il parlait anglais pour tenter de trouver une réponse à son dilemme. « Si votre meilleur ami allait se marier dans deux jours et que vous veniez de surprendre sa fiancée en train de coucher avec quelqu'un d'autre, vous lui diriez ?

— Bien sûr, que je lui dirais, fit le chauffeur. Vous ne pouvez pas le laisser épouser une traînée.

— Et si cette traînée était votre cousine ? »

Le chauffeur prit une grande bouffée d'air qu'il expulsa dans un soupir. « Pas facile. Qui compte le plus pour vous ?

— Mon meilleur ami.

— Le marié, c'est ça ?

— Oui.

— Alors vous devriez le lui dire.

— Mais il ne va pas détester si c'est moi qui lui annonce la mauvaise nouvelle ? Et pour l'avoir laissée se saouler et donner à un type la clé de sa chambre ? »

Le chauffeur se tourna vers elle. « Vous êtes une mauvaise amie. »

Zadie soupira. Eh oui, c'était vrai.

37

Au réveil, Zadie avait un mal de crâne proche des douleurs de l'enfantement. Enfin, telles qu'elle les imaginait. Son corps était tellement déshydraté qu'elle avait l'impression que sa gorge était en vieux parchemin roussi. Il allait lui être parfaitement impossible de sortir du lit un jour. Elle y était pour la vie. Elle allait être obligée d'enseigner à distance.

Dieu merci, c'était dimanche et elle ne serait pas obligée de bouger.

Tout à coup, elle se souvint.

Ce soir-là avait lieu le dîner de répétition. Elle était censée retrouver Grey à midi pour aller chercher les cadeaux des garçons d'honneur. Grey. À midi. Merde.

Elle tenta de se retourner et de se mettre en position assise, mais son corps refusait de coopérer. Non seulement elle avait la gueule de bois, mais elle ressentait une irritation au niveau de ses parties intimes, qu'elle ne pouvait qu'associer au vigoureux vaet-vient d'un sexe démesuré. Existait-il des produits d'hygiène féminine pour cette affliction en particulier ?

Lorsqu'elle parvint à se traîner jusqu'à la salle de bains, elle se regarda dans le miroir, et se trouva face au reflet d'une créature toute pâle, transpirante et pétrie de culpabilité. Après s'être fait réprimander par le chauffeur de taxi pendant les quinze minutes qu'avait duré la course, elle avait arpenté son salon pendant une heure, en essayant de déterminer ce qu'elle allait raconter à Grey. C'était un accident. Un malentendu. Un pur hasard. Ah bon, Helen ne t'avais jamais parlé de Cancún ? Impayable, cette histoire.

Elle avait fini par s'écrouler sur son lit sans avoir trouvé d'explication susceptible d'apprendre la vérité à Grey tout en ménageant ses sentiments. Il n'y avait pas de façon simple d'annoncer à quelqu'un que la fille qu'il est sur le point d'épouser a couché avec un autre. Elle repensa au moment de douleur intense qu'elle avait vécu, lorsqu'elle s'était rendu compte que Jack n'allait pas venir à leur mariage. Personne ne lui avait servi de version édulcorée des faits. Comment auraient-il pu ? Ils lui avaient simplement dit : « Il n'est pas là. » Peut-être était-ce ce qu'elle devait faire pour Grey. Mais penser que son ami allait devoir souffrir comme elle avait souffert lui était insupportable. Elle n'aurait souhaité ça à personne. Elle ne pouvait tout simplement pas le lui dire.

Et si Helen en faisait une habitude ? Et si elle ne s'en repentait pas et ne redevenait jamais Miss Douceur ? Helen telle que Grey la connaissait pouvait très bien ne plus exister. En lui racontant tout, Zadie pouvait lui épargner un destin bien pire que quelques mois avec un cœur brisé.

Ce qui la rendait encore plus honteuse était qu'elle était en train de coucher avec Trevor quand Helen avait laissé entrer Jimbo. Au sens figuré. Zadie aurait dû monter la garde au lieu de s'adonner à ses perversions charnelles. Et Grey pourrait se marier gaiement le week-end prochain. Bien sûr, il restait le mensonge de Cancún, mais il paraissait bien pâle en comparaison au scandale Jimbo « et si je te prenais par derrière ».

Après sa douche, elle enfila un tee-shirt et un jean propre, balança six sachets de vitamine C dans un verre d'eau et but le tout. Elle prit même la liberté de couper un citron en deux, dont elle frotta chacune des moitiés sous ses bras, parce qu'elle avait lu dans *Cosmo* que ça aidait à se débarrasser d'une gueule de bois. Que l'astuce marche ou pas, elle ne pouvait que contribuer à éradiquer les vapeurs de tequila qui émanaient d'elle. Elle tenta de calculer combien de Margarita elle avait bues et perdit le fil aux alentours de douze. Sans compter le champagne.

Le temps qu'elle prenne un taxi pour récupérer sa voiture chez Barney's et arrive chez Grey, il était 12 h 30. Grey avait horreur qu'on soit en retard. Elle s'attendait à se faire appeler Arthur.

« Où étais-tu passée ? » Il paraissait tendu. « On a toute une tapée de trucs à faire aujourd'hui. » Il glissa son portefeuille dans sa poche de pantalon et attrapa ses clés de voiture.

« On y va », dit-elle, ravie d'avoir ces corvées pour faire diversion et lui éviter d'expliquer l'état dans lequel elle se trouvait. Heureusement, les futurs mariés avaient tendance à se montrer égocentriques.

« Il faut d'abord que j'aille chercher les cadeaux des garçons d'honneur, ensuite des pellicules et de l'écran total », dit-il. L'écran total devait leur servir pour Turtle Island, aux îles Fidji. Helen était tombée amoureuse de cet endroit en voyant *Le Lagon bleu*. Et depuis, elle en rêvait. Grey avait dû demander à Zadie de jeter un œil au site web une bonne centaine de fois et elle devait reconnaître que ça avait l'air carrément bien. Des plages privées où l'on pouvait se retrouver seuls toute la journée – nus, à boire du champagne, déguster du homard, faire l'amour. Le genre de destination où elle n'aurait jamais pu traîner Jack parce qu'il n'y avait pas de casinos. Impossible pour lui de prendre des vacances dans un endroit où il ne pouvait pas perdre mille dollars en cinq minutes.

Dans la voiture, Zadie se sentit prise d'une nausée. Cela lui arrivait toujours quand elle était sur le siège du passager, surtout quand elle avait la gueule de bois.

« Alors, cet enterrement de vie de jeune fille ? Helen m'a dit que c'était génial.

— Ah oui ?

— Oui, elle m'a raconté que vous aviez fait le tour de la ville. Shopping, yoga, salon de thé.

— Exactement. C'est exactement ce qu'on a fait.

— Elle a aussi ajouté que vous étiez allées chez Hustler m'acheter quelques surprises pour la lune de miel. »

Zadie espérait sincèrement qu'elle ne pensait pas au gode-ceinture bleu.

Grey se tourna vers elle avec un sourire. « J'aurais adoré être là quand tu l'as convaincue de faire ça. Ça devait être après le champagne.

— Elle t'a parlé du champagne ? » Zadie fronça les sourcils. Que savait-il exactement ? D'évidence, pas toute la vérité, mais elle ne savait pas trop comment réagir – était-il au courant pour la tournée des bars ? Avait-il parlé à Eloise ?

« Deux coupes et elle était saoule. J'espère qu'elle en boira pendant la lune de miel, j'adorerais la voir un peu gaie. »

Zadie haussa les yeux au ciel, espérant que les bonnes gens de Turtle Island étaient prêts pour la tornade alcoolisée con-nue sous le nom d'Helen. Elle avait entendu dire que les Fid-jiens étaient plutôt costauds, ils parviendraient peut-être à la contenir.

« J'ai essayé de ne pas trop boire, hier soir, figure-toi, poursuivit Grey. Je me suis dit qu'elle me tuerait si j'arrivais au dîner de répétition avec la gueule de bois. »

Mais oui. Grey avait lui aussi son enterrement de vie de garçon la veille. Peut-être avait-il baisé une strip-teaseuse !

« C'était comment ? »

Grey haussa les épaules. « Steaks et cigares chez Mastro, puis un petit tour par le Crazy Girls pour le strip-tease et les boissons merdiques.

— T'as eu droit à un show perso ?

— J'ai essayé d'y échapper, mais c'est un peu dur quand c'est toi le futur marié. Je crois que j'ai dû en avoir cinq. »

Excellent. Cinq femmes nues se frottant contre sa braguette valaient à peu près tout ce qu'Helen avait fait jusqu'à l'apparition de Jimbo dans sa chambre d'hôtel.

« Ça t'a plu ?

— Pas vraiment. Comme je t'avais dit. Je me fais toujours du souci pour les filles qui font ça. Ce n'est pas comme si elles décidaient de devenir strip-teaseuse pour se marrer après avoir été diplômées de Wellesley.

— Attends, ne me dis pas que la biologie ne l'emporte pas à un moment donné ? »

Il haussa les épaules. « D'accord, la troisième fille était canon. Je me la serais tapée si j'avais été un vrai salaud.

— Mais tu ne te l'es pas faite ? »

Il la regarda, incrédule. « Évidemment, non ! Je vais me marier, tu te souviens ? » Eh bien, oui, elle s'en souvenait. Dommage qu'on ne puisse pas en dire autant de la future mariée.

« Au fait, je me suis arrangé pour que tu remontes l'allée au bras de Mike. Avant que tu râles, il vit à San Diego. Assez près pour avoir une relation, mais assez loin pour le larguer s'il ne te plaît pas. »

En temps normal, Zadie aurait changé de sujet. Mais en ce jour où elle avait l'impression d'être une merde totale de l'avoir laissé tomber, elle préféra ne pas le contrarier.

« C'est ce fameux Mike de l'université de Californie qui avait gardé son chewing-gum pour faire un cunni à une fille et l'avait pris dans ses poils pubiens ? »

Il la regarda. « Je te l'avais raconté ?

— Eh oui…

— Ne lui en tiens pas rigueur, il était en deuxième année de fac. Sa technique s'est sûrement améliorée depuis.

— Il est avocat ?

— Je ne fréquente pas que des avocats.

— Alors ?

— Oui… mais quand même.

— Pourquoi est-il toujours célibataire ? »

Grey lui jeta un regard ahuri. « Le week-end dernier, tu ne m'as pas raconté avoir été exaspérée parce qu'un type t'avait posé cette même question ?

— Et c'est exactement pour cette raison que je la pose. »

Sur le parking de Saks, Grey laissa son véhicule au voiturier. Comme ils entraient dans le magasin, il dit : « Tu te rends compte que tu es en train de te renseigner sur Mike. Comme si tu envisageais de sortir avec lui.

— Je ne peux pas répondre à ça tant que je ne l'aurais pas rencontré.

— Normalement, tu m'envoies balader à la minute où je propose de te présenter quelqu'un.

— Disons que je suis peut-être un peu plus ouverte ces jours-ci. »

Grey sourit et lui donna un petit coup de coude. « C'est mon mariage qui t'inspire ? »

Non, c'était le sentiment de culpabilité. Ça et le fait qu'elle ait été aveuglée par la baise la veille. Dans des circonstances normales, elle lui aurait tout raconté, mais le fait qu'Helen ait trompé

Grey pendant le rendez-vous galant en question gâchait singulièrement toute l'histoire. La culpabilité effaçait la gloire.

Au rayon des flasques, Grey se perdit dans les détails concernant l'étui de cuir, qui devait être assorti à tel bouchon d'argent. Zadie s'en alla flâner du côté des verres en cristal et consulta la messagerie de son portable. Elle n'avait « aucun nouveau message. » Helen était sûrement sous la douche, en train d'essayer de se débarrasser de la puanteur de Jimbo et de son après-rasage avant la répétition. Allait-elle véritablement arriver tout sourire, la bouche en cœur en faisant comme s'il ne s'était rien passé ? D'après ce qu'en savait Helen, personne ne soupçonnait quoi que ce soit. Cette salope pouvait très bien s'en tirer.

Grey paya ses huit flasques et ils s'en allèrent chercher son smoking. Il l'avait acheté et fait retoucher, s'imaginant sûrement que, dans sa grande banlieue chic, Helen les ferait assister à tout un tas d'événements habillés dans les années à venir. Et même si elle emménageait avec lui à Westwood, on ne pouvait s'attendre à ce qu'elle abandonne derrière elle les raouts de la bonne société qu'elle fréquentait assidûment. Grey se montrerait plus que ravi de faire office de chevalier servant.

Le tailleur, un Coréen âgé dont les cheveux rabattus sur le côté tentaient de masquer une calvitie, fit essayer le smoking à Grey une dernière fois pour s'assurer que l'ourlet était à la bonne hauteur. Il se tourna vers Zadie. « Vous êtes sa sœur ? »

Grey rit et lui fit un clin d'œil. « Oui, c'est ma sœur. »

Et voilà, ça y était. Jamais elle ne pourrait lui dire maintenant.

Chez Sav-On, elle détourna le regard en passant devant le rayon des préservatifs. Et si Jimbo n'en avait pas mis ? Helen pourrait se retrouver infectée avec Dieu sait quoi. La MST du touriste bourré, au minimum.

Elle préféra se concentrer sur le choix d'un écran total adapté au teint germano-irlandais de Grey. Tout en jetant des flacons dans son panier, elle l'avertit : « N'oublie pas d'en mettre aussi sur la raie des fesses quand tu seras sur les plages nudistes. Un jour, je me suis endormie sur le ventre, nue, sur mon balcon et pendant une semaine, on aurait dit que j'avais des rougeurs dues aux couches-culottes. » Et le fait Jack que se moquait d'elle pendant qu'elle faisait pénétrer la crème à l'*aloe vera* sur ses fesses n'avait rien arrangé.

Une fois rentrés chez Grey, celui-ci lui montra le costume qu'il allait porter à la répétition. « Tu le trouves bien ? »

Elle le regarda. « Depuis que je te connais, tu ne m'as jamais, jamais demandé mon avis sur tes vêtements.

— Je sais, mais c'est important. »

Étant donné que Grey s'habillait bien mieux qu'elle, elle mit ça sur le compte de sa nervosité. Il était angoissé parce qu'il était amoureux, et sur le point d'épouser la fille de ses rêves. Qui s'avérait être une pute finie.

Elle contempla le costume. « Il est parfait. »

Il s'assit sur le bord du lit. « Dans vingt-quatre heures, je serai marié. Merci, au fait.

— Pour quoi ? s'étonna Zadie.

— Si je ne t'avais pas rencontrée, je n'aurais jamais rencontré Helen. Ma vie serait complètement différente de ce qu'elle est aujourd'hui. »

Oui, songea Zadie. Il serait peut-être fiancé à une gentille fille qui ne l'aurait pas trompé et il aurait peut-être une meilleure amie moins conne.

Il lui prit la main. « Je te dois tant. »

Zadie la serra fort. « Mais non, pas du tout. »

38

Zadie fut de retour chez elle pour 16 heures ; elle avait le temps de faire une sieste avant de se préparer pour la répétition. Étant donné qu'elle s'était couchée à 4 h 30 du matin et levée à 11 heures, la sieste n'était pas de trop. C'était une nécessité. Elle était même cruciale pour son existence tout entière.

Malgré l'épuisement, elle ne put que rester là, accablée par le poids de ce qu'elle savait. Si seulement elle avait pris l'ascenseur avec Trevor et était rentrée chez elle sans passer voir comment allait Helen... Elle n'aurait jamais su, pour Jimbo. Elle serait tout à fait sereine, persuadée qu'Helen était juste une menteuse et une salope repentie. Ce qui aurait été supportable.

Lorsque son réveil sonna, elle n'avait pas fermé l'œil. Elle se leva, prit une nouvelle douche pour ôter la puanteur de la transpiration due à la gueule de bois et enfila une robe de cocktail noire, suivant les instructions de l'invitation. Dieu la garde de désobéir à la pire mariée au monde.

En arrivant au Beverly Hills Hotel, elle laissa son véhicule au même voiturier qui lui avait appelé un taxi à 3 heures du matin. Il lui fit un signe de tête et un sourire amical, conscient qu'elle ne devait sûrement pas être au mieux de sa forme et emmena sa Toyota au parking, aussi loin que possible des Bentley.

La répétition avait lieu dans le jardin, qui accueillerait également le mariage. Des petites lumières blanches étaient accrochées un peu partout. Des lys sublimes abondaient. Il devait sûrement y avoir un cygne quelque part.

Lorsque Zadie arriva, Gilda la serra dans ses bras en couinant : « Alors, c'était comment ? »

Pendant un instant, Zadie fut troublée. Rongée par la culpabilité, elle en avait oublié que la dernière fois qu'elle avait vue Gilda, elle était sur le chemin de la chambre d'hôtel en compagnie de Trevor.

Zadie sourit, rougit, soulagée de pouvoir en parler à quelqu'un. « Exactement ce dont j'avais besoin. » Un serveur passa devant elles avec un plateau et leur proposa une flûte de champagne. Toujours soigner le mal par le mal. Elles en prirent chacune une, qu'elles burent goulûment.

Jane se précipita vers elles et commença immédiatement l'interrogatoire. « Il était aussi à croquer qu'il en avait l'air ?

— Il était tout à fait à croquer », répondit Zadie. Elle culpabilisait un peu de décrire l'adorable Trevor en des termes aussi ridiculement puérils, mais puisqu'elle craignait à moitié qu'il ne soit assis sur son surf quelque part, en train d'évoquer devant ses potes « sa paire de nibards », elle laissa courir.

Elle parcourut la foule des yeux, repérant Betsy dans un coin, occupée à discuter avec les parents d'Helen. Denise et son mari tentaient de dissuader grand-mère Davis de mettre un gardénia dans son décolleté.

« Quelqu'un a vu Helen ? s'enquit Zadie.

— Elle parle au pasteur », dit Jane.

S'il y avait une personne qui avait besoin de s'adresser à un homme d'Église en cet instant précis, c'était bien Helen, aussi Zadie se sentit-elle un peu apaisée par cette nouvelle. Avec un peu de chance, il pourrait l'exorciser.

Elle aperçut Grey près du belvédère. Eloise semblait l'avoir entraîné dans un coin pour l'entretenir à voix basse. Lui racontait-elle ce qui s'était passé au Deep ? Sur le taureau mécanique ? Avec Sexy Giovanni ? Si Grey apprenait toutes les autres anecdotes sordides de la soirée, il laisserait peut-être tomber Helen sur la base de ces seules informations, et il n'aurait jamais à découvrir que sa fiancée l'avait trompé ! Génial !

Zadie s'approcha d'eux pour entendre ce qu'ils se disaient.

« Attends de voir ce qu'Helen a acheté pour votre nuit de noces, disait Eloise. Tu ne vas pas en croire tes yeux ! »

Eloise ne lui racontait rien du tout.

Zadie les rejoignit. « Salut. Quoi de neuf ? »

Eloise lui jeta un regard entendu. « J'étais en train de décrire à Grey la lingerie qu'Helen avait trouvée.

— Ouais, c'est quelque chose, confirma Zadie, qui reprit, se tournant vers Eloise : tu m'accompagnes aux toilettes ? Je crois que ma bretelle de soutien-gorge a lâché, j'ai besoin d'un coup de main. »

Eloise était la dernière femme possible dans un rayon de quinze kilomètres à qui Zadie aurait demandé de l'aide pour un problème de soutien-gorge, mais elle savait que Grey ne se poserait pas de questions sur leur aparté si elle prétextait une histoire de filles.

« Bien sûr, fit Eloise. Je te suis. »

Après s'être assurée que personne d'autre ne se trouvait aux toilettes, Zadie la bombarda de questions. « Tu lui as raconté quoi, pour hier soir ?

— Rien. J'ai discuté longuement avec Helen ce matin et elle m'a assuré que tout était complètement flou dans sa tête, à cause de l'alcool et que ça ne se reproduirait plus. Ce qui s'est passé pendant l'enterrement de vie de jeune fille reste entre nous. »

Zadie fronça les sourcils. Ce n'était pas la réponse qu'elle souhaitait entendre. Pour commencer, elle avait compté sur la tendance d'Eloise à colporter les ragots et à tout exagérer.

« Tu te rends compte que c'est du bonheur futur de ton frère dont on est en train de parler ? Tu vas vraiment compromettre ça sous prétexte d'un soi-disant sentiment de camaraderie féminine ?

— Je ne te vois pas en train de tout lui raconter.

— J'espérais que tu le ferais, toi. Tu es sa sœur.

— Et toi, sa "meilleure amie". »

La garce. Zadie envisagea brièvement de lui rapporter la visite nocturne de Jimbo dans la chambre d'Helen. Serait-elle furieuse au point d'aller trouver Grey ? Ou bien trouverait-elle un moyen de faire porter le chapeau à Zadie ? Quoi qu'il en soit, celle-ci ne pouvait supporter l'idée que Grey entende ces mots.

« En plus, ajouta Eloise. Elle n'a rien fait de si terrible. »

Bien sûr. À part s'être fait sodomiser par un inconnu.

De retour dans le jardin, Zadie fut prise en embuscade par ses parents. « Alors, comment s'est passée votre soirée entre filles ? demanda sa mère.

— C'était… super.

— Tu es magnifique, ma chérie, fit son père en l'embrassant sur la joue.

— Merci, papa. » Ils restèrent là, à se regarder bêtement, tandis que l'inévitable silence gêné s'installait entre eux.

« Je parie que ça t'a fait du bien de sortir de chez toi, dit Mavis. Tu devrais peut-être te trouver des copines célibataires pour faire ça plus souvent. » Zadie savait que sa mère encourageait cela non parce qu'elle souhaitait la voir forger de nouvelles amitiés, mais parce qu'elle voulait que Zadie participe à des chasses à l'homme organisées de manière hebdomadaire.

« Zadie, voici Mike. »

Elle se tourna et vit Grey et Mike, juste derrière elle. Mike était mignon. Plus que mignon. Il avait des pommettes bien dessinées. Et des yeux brun doré avec des cils épais, comme les Italiens. Il lui tendit la main et Zadie reconnut le type à la chemise verte qu'elle avait aperçu à la soirée de fiançailles. Celui qu'elle était trop perturbée pour considérer.

« Grey vient de me dire que je suis censé sortir à ton bras à la fin de la cérémonie. Je vais essayer de ne pas te faire tomber.

— Et moi, de ne pas trébucher sur quoi que ce soit. » Bon, ce n'était pas sa réplique la plus hilarante, mais c'était mieux que rien. Elle était trop inquiète, merde.

« Zadie est prof d'anglais, lui apprit Grey. Elle pourra peut-être enfin t'apprendre comment on dit *affidavit*. » Puis, se tournant vers Zadie : « À chaque fois, il prononce *affadavid*. »

Mike sourit à Zadie. « Tu as déjà remarqué à quel point Grey est chiant ?

— Plus d'une fois, répondit-elle dans un sourire.

— On vous laisse bavarder, les jeunes », dit Mavis avec un clin d'œil à sa fille en entraînant Sam avec elle.

Eloise, qui venait de se rendre compte qu'un homme séduisant l'ignorait totalement, s'approcha et se rappela à son bon souvenir. « Salut, moi c'est Eloise. Tu te souviens ? On s'est rencontrés à la fête de fin d'études de Grey. »

Mike plissa les yeux, faisant visiblement un effort pour la reconnaître, puis prit soudain un air accablé lorsqu'il remit la sœur de Grey. « Ah, oui… Je me souviens tout à fait. »

Le pasteur fit signe à tout le monde de se mettre en place pour la répétition.

« Et c'est parti… » fit Grey, nerveux.

Mike lança un regard à Zadie. « On se voit tout à l'heure. »

Les hommes s'éloignèrent, et Eloise se pencha vers Zadie. « Laisse tomber. Il est gay. J'ai essayé de coucher avec lui à la fête pour le diplôme de Grey et il n'y a rien eu à faire. »

À ce moment précis, Mike devint l'homme parfait.

39

Tout le monde se mit en rang pour répéter la montée jusqu'à l'autel. Zadie se trouvait en sixième position. Devant elle il y avait Eloise, Jane, Gilda, Marci et Kim. Betsy était derrière elle. Denise, en tant que témoin, arrivait dernière. En fait, elles s'étaient retrouvées à l'enterrement de vie de jeune fille simplement parce qu'elles étaient collègues de travail. Betsy se pencha vers Zadie et lui murmura : Je suis complètement défaite. Et toi ?

— Tu n'imagines même pas, répondit Zadie.

— Comment Helen arrive-t-elle à être aussi belle après une soirée pareille ?

— C'est une mutante génétique.

— Il faut que je te remercie, fit Betsy. J'étais contre une soirée arrosée au début, mais franchement, hier soir, on s'est éclatées.

À moitié à contrecœur, Zadie tapa dans la main de Betsy par-dessus son épaule et se pencha pour rajuster la bride de ses escarpins au moment où retentirent les premières notes du canon de Pachelbel.

Eloise ouvrit la marche, elle fit un pas, marqua un temps d'arrêt, un autre pas, un autre temps d'arrêt. Grey se tenait près de l'autel orné de roses roses et de feuilles d'eucalyptus. Radieux. Sans imaginer une seule seconde que sa future épouse avait un peu plus de mal à marcher que d'habitude.

Le dîner de répétition avait lieu dans le patio du Salon Polo, celui-là même où Super-Pouffe avait fait ses débuts dans sa nouvelle profession. Ce fut à ce moment qu'Helen vint parler à Zadie.

« Je sais que tu dois penser que je suis quelqu'un d'affreux avec tout ce qui s'est passé hier soir, mais j'apprécie vraiment que tu n'aies rien dit à Grey. »

Helen ne se doutait pas le moins du monde de ce que Zadie avait entendu devant la porte de la suite nuptiale à 3 heures du matin. Elle parlait seulement des autres détails peu ragoûtants.

« Je te l'ai déjà dit, Helen, c'est à toi de lui raconter. » Était-il seulement possible qu'elle parvienne à la faire culpabiliser au point de la pousser à tout avouer ?

« Un jour, peut-être. Mais ce n'est vraiment pas le moment. » Elle prit les deux mains de Zadie entre les siennes et la fixa de ses grands yeux implorants. « Tu sais combien j'aime Grey. Et je te jure que je ne ferai jamais rien qui puisse lui faire de mal. Ce qui s'est passé à Cancún n'a aucune importance. Ce qui s'est passé hier soir non plus. Tout ce qui importe, c'est que je pourrais mourir pour Grey. Je suis sérieuse, je pourrais me laisser mourir pour lui. Je veux que tu le saches. »

Helen était faite pour jouer dans *Les Feux de l'amour*, pensa Zadie. Quel cinéma ! Avec un côté sincère et guimauve à souhait. Elle aurait éclipsé Jack sur-le-champ.

« Je vais te prendre au mot, figure-toi, lui dit Zadie. Parce que si tu lui fais du mal, je risque d'être obligée de te tuer. Cousine ou pas.

— Et je te respecte pour ça. Tu es une bonne amie. »

Oh oui, elle était une tellement bonne amie qu'elle laissait Grey épouser une femme qui avait peut-être encore le sperme d'un autre en elle. Il n'y avait pas meilleure amie au monde.

Tout le monde s'assit pour déguster son saumon; Zadie se posa à côté de Mike, en espérant qu'un petit flirt inoffensif réussirait à lui faire oublier qu'elle était quelqu'un de très, très mauvais.

Il l'accueillit avec un sourire. « Alors comment je m'en suis tiré quand je t'ai offert mon coude ? Je sais que la manœuvre est un peu complexe, et je n'ai pas eu beaucoup d'occasions de pratiquer.

— Tu veux dire que tu n'as jamais eu le plaisir d'assister à un mariage ?

— Seulement six ou sept fois, mais honnêtement, ça ne suffit pas à être au point sur ce mouvement. Il faut une certaine finesse.

— Je te mets 7,5 sur 10.

— Génial. J'accepte.

— Alors, comment était l'enterrement de vie de garçon ? Il paraît qu'il y avait quelques demoiselles de petite vertu. » Elle aurait pu en dire autant des invitées à l'enterrement de vie de jeune fille, elle incluse, mais elle préféra omettre ce détail.

« Il y avait bien quelques dames qui n'avaient pas froid aux yeux, c'est exact.

— Tu en as eu une sur les genoux ? »

Mike rougit. « Je ne sais pas mentir. J'en ai eu deux. Et maintenant, je te dégoûte, et je vais devoir aller m'asseoir avec les autres dégénérés dans mon genre.

— Je pense pouvoir le supporter. Tu peux rester », fit Zadie en lui souriant. Il lui rendit son sourire. Ses cheveux bruns faisaient des boucles qu'elle avait envie de caresser. « Comment était le dîner chez Mastro ? C'est par là que vous avez commencé, non ?

— Tu veux parler de cet endroit où les crevettes sont grandes comme la main. C'était indécent. Une vraie décadence gastronomique. Bien plus pervers que tout ce qu'on a pu faire au Crazy Girls. Et vous ? Vous avez fait quoi pour l'enterrement de vie de jeune fille ?

— Rien que des trucs mignons, très innocents, très fleur bleue. Des trucs de filles, quoi. »

Il la regarda, l'air de sous-entendre qu'elle n'avait rien d'une fille innocente et fleur bleue. « Je ne sais pas pourquoi, mais j'ai comme un doute. »

Était-ce dû au retour de sa confiance en elle après son expérience avec Trevor ou au fait qu'elle cherchait désespérément à oublier le désastre conjugal à venir et sa propre culpabilité dans cette affaire, mais Zadie accepta son sous-entendu et rebondit, en parfaite petite coquine.

« Tu seras peut-être obligé de me faire un strip perso pour te rattraper.

— Il m'est déjà arrivé de blesser des gens comme ça, mais si tu es partante, je me débrouille pas mal sur *Purple Rain*. »

Zadie sourit. Voilà un flirt sain avec des perspectives viables. Des années qu'elle n'avait plus pratiqué ce genre de badinage. Il avait un âge approprié, un emploi rémunéré, une grammaire correcte et le fait qu'elle soit disponible ne semblait pas le pousser à en déduire qu'elle avait un problème. En plus de ça, il était approuvé par Grey. Ils pourraient se faire des sorties à quatre. Il était plus simple pour Zadie d'oublier qu'Helen était le diable incarné lorsqu'elle s'imaginait à l'Hollywood Bowl, en train d'écouter un concert de jazz, et de partager un panier de piquenique, avec Mike qui lui mettrait dans la bouche des petits triangles de pita tartinés d'houmous.

« Je prendrai le risque », dit Zadie.

Le serveur posa les entrées devant eux. Tous deux avaient choisi le saumon. Le destin ? Zadie était consternée de laisser ce mot surgir dans son crâne deux soirs d'affilée. Elle n'était franchement pas du genre à croire au destin. C'était simplement une excuse pour justifier son comportement honteux de la veille. Que dirait Mike s'il apprenait qu'elle avait couché avec un gamin de dix-neuf ans ? Il en serait sûrement horrifié.

Elle s'essuya les coins de la bouche à l'aide de sa serviette de table rose. « Je peux te poser une question, Mike ?

— Bien sûr.

— Quelle est la chose la plus abominable que tu aies faite ?

— Tu as toute la nuit devant toi ? demanda-t-il.

— Sûrement.

— Eh bien... » Il réfléchit un instant. « Il y a bien eu ce concours à la fac où j'ai dû avaler dix-sept œufs durs d'affilée, mais ce serait plutôt d'avoir couché avec la meilleure amie de ma sœur.

— Ce n'est pas si affreux, remarqua Zadie.

— Le soir de son bal de fin d'année, au lycée.

— C'est toi qui l'accompagnais ?

— Non, moi j'étais leur chauffeur. J'ai d'abord déposé son cavalier et ensuite, je me la suis tapée. Elle en avait envie et tout, hein, ne me comprends pas mal...

— Tu avais quel âge ?

— Vingt-cinq ans. »

Et à ce moment, Zadie sut exactement ce que signifiait le destin.

40

Quand Grey se leva pour porter un toast, Zadie sentit son corps tout entier se tendre en pensant qu'il était sur le point de rendre hommage à une fille qui n'existait pas. « Alors voilà, c'est là que je passe pour un grand niais. » La table se tut, dans l'attente des platitudes amoureuses que Grey avait concoctées spécialement pour l'occasion. « Comme vous le savez tous, j'ai rencontré Helen il y a six mois, au mariage de Denise. » Il désigna du menton Denise et Jeff, qui se disputaient pour savoir si celle-ci devait manger le dessert de son mari en plus du sien. « Bien entendu, j'ai immédiatement été frappé par sa beauté. » Helen rougit en souriant. « Mais en apprenant à la connaître, c'est ensuite sa beauté intérieure qui m'a conquis. Jamais je n'avais rencontré une personne aussi pure, aussi généreuse, aussi sincèrement aimante avec tous ceux qui l'entourent. »

Si seulement il savait à quel point elle s'était montrée aimante avec Jimbo, pensa Zadie.

« Quand je l'ai demandée en mariage, les larmes lui sont montées aux yeux, qui sont devenus plus brillants encore, et elle a répondu par le plus beau oui que je n'avais jamais entendu. Alors je voudrais que nous levions tous nos verres à mon incroyable coup de bol. »

Helen se mit immédiatement à sangloter. Elle se leva, serra Grey dans ses bras et l'embrassa d'une façon aussi chaste qu'incroyablement romantique.

Tous les convives levèrent leur verre bien haut et félicitèrent les futurs mariés ; Zadie était soulagée de n'avoir rien dit. Grey était sincèrement amoureux. Jamais elle n'aurait eu le courage de lui enlever ça.

Les amis, la famille, tout le monde sortit au compte-gouttes dans le hall en se disant « à demain », pour le grand événement ; soudain Zadie fut prise d'un frisson.

« Helen, je peux te parler ? »

C'était Jimbo. Il était assis dans un des fauteuils de velours vieux rose installés sous le lustre monumental du hall ; il se leva à l'instant où il vit Helen arriver.

« Eh merde ! » fit Zadie.

Mike la regarda. « Qu'y a-t-il ? »

Zadie fit quelques pas, espérant que sa proximité ferait diversion, sans savoir trop comment.

Helen dévisagea Jim l'air vaguement confuse, puis elle le reconnut et s'agaça. « Jim ? »

Il attrapa ses mains. « Avant que tu n'ailles au bout de ce mariage demain, il fallait que je te dise que j'ai vraiment senti qu'il se passait quelque chose entre nous hier soir. Je n'aurais jamais pu me pardonner si je n'avais pas tenté le tout pour le tout. »

Jimbo ne manquait pas de culot. C'était certain. Zadie n'allait pas dire le contraire. Mais elle devait quand même intervenir. « Je crois qu'il vaudrait mieux que tu t'en ailles », lui dit-elle.

Les autres invités commençaient à remarquer ce qui se passait. Il y eut des froncements de sourcils et des commentaires inquiets.

Gilda prit un air soucieux. « Mais ce ne serait pas...

— Je crois que si », enchaîna Jane.

Eloise le vit et se mit en colère toute rouge. « Qu'est-ce que tu fous ici ? »

Betsy se joignit à elle, approcha de Jim au pas de charge et vint se planter sous son nez. « T'as pas compris hier, quand on t'a envoyé promener ? Helen va se marier. Elle se fiche de toi.

— Je veux juste qu'elle me le dise en face. »

Grey, qui venait de remarquer l'altercation, interrompit brusquement sa conversation avec la mère d'Helen pour venir voir de quoi il en retournait. « Qui c'est ce type ? » Personne ne dit rien. Il se tourna vers Zadie. « Quelqu'un voudrait bien me répondre ?

— On l'a rencontré hier soir, fit Zadie. Dans un bar.

— Et il se pointe à notre répétition de mariage ? »

Jimbo s'adressa à Grey. « Je ne voudrais pas vous manquer de respect, mais il se trouve que je suis tombé amoureux de votre future femme hier soir et je crois que c'était le destin.

— Ton destin, c'est de te prendre mon pied dans le cul, ça, tu peux en être sûr, en tout cas. » Grey avait viré au violet. Zadie ne l'avait jamais vu dans une telle colère. Tandis que les garçons d'honneur le retenaient (des avocats, toujours à se méfier des plaintes pour coups et blessures), Jimbo tenta de s'expliquer.

« Je n'avais jamais rien ressenti d'aussi fort que ce moment que nous avons partagé. Je suis désolé. Il faut que je sache. »

Betsy se mit à le pousser vers la sortie. « Détraqué ! »

Le père d'Helen était assez d'accord et cherchait les membres de la sécurité alentours. « Il n'y a personne pour faire sortir cet homme d'ici ? Je paye une fortune pour que ma fille se marie dans cet hôtel et elle est harcelée par un malade mental. »

Jimbo ne se laissait pas démonter. « Je suis un homme amoureux, c'est tout.

— Tu es répugnant, oui », lui assena Eloise.

Grey se tourna vers Helen. « C'est quoi ce "moment", exactement ? »

Zadie se raidit, se préparant au pire. Mais Helen parut à peine troublée. « J'ai dû discuter vingt minutes avec lui au Sky Bar. Je ne vois pas du tout de quoi il veut parler.

— On a dansé ensemble au Deep. Ne me dis pas que tu as oublié ça », dit Jimbo.

Grey n'y comprenait plus rien. « Vous êtes allées au Deep ? »

Helen fusilla Jimbo du regard. « Bon, j'ai dansé avec vous. Et en quoi cela vous donne-t-il le droit de venir perturber mon mariage ? »

Jimbo la regarda dans les yeux. « Tu peux nier tout ce qui s'est passé si tu veux, mais je suis amoureux de toi », dit-il avec un détachement parfait.

Les rumeurs allaient bon train parmi les membres de la famille présents dans le groupe. Comment un incident aussi sordide pouvait-il se produire au dîner de répétition du mariage de la douce Helen ?

La sécurité apparut enfin pour expulser Jimbo ; celui-ci fit une dernière tentative. « Si nous n'étions pas faits pour être ensemble, alors pourquoi m'as-tu donné la clé de ta chambre d'hôtel ? »

Le silence s'abattit sur la salle. Même les membres de la sécurité se figèrent. Zadie sentit son ventre se tordre de frayeur.

« Je n'ai rien fait de tel ! s'exclama Helen.

— Je l'ai encore dans mon portefeuille.

— Vous n'êtes qu'un infâme menteur ! dit Helen.

— Je peux le prouver », insista-t-il en sortant la clé, qu'il brandit pour que tout le monde la voie bien.

L'assistance s'étrangla, puis un silence d'une intensité incroyable emplit la pièce. Betsy fut la première à se reprendre. « Ça pourrait être la clé de n'importe quelle chambre de cet hôtel.

— C'est très facile à savoir. » Jimbo se dirigea d'un pas décidé vers la réception et demanda à ce qu'on la passe dans le lecteur optique.

Le réceptionniste leur jeta à tous un regard mortifié : « Suite nuptiale. »

Zadie fut prise de panique, son cerveau sonnait l'alerte rouge. Elle ne souhaitait qu'une chose : tirer Grey de là. Elle ne voulait pas qu'il soit obligé d'entendre ça.

« Il a pu la voler, suggéra Denise. Il n'arrêtait pas de la peloter sur la piste de danse. » Marci et Kim hochèrent la tête de concert.

« Il avait les mains plus que baladeuses, ajouta Marci.

— Il aurait très bien pu la sortir de sa poche quand il lui tripotait les fesses », renchérit Kim.

Helen était maintenant en larmes. « Je ne veux pas croire ce qui est en train de m'arriver. »

Grey était très pâle. « Quelqu'un peut-il m'expliquer ce qu'il se passe, à la fin ? » demanda-t-il en regardant Zadie comme si elle seule pouvait tout éclaircir.

Son instinct la sommait d'inventer une histoire charmante, pleine d'esprit qui expliquerait que ce bouffon ait récupéré la clé de la chambre d'Helen, une histoire dont tout le monde pourrait rire avant de s'en aller, ravi. Mais elle en était incapable. Elle avait beau vouloir protéger les sentiments de Grey, il n'y avait pas moyen qu'elle laisse Helen lui mentir en face alors que la vérité était aussi évidente. Elle soupira et se lança.

« Il est allé dans sa chambre après qu'on l'a mise au lit. Je les ai entendus coucher ensemble depuis le couloir vers 3 heures du matin.

— Quoi ??! hurla Helen. Ce n'est pas vrai !

— Crois-moi, je préfèrerais ne rien avoir entendu. »

Le reste de la pièce était trop sonné pour avoir la moindre réaction. Ils fixaient tous Zadie comme si elle venait d'annoncer qu'Helen était un agent d'Al-Qaïda.

Grey secoua la tête, perdu. « Helen était chez moi à 3 heures du matin. Elle a quitté l'hôtel en taxi vers 2 heures. »

C'était au tour de Zadie de ne plus rien y comprendre. « Mais alors qui était dans sa chambre en train de baiser avec Jimbo ? »

Eloise leva la main. « Ça devait être moi. Je l'ai croisé dans le hall et puis, une chose en entraînant une autre… » Elle haussa les épaules, gênée, mais pas autant qu'elle aurait dû l'être. Ses parents se trouvaient dans la pièce, merde ! Et ils avaient l'air absolument honteux.

« Que je comprenne bien, dit Grey en jetant un regard assassin à Jim. Tu te pointes pour baiser ma fiancée, mais finalement, tu te rabats sur ma sœur à la place ?

— Eh bien, je n'en suis pas fier, mais c'est à peu près ça. J'ai des besoins après tout, et comme l'occasion s'est présentée…

— Va te faire voir, Sudiste de merde, personne ne se rabat sur moi. » Eloise trouvait toujours un moyen pour tout ramener à elle.

Jimbo se tourna vers Helen. « Je regrette que tu aies dû entendre ça, Helen. C'est toi que je suis venu rejoindre dans cette chambre. »

Les garçons d'honneur mouraient d'envie d'arracher les yeux de Jim. Bill, le témoin, fit signe aux membres de la sécurité qu'il était maintenant temps de l'emmener. Comme ils traînaient Jimbo hors de l'hôtel, celui-ci lança : « Je suis seulement coupable d'amour, Helen. »

Grey, toujours perplexe, confronta Helen. « Tu l'as laissé peloter et après ça, tu lui as donné ta clé ?

— Non ! sanglota-t-elle. Enfin… Je veux dire, je ne me souviens pas de tout ce qui s'est passé hier, mais je suis sûre que je n'ai pas… Pourquoi aurais-je… » Elle se tut. Puis se tourna vers Zadie, à qui elle lança un regard noir. « Si Zadie n'avait pas insisté pour qu'on commence à boire, rien de tout ça ne serait arrivé. »

Et voilà, ça y était. Zadie savait que ça lui pendait au nez depuis le début. Tout était de sa faute. Pour être soulagée d'apprendre qu'Helen n'avait pas laissé Jimbo la profaner, elle n'en était pas moins furieuse que la responsabilité de cette profanation potentielle repose maintenant entièrement sur elle.

« Ce n'est pas moi qui lui ai donné ta clé… » commença Zadie. Ce n'était peut-être pas la réponse la plus diplomatique qu'elle puisse imaginer, mais la situation avait depuis longtemps quitté le terrain civilisé. Elle savait que quelque part dans l'assistance, elle avait baissé dans l'estime de ses parents et de Mike, mais c'était le cadet de ses soucis pour l'instant.

Le père d'Helen fit un pas en avant et, considérant le reste de la famille, proposa : « Pourquoi n'irions-nous pas tous au bar prendre un verre bien mérité pendant que les jeunes arrangent ça ? »

Les personnes âgées de l'assistance se dirigèrent vers le bar en file indienne, laissant les seuls amis des mariés dans le hall. Helen désigna à nouveau Zadie du doigt en se tournant vers Grey. « Elle a dit que tu voulais que je me lâche. Que tu n'appréciais pas ma façon d'être. Alors je me suis saoulée. » Elle regarda Zadie. « Tu es contente, maintenant ? »

Oh oui. Zadie était incroyablement heureuse. Elle débordait de fierté. Son meilleur ami était anéanti et sa cousine se dissolvait en une flaque de larmes. Un record.

« C'est vrai, confirma Eloise. Zadie l'a encouragée.

— On l'a toutes encouragée », fit Jane en fusillant Eloise du regard.

Grey ferma les yeux, essayant d'y comprendre quelque chose. « Tu as donné la clé de ta chambre d'hôtel à un type deux nuits avant notre mariage ? »

Helen pleura de plus belle. « Je ne me souviens pas.

— Tu avais beaucoup bu ?

— Pas mal, oui », répondit Betsy à sa place.

Grey contempla Helen. « Eh bien, pour ce que j'en sais, tu t'es peut-être tapé un ou deux mecs entre l'hôtel et ma maison, et tu ne t'en rappelles pas non plus. »

Denise posa la main sur le bras de Grey. « Bon, il faudrait peut-être que tout le monde se calme.

— Elle a donné sa clé à un mec ! » cria-t-il. Avant de sortir, il jeta un dernier regarda à Zadie. « Et merci d'avoir fait en sorte qu'Helen s'amuse. »

41

Le mariage n'eut pas lieu. Les bouquets d'arums furent renvoyés. Les canapés et sushis ne furent jamais distribués. Le Taittinger ne coula pas à flots.

Grey n'arrivait pas à encaisser qu'Helen se soit montrée aussi légère avec sa vertu quelques heures à peine avant leur mariage. Ni que Zadie ait été complice dans la soirée ayant provoqué une telle rupture de confiance. Il refusait de prendre les appels de Zadie. Ses très, très nombreux appels. Elle composa son numéro au moins cinquante fois le jour où le mariage était censé avoir lieu, mais il ne décrocha pas. Elle passa en voiture devant chez lui, mais il n'y était pas. Elle alla même jusqu'à Boca Chica pour le chercher sur les vagues, mais ne le trouva nulle part.

Elle téléphona plusieurs fois à Helen, qui ne voulut pas lui parler. Zadie était au plus bas. Elle était une mauvaise amie. Une mauvaise cousine. Une mauvaise prof. En une soirée, elle avait réussi à foutre en l'air tout son univers.

Le mardi, en cours, elle avança en pilote automatique : elle écouta le rapport de la sortie du samedi soir de Nancy avec Darryl, échangea une de ses barres protéinées contre une sucrerie aux Rice Krispies de Dolores, distribua des questionnaires sur Joyce Carol Oates. La médiocrité dans tout ce qu'elle a de plus banal, jusqu'à la sixième heure, quand Trevor entra et s'installa au premier rang.

« Salut », fit-il avec un grand sourire.

Zadie se contracta immédiatement en le voyant et préféra garder les yeux rivés sur son bureau. « Bonjour Trevor. Comment ça va ? » Confrontée à la réalité de ses actes sous le violent éclairage au néon de la classe, elle sentait la honte envahir tout son corps. C'était un élève. Et il l'avait pénétrée.

« Je suis au top », dit-il. Elle n'arrivait pas à savoir s'il voulait parler de sa santé ou de leurs prouesses sexuelles. Elle leva les yeux un instant et se rendit compte qu'il la gratifiait d'un regard de braise, manière de lui rappeler ce plaisir qu'elle pouvait retrouver si elle voulait.

La cloche sonna et le reste de la classe vint s'installer. Zadie s'appuya sur le bord de son bureau, face à eux. « Tout le monde a passé un bon week-end prolongé ? » Tandis que ses élèves marmonnaient leurs réponses (entre « ah ça oui » et « c'était chiant »), elle remarqua que Trevor venait de lui faire un clin d'œil. Elle l'ignora et se lança dans une discussion sur les mœurs sociales dans *Orgueil et préjugés*. Lorsque la sonnerie marqua la fin de l'heure et que tout le monde se traîna hors de la salle, à moitié endormi par son cours quasiment improvisé, elle vit Trevor jeter un morceau de papier sur son bureau. Après le départ du dernier élève, elle le déplia : c'était son numéro de portable.

Et dire que la semaine précédente, son problème était qu'elle avait envie de baiser Trevor. Maintenant, c'était d'éviter que ça se reproduise. Le fait qu'elle ait réalisé son fantasme et plus encore était choquant, honteux, et immensément gratifiant. Mais il était exclu qu'elle se laisse aller à remettre ça. Un dérapage provoqué par l'alcool lors d'une soirée particulièrement difficile était une chose, mais satisfaire ses pulsions une nouvelle fois aurait été inadmissible.

Et honnêtement, elle n'avait pas envie de coucher à nouveau avec lui. Elle avait réalisé son fantasme. Pas besoin d'être un psy pour comprendre qu'elle avait fait une fixation sur lui parce qu'il ne faisait pas partie des options viables. Il était totalement inconcevable qu'elle ait une relation avec Trevor.

Elle regarda le numéro de téléphone qu'elle tenait toujours à la main et fronça les sourcils. Était-ce une façon de dire « Et si on remettait ça ? » ou bien« Tu veux sortir avec moi ? ». Trevor ne croyait quand même pas qu'ils sortaient ensemble ? Ce serait embêtant. Très, très embêtant.

À la fin des cours, elle fit une halte aux toilettes. En général, elle ne se servait pas de celles des élèves, mais son dernier Coca light exigeait de sortir au plus vite de sa vessie. Elle était en train de se laver les mains quand elle entendit quelqu'un pleurer dans une des cabines. Elle attendit un moment puis frappa à la porte.

« Tout va bien ? » Question idiote. Manifestement, tout n'allait pas bien, loin de là.

Elle obtint quelques reniflements en réponse, puis tout doucement : « Ça va ».

Zadie fronça les sourcils. « Amy ?

— Quoi ?

— C'est Mme Roberts. Tu es sûre que ça va ? »

Amy poussa la porte, elle était assise sur les W.-C., couvercle baissé, et sanglotait dans un gros paquet de papier-toilette. « Je suis complètement dégoûtée, c'est tout.

— Que t'arrive-t-il ? »

Amy soupira en essuyant ses larmes à l'aide de la manche de

sa tenue de foot. « Vendredi soir, à la fête de Belinda Matthews, je suis enfin sortie avec Trevor. »

Oh ! mon Dieu. Zadie se doutait de ce qui allait suivre.

« Je suis amoureuse de lui depuis toujours. Je veux marier avec lui et tout. Et après ce qui s'est passé vendredi, moi je croyais qu'on allait former un couple. Il a dit qu'il m'appellerait cette semaine, et tout ça. Mais aujourd'hui, à midi, il m'a annoncé qu'il avait rencontré quelqu'un d'autre. » Amy fondit à nouveau en larmes, et se moucha dans son énorme tas de papier-toilette.

Zadie blêmit, mortifiée que Trevor brise le cœur de cette pauvre Amy pour elle.

Elle donna à son élève une nouvelle longueur de papier hygiénique. « Ce n'est peut-être qu'une amourette de rien du tout et vous pourrez reprendre où vous en êtes restés.

— Ça m'étonnerait. Il avait l'air d'être amoureux.

— Je suis sûre que non, dit Zadie. Donne-lui un peu de temps. »

Amy leva les yeux vers elle, légèrement perplexe en entendant un professeur s'avancer sur les sentiments de Trevor. « J'espère que vous avez raison, parce que moi, je l'aime. »

Zadie tint la porte ouverte pour qu'Amy, toujours en train de se tamponner les yeux, puisse rassembler ses affaires et sortir de là. « J'espère seulement que ce n'était pas une de ces filles plus âgées et supervulgaires que j'ai vues à son concert samedi. Elles faisaient tout pour aller devant et le toucher. Vous auriez dû les voir. Elles avaient des dos nus pailletés et des talons aiguilles – on aurait dit des putes. »

Pouffe et Super-Pouffe. Il fallut toute sa volonté à Zadie pour ne pas laisser échapper : « D'ailleurs, une des deux est une pute, maintenant. » Mais elle se retint, en s'estimant heureuse qu'Amy ne l'ait pas vue elle, au concert. Il ne manquait plus qu'un crêpage de chignon dans les toilettes des filles pour que sa semaine soit réussie.

Elle jeta un coup d'œil à sa montre en regagnant sa voiture. 15 h 30. Elle avait largement le temps d'aller jusqu'au bureau de Grey. Elle avait passé un coup de fil à son assistante à l'heure du déjeuner ; il était venu travailler, et il était de très, très mauvaise humeur, avait-elle appris. Allez comprendre. Zadie s'imaginait qu'en se rendant à son bureau, ils parviendraient à avoir une conversation sans qu'il hurle trop fort. C'était lâche et elle le savait, mais il fallait qu'elle lui parle.

Elle était en train de sortir de sa place de parking quand une claque contre sa vitre la fit sursauter ; elle freina un grand coup. C'était Trevor, sur son skate, qui roulait juste à côté d'elle.

Elle baissa sa vitre. « J'aurais pu te faire mal.

— Tu ne pourrais jamais me faire mal. » Il sourit.

« Il faut que j'y aille. Je dois voir quelqu'un qui ne va pas bien du tout.

— Qui ça ? Ta copine qui s'est fait dépouiller ? »

Zadie ne voyait pas de quoi il voulait parler. Une de ses copines s'était fait voler quelque chose ? Quand ça ?

« La fille avec le gode-ceinture. Un type a fouillé dans son sac pendant que tu lui hurlais dessus au Deep. Mais il a disparu dans la foule avant que je puisse l'arrêter. Je voulais te le dire après, mais j'ai complètement zappé. »

Jimbo. C'était forcément Jimbo. C'était lui qui avait volé la clé. L'enfoiré !

« Un gros type tout rougeaud ?

— Ouais, avec une coupe de cheveux années 90, genre. »

Il fallait qu'elle fonce retrouver Grey au plus vite.

« Je te vois demain, d'accord ? » Elle passa la première. « Et merci de m'avoir raconté ça. Ça arrange pas mal de choses. » Elle lui fit un signe de la main et s'en alla en le laissant planté là.

Elle appela Helen depuis sa voiture. « Tu ne lui as pas donné la clé. Il l'a volée. Trevor l'a vu.

— Qui est à l'appareil ?

— Oh, pardon, tante Carol. Helen est là ? C'est Zadie.

— Elle ne veut pas te parler, Zadie.

— Elle changera d'avis quand tu lui auras répété cette histoire de clé.

— Ne quitte pas. »

Trente secondes plus tard, Helen était en ligne ; elle dit avec une voix tremblotante où perçait un petit espoir :

« Trevor l'a vu la prendre ?

— Il vient de me le raconter. Je suis en route pour aller le répéter à Grey.

— Oh mon dieu ! Tu crois qu'il va accepter qu'on se remette ensemble ?

— Je ne sais pas. Je voulais juste que tu saches que tu n'avais pas racolé ce gros plouc.

— Appelle-moi quand tu auras vu Grey.

— Promis. »

Zadie raccrocha et prit à droite sur Sunset Boulevard, en direction de Century City. Elle aurait pu embrasser Trevor pour cette bonne nouvelle.

Mais bien entendu, c'était hors de question.

42

Le bureau de Grey se trouvait au douzième étage d'un gratte-ciel. Depuis la fenêtre du hall, on pouvait apercevoir, au loin, les lettres de Hollywood se détacher sur la colline. Les jours sans pollution, on distinguait des montagnes enneigées à l'est. Soit trois ou quatre fois par an.

Une réceptionniste à l'allure de mannequin lui demanda de patienter sur le canapé de cuir marron pendant qu'elle vérifiait si M. Dillon était disponible. Quelques secondes plus tard, elle raccrocha son téléphone et lui dit : « Je suis désolée, mais il est en réunion.

— Pouvez-vous le rappeler en lui disant que j'ai un témoin qui peut attester que la clé de la chambre a été volée à la partie en question ? »

La réceptionniste s'exécuta. Puis elle reposa le combiné et se tourna vers Zadie. « M. Dillon va vous recevoir dans un instant. »

Grey arriva dans le hall une minute après. « Qu'est-ce que tu fais là ? »

Zadie désigna la réceptionniste. « Elle vient de te le dire.

— Viens dans mon bureau, que personne ne me voie te jeter mon café au visage. »

Zadie se leva pour le suivre, pariant qu'il ne lui enverrait pas la moindre boisson chaude dessus quand il aurait entendu toute l'histoire.

Ils entrèrent dans son bureau tout de cuivre et de merisier et il referma la porte derrière eux. « Bon, qu'est-ce que c'est que cette histoire ?

— D'abord, où étais-tu passé ? J'ai dû t'appeler une centaine de fois. Je suis même allée jusqu'à Bolsa.

— J'ai été un peu bouleversé, Zadie. C'est le genre de chose qui arrive quand ton mariage n'a pas lieu. Tu te souviens ? »

Oui, elle se souvenait. Mais elle avait passé les jours suivant son mariage avorté à pleurer et à vomir chez Grey. Elle était peinée de n'avoir pu lui rendre le même service. Bon, évidemment, il était furieux contre elle, alors les circonstances étaient légèrement différentes.

« Et tu n'es pas tout à fait la personne que j'ai le plus envie de voir en ce moment, ajouta-t-il. Quand je t'ai demandé de faire en sorte qu'Helen s'amuse, je ne voulais pas qu'elle se saoule, ni qu'elle fasse du rentre-dedans à tous les types que vous alliez croiser.

— Elle ne lui a pas donné sa clé. Il l'a volée dans son sac à main. J'ai un témoin.

— Qui ça ? Betsy ? Ça ne prend pas. Elle a essayé de me faire croire que c'était elle qui lui avait donné la clé pour que j'accepte de revoir Helen. » Ouah, pensa Zadie. Ça, c'était une bonne amie.

« Ce n'est pas Betsy, c'est Trevor.

— Et qui c'est, ce Trevor ?

— Mon élève. »

Grey fronça les sourcils, perdu. « Celui avec qui tu veux coucher ? »

Évidemment, ce n'était pas le moment de revenir sur cette histoire, aussi Zadie passa sur les détails. « Il était là. Il a vu Jimbo fouiller dans son sac et prendre sa clé.

— Il te l'a dit.

— Oui, il vient de me le raconter, à la sortie du lycée.

— Alors ce type la drague toute la soirée, puis va voler la clé de sa chambre dans son sac à main ?

— Oui.

— Putain, je vais le tuer.

— Compte sur moi pour t'aider.

— Et ses mains sur ses fesses et le fait qu'il l'ait tripotée de partout ?

— C'est vrai, c'est ce qui s'est passé. Mais si je peux me permettre, je te rappelle que tu as eu cinq strip-teaseuses sur les genoux. Au moins, elle, elle n'a pas eu à le payer pour qu'il la pelote. »

Grey réfléchit à ce qu'elle venait de dire. « Ce n'est pas faux. » Il s'assit sur le bord de son bureau. « C'est juste que je n'arrive pas à croire tout ce qui est arrivé. Ce n'est pas Helen telle que je la connais. Je n'ai pas la moindre idée de ce qu'est cette nouvelle facette.

— Eh bien disons que ta fiancée n'est peut-être pas parfaite, après tout. Mais elle est toujours amoureuse de toi, bien que tu l'aies larguée la veille de votre mariage.

— Je pensais qu'elle avait donné sa clé à ce type ! Quant à toi, tu croyais qu'elle avait couché avec lui ! Ne me lance pas sur ce sujet, d'ailleurs. On a passé toute la journée ensemble et ça ne t'est jamais venu à l'idée d'évoquer ce point ?

—J'ai bien fait de me taire puisque ce n'était pas vrai.

— Mais tu l'ignorais, à ce moment-là. »

Zadie soupira. « Je n'ai pensé qu'à ça, ce jour-là. Mais tu étais tellement impatient, tellement amoureux, je ne voulais pas t'enlever ça.

— Alors si j'avais cru que Jack avait baisé une strip-teaseuse la veille de votre mariage, tu aurais préféré que je ne t'en parle pas ?

— Eh bien, vu la tournure qu'ont pris les événements, ça n'aurait pas eu grande importance, hein ?

— Réponds à la question. »

Zadie prit un presse-papier en forme de bobine de film sur le bureau de Grey. « Peut-être qu'un message anonyme aurait été bien.

— Donc tu aurais voulu savoir. » Il assena cette réplique comme si Zadie était au tribunal et qu'il jubilait devant le jury.

« Non, je n'aurais pas "voulu" savoir. Qui voudrait savoir ce genre de choses ?

— Tu m'aurais laissé épouser une fille – que tu n'apprécies pas, en plus – tout en croyant qu'elle avait couché avec un autre la veille ?

— Bon, je crois que j'ai déjà répondu à cette question. Je ne comptais rien dire… Jusqu'à ce que je la voie te mentir en face. Enfin, c'est ce que j'ai cru. Je ne voulais pas être celle qui te briserait le cœur. Peut-être cela fait-il de moi quelqu'un d'égoïste, une merde absolue, peut-être que tu me hais à cause de ça, mais c'était un risque que je préférais courir, pour ne pas te voir souffrir comme je savais que tu souffrirais. »

Grey avait les yeux fixés sur le sol. Zadie ne savait pas s'il était d'avis qu'elle était une merde absolue ou s'il appréciait l'intention générale derrière tout ça. Il la regarda. « Que s'est-il passé d'autre ce soir-là ?

— Tu sais le pire. On est allées voir des strip-teaseurs, mais ils étaient gays. Ça ne compte pas, à en croire ta sœur.

— Génial. Alors Helen a vu des mecs à poil ? »

Zadie soupira et lui jeta un regard fatigué. « Ne me dis pas que tu es jaloux d'un type du nom de Sexy Giovanni, sinon tu as de plus gros problèmes que je ne pensais. »

Grey ne répondit pas. Il s'effondra sur le canapé. « Tout est allé si vite, entre elle et moi… Quand j'ai découvert qu'elle n'était pas celle que je croyais, notre relation m'a paru un gigantesque mensonge.

— Je comprends », dit Zadie. Elle savait que c'était ce qu'il ressentirait. N'importe qui aurait pensé ça. Lorsqu'elle avait appris que Jack était un connard sans considération, et pas un fiancé transi, cela avait annulé le moindre bon moment qu'ils avaient passé ensemble. « Pourquoi tu n'irais pas discuter avec elle pour voir s'il y a une version ou une autre d'Helen qui te conviendrait ? Je sais que tu l'aimes encore. C'est vrai, tu trouvais ça mignon, qu'elle soit saoule, jusqu'à ce que tu saches pour les godemichés et le plouc.

— Les godemichés ?! » répéta Grey, ahuri.

Zadie se mordit la lèvre, elle avait oublié qu'il n'était pas au courant pour cette partie de la soirée. « C'était livré avec une poupée gonflable. Ça faisait partie des accessoires pour faire la fête qu'on a achetés pendant qu'elle choisissait de la lingerie pour toi au magasin Hustler. »

Il se calma un peu. « Tu lui as parlé ?

— Juste avant de venir. Elle a passé les deux derniers jours à pleurer au fond de son lit.

— C'est vrai ? »

Zadie lui jeta un regard incrédule. « Tu croyais quoi ?

— Je ne sais pas… Qu'elle serait sortie avec son plouc. »

Mon Dieu. Ce que les hommes pouvaient être idiots. « Mais oui, Grey. À peine tu étais sorti de l'hôtel qu'Helen lui est tombée dans les bras et depuis ils n'ont pas quitté la suite nuptiale. D'ailleurs, le room service est mis sur ta note. »

Il la regarda, l'air de dire « Très drôle », puis entreprit de rassembler et attacher les uns aux autres les trombones qui traînaient. « Je devrais peut-être l'appeler.

— Absolument. »

Il leva les yeux de sa guirlande de trombones. « Pourquoi tu fais ça ? Pourquoi tu essayes de nous réconcilier ? Ce mariage ne t'a jamais plu.

— Je n'ai pas dit ça.

— Mais tu l'as pensé… »

C'était vrai. Elle, qui était si énervée depuis leurs fiançailles, faisait tout pour qu'ils se remettent ensemble. « Parce que je veux ton bonheur, Grey. Et tu étais heureux quand tu étais avec Helen. » Ah, vous voyez ? Peut-être qu'elle n'était pas si égoïste après tout. En fait, aider au bonheur des autres était bien plus satisfaisant que de se complaire dans son propre manque dans ce domaine. Jouer la sainte était bien plus sympa que jouer la martyre. « Et pour ton information, samedi soir, quand Helen était saoule, il y a eu certains moments où je l'ai sincèrement appréciée. » Elle se leva. « J'y vais, alors tu peux l'appeler, maintenant.

— J'étais à San Diego, au fait. Chez Mike. Tu lui as plu. Il veut te revoir. »

Zadie enleva sa main de la poignée de porte et se retourna, intriguée par cette nouvelle. « C'est vrai… ?

— Je lui ai dit que tu n'étais qu'une garce et que tu n'en valais pas la peine.

— Bon, tant pis. » Elle ouvrit la porte. Grey la rappela.

« Je plaisante. Je lui ai dit que j'étais trop en colère pour parler de toi et qu'il n'avait qu'à attendre que je n'aie plus envie de te tuer.

— Eh bien, fais-moi savoir quand ce jour sera arrivé. »

Zadie sortit du parking et téléphona à Helen sur-le-champ. « Il t'a appelée ?

— Il est sur l'autre ligne.

— Il faut que tu me promettes une chose. Raconte-lui Cancún. Pas aujourd'hui, mais un jour. »

Helen parut estomaquée. « Pourquoi ?

— Helen…

— D'accord, je lui dirai. »

Elles raccrochèrent. S'ils recommençaient tout à zéro, il fallait que Grey ait toutes les données. Manifestement, Helen n'était pas tout à fait guérie de sa « cancúnite ».

43

De retour chez elle, Zadie eut envie de fêter ça. L'amour triomphait. Toutes les excuses sont bonnes pour un verre de vin. Elle s'ouvrit une bouteille de pinot noir et composa le numéro de Dorian.

Celle-ci répondit au bout de trois sonneries. « Tu appelles pendant le dîner. J'ai brûlé les spaghettis.

— J'ai couché avec un mec et j'ai rencontré quelqu'un avec qui je peux sortir.

— S'agit-il de deux choses totalement séparées ?

— Oui.

— Ne quitte pas, j'ouvre une bouteille. Nous devons saluer ce grand événement.

— Je me suis déjà servie, dit Zadie.

— Duquel veux-tu parler en premier ?

— Le rencard potentiel. Il s'appelle Mike, il est avocat.

— Il me plaît. Et qui est le veinard avec qui tu as batifolé ?

— Trevor.

— Ai-je droit à quelques détails sur ce Trevor ?

— Il est mannequin.

— Continue…

— Et c'est à peu près tout. C'était juste un coup comme ça. » Zadie s'assit sur son canapé, heureusement dépourvu de la moindre empreinte de chat depuis qu'elle s'était accroché un panneau disant « Ferme cette putain de porte » sur la baie vitrée, pour ne pas oublier.

« Et comment tu sais que ce n'était que pour un soir ? demanda Dorian.

— Parce que je ne coucherai plus avec lui.

— C'est ton choix ou le sien ?

— Le mien.

— Je peux savoir pourquoi ?

— Non.

— Petite bite ? »

Ha ha. Pas vraiment, non. « Il a dix-neuf ans », lâcha Zadie, en se disant qu'elle pouvait bien le raconter à sa meilleure amie, puisque Gilda et Jane étaient déjà au courant.

« Oh c'est pas vrai. Si tu me dis en plus que c'est un de tes élèves, j'appelle la télé pour leur dire qu'ils tiennent un bon scénar'.

— C'est toi qui m'as dit que Dan avait couché avec une de ses profs !

— Oh bordel, c'est vraiment un élève à toi ! J'adore !! »

Zadie était épatée de voir à quel point sa turpitude morale était aussi largement approuvée par toutes ses amies. Qu'est-ce que cela lui apprenait à leur sujet ? Bien entendu, elle avait choisi son public avec soin. Elle était sûre que son psy, sa mère et le conseil d'administration du lycée auraient eu une réaction toute différente.

« Tu dois me jurer le secret. Si jamais quelqu'un d'autre me rapporte cette histoire, tu n'auras plus jamais aucun ragot.

— Allez, tu dois au moins me laisser le raconter à Dan.

— Pourquoi Dan aurait-il besoin de savoir ce genre de choses ?

— Parce que les trucs les plus palpitants que j'aie à lui dire, c'est ce que Josh avait dans le nez au réveil. Allez… Laisse-moi lui raconter. Ça nous fera au moins une semaine de conversation, la supplia Dorian.

— Tu vas exploiter ma vie sexuelle pour redonner de l'intérêt à ton mariage ?

— Pourquoi crois-tu que je te vois toujours ?

— Très bien, céda Zadie. Raconte-lui. Je ne voudrais pas vous priver d'un moment d'intimité dans votre bonheur conjugal, durant lequel vous pourrez rire ensemble de la dégénérée que je suis.

— Et c'était comment, au fait ?

— Comment se fait-il que tu ne poses aucune question sur Mike ? »

On frappa à la porte de Zadie. Elle fronça les sourcils. Qui pouvait bien venir la voir un mardi soir ? Trevor avait-il déniché son adresse ? Ou bien était-ce Grey, venu lui raconter sa conversation avec Helen ?

« Ne quitte pas, il y a quelqu'un à la porte. » Elle se leva pour aller jeter un œil par le judas. Qu'allait-elle faire si c'était Trevor ? Ce serait une sorte de coup de pied au cul du karma parce qu'elle était justement en train de parler de lui.

Elle colla son visage contre le panneau. Elle sentit tout son sang quitter ses extrémités pour se rassembler dans ses pieds. « Dorian ? Je te rappelle. » Elle raccrocha comme un zombie et ouvrit la porte.

Jack se tenait sur le seuil.

Une rose à la main.

Sourire aux lèvres.

« Salut », fit-il. Les mots pour le dire, comme toujours.

« Jack. » Ce fut tout ce qu'elle parvint à articuler. Qu'était-elle censée ajouter ? Elle tenta de se remémorer les répliques cinglantes qu'elle avait préparées, mais aucune ne lui vint à l'esprit.

« Je sais que c'est un peu maladroit, mais j'espérais qu'on pourrait discuter. Je peux entrer ? »

Elle le dévisagea un instant, puis recula d'un pas et s'écarta de l'encadrement pour le laisser passer. Elle avait beau savoir qu'elle se fichait de ce qu'il pourrait bien lui raconter, elle mourait d'envie de l'entendre.

Il lui tendit la rose, elle la posa sur le bar. Omettant délibérément de la mettre dans l'eau. Rien à foutre, de sa rose.

« Nouveau canapé. Joli », dit-il avant de s'asseoir dessus et de poser ses pieds sur la table basse. Il ne portait pas de pantalon en cuir, mais un tee-shirt Gucci moulant et un jean qui devait coûter au moins cent dollars. Il avait fait de la muscu. Il n'avait pas un gramme de graisse. Et il avait les dents plus blanches.

Zadie donna une petite tape pour éjecter ses pieds de la table et s'installa dans le fauteuil face à lui. « Laisse-moi deviner. Tu t'es inscrit aux Salauds Anonymes et tu dois demander pardon aux personnes que tu as blessées. »

Il fronça les sourcils. « Non... Qu'est-ce que tu racontes ?

— Sinon, je ne vois pas ce que tu ficherais ici.

— Je crois qu'on a des choses à se dire.

— Il t'a fallu sept mois pour le comprendre ? » Zadie n'arrivait pas à croire qu'elle avait cédé, mais son côté pathétique espérait qu'il venait présenter ses excuses. Même si elle n'en laisserait jamais rien paraître.

« Je reconnais que je ne me suis pas très bien comporté, dit Jack.

— C'est ton attaché de presse qui t'a soufflé ça ?

— Pourquoi tu es aussi sarcastique ? »

Mon Dieu. Pour la deuxième fois ce jour-là, elle se demanda comment les hommes pouvaient être aussi débiles. Finalement, elle devrait peut-être sortir avec Trevor. Il était jeune. Elle pourrait le modeler. L'empêcher de devenir comme ça. « Tu as raison, Jack. Je n'ai pas la moindre raison de me montrer agressive envers toi. » Et ça, ça lui allait comme sarcasme ?

« Je suis une thérapie et mon psy m'aide à travailler certaines choses. »

Zadie prit une gorgée de vin pour se requinquer. « Comme le fait tu ne te sois même pas donné la peine de te présenter à ton mariage ? Ou que je ne t'aie plus jamais revu depuis ? C'est vrai qu'il y a du boulot, Jack. J'espère que tu le payes bien. »

Il se mit à jouer avec la fermeture de sa montre, en essayant d'éviter son regard. « Je n'étais pas obligé de venir ici ce soir, Zadie.

— Et moi, je n'étais pas obligée de te laisser entrer, espèce de lâche. » D'ailleurs que faisait ce connard sur son canapé ? acheté après avoir mis au clou sa bague de fiançailles.

« Je suis désolé. Je te demande pardon pour ce que j'ai fait. Tu es satisfaite ?

— Quand tu dis les choses comme ça, je suis ravie. Quelle sincérité dans le repentir. On t'a appris ça en cours de théâtre ? »

Jack soupira, ferma les yeux et posa sa tête sur le dossier du canapé. « Je comprends que tu sois en colère.

— Ah bon ?

— Je ne t'en veux pas. Si j'étais à ta place, je le serais moi aussi. »

Il avait le culot de valider sa colère à elle ? Zadie se resservit en vin pour se retenir de lui en coller une. Elle avait les mains qui tremblaient et renversa quelques gouttes.

« J'aurais dû venir te parler à mon retour de Vegas, dit-il.

— Tu aurais dû te pointer à notre mariage. »

Il baissa les yeux vers le sol. « Je n'étais pas prêt à me marier.

— Tu as choisi une façon idéale de me l'annoncer.

— Je m'en rends compte, maintenant. Mais sur le coup, je n'ai pas su quoi faire d'autre.

— Un coup de fil peut-être ? Avant que je n'arrive à l'église dans ma robe blanche ? Tu aurais pu limiter les dégâts. »

Il fondit en larmes. Zadie ne savait pas trop comment réagir. Elle ne l'avait jamais vu pleurer en vrai, seulement à la télé. Était-ce du cinéma pour essayer d'atténuer sa colère ?

« Je n'arrive pas à croire que j'aie pu te faire souffrir comme ça. Je t'aimais. »

Zadie soupira et se tourna vers la fenêtre. Il y avait des merdes de chat dans ses cactus. « Tu ne m'aimais pas, Jack. Si tu m'avais aimée, tu ne m'aurais pas laissée souffrir autant. C'est ça le pire. Quand je me suis rendu compte de ça. »

Elle regretta immédiatement d'avoir partagé des sentiments réels avec lui. Il ne le méritait pas.

« Si, je te le jure. Je t'aimais. Mais je ne savais pas comment m'y prendre. Tout était en train de changer dans ma vie et je n'étais pas certain de ce qui était vrai. » Il arrêta de pleurer et sécha ses larmes. « Mais comme je disais, grâce à ma thérapie, j'ai compris des choses. »

Zadie ne voyait pas du tout où il voulait en venir. « Quoi exactement ?

— J'étais sincèrement amoureux de toi. J'ai juste eu peur. »

Elle le regarda. « Et qu'est-ce que je suis censée faire avec ça, Jack ? Applaudir à ta grande révélation ? Parce que franchement, je ne me sens pas mieux, là. C'est moi qui ai été abandonnée devant l'autel. Tu restes le connard qui m'a brisé le cœur. » Elle n'allait quand même pas pleurer, merde. Elle n'allait PAS pleurer.

« Je ne te demande pas de faire quoi que ce soit. Je veux juste que tu y penses. »

Elle était sur le point d'exploser. « Que je pense à quoi ? »

Jack se pencha et lui prit la main. « Mon psy croit que nous devrions retenter le coup tous les deux. »

Zadie le dévisagea.

Si elle avait été plus faible, peut-être aurait-elle eu envie d'entendre ça. Si cette scène s'était déroulée la semaine précédente, peut-être aurait-elle tué pour l'entendre prononcer ces mots. Pas d'en faire quoi que ce soit, mais simplement pour savourer l'ironie, la beauté de son repentir face à son indifférence. Mais aujourd'hui, elle n'avait pas besoin de ça. Aujourd'hui, elle était tout simplement irritée. Elle lui reprit sa main avec brusquerie. « Je retire ce que j'ai dit. J'espère que tu ne le payes pas trop bien, parce que visiblement, ton psy est un crétin. »

Elle avait mal au crâne. Elle voulait qu'il s'en aille. Elle voulait qu'il s'en aille sur-le-champ.

Jack semblait perturbé, comme s'il lui était inimaginable qu'elle ne saute pas de joie devant cette invitation à renouveler leur formidable relation. « Tu vois quelqu'un d'autre ? »

Le ridicule n'avait plus de bornes.

« Oui, Jack. Je vois un psy qui m'a convaincue que tu es l'antéchrist. Je vois des amis qui me disent que j'aurais dû te faire estropier. Je vois des hommes dans la rue qui sont mieux que toi sur tous les points. Je vois plein de gens et tous me montrent quel connard tu es, alors tu te lèves de mon canapé, tu montes dans ta Porsche et tu files direct chez ton psy lui dire qu'il se trompe. Tu ne mérites pas qu'on retente le coup. Le seul coup que tu mérites, c'est à la tête.

— La vache, tu es vraiment très en colère.

— Tire-toi de mon canapé, Jack. »

Il se leva et se dirigea vers la porte. « Alors c'est tout ? On va se quitter comme ça ?

— C'est comme ça qu'on s'est quittés il y a sept mois. Moi au moins j'ai la correction de te le dire en face. » Elle ouvrit la porte et lui fit signe de sortir. Il obéit et une fois sur le palier, il se retourna vers elle.

« Je t'aimais vraiment.

— Va te faire foutre. »

Elle lui claqua la porte au nez, repartit vers le canapé, reprit son verre de vin et rappela Dorian.

« Alors, où en étions-nous ? »

44

Le vendredi était arrivé et Zadie avait réussi à éviter Trevor aussi longtemps que possible sans incident. Mais l'incident se produisit sur le parking ce matin-là. Il l'attendait.

« Qu'est-ce que tu fais là ? Tous les profs se garent ici. » Elle attrapa son sac à main, ferma sa portière et s'assura que personne ne les avait vus.

« Pourquoi tu ne m'as pas appelé ?

— Pourquoi tu n'as pas appelé Amy ? »

Il la dévisagea comme si elle était stone. « De quoi tu parles ?

— Amy t'aime beaucoup.

— Je m'en fous.

— Je crois que tu n'aurais pas dû la laisser tomber comme ça. »

Il la regarda et secoua la tête en lâchant de petits soupirs irrités. « C'est ta façon de me dire qu'on ne sortira plus ensemble ? » Il semblait blessé. Zadie se sentit immédiatement coupable.

« Trevor, je suis désolée, mais je pense que ce n'est pas une bonne idée. On a passé une nuit géniale, mais on devrait s'en tenir là.

— Mais tu as dit que ça t'avait plu.

— C'est vrai. Tu n'imagines pas à quel point. Et tu trouveras un million de filles qui aimeront...ça... autant que moi. Mais je ne peux pas être ta petite amie. Tu es mon élève.

— Dans quinze jours je suis diplômé. On peut sortir ensemble à ce moment-là. Je ne serai plus ton élève. »

Elle luttait pour trouver une réponse à cela quand elle vit Nancy arriver dans son cabriolet. Zadie fit signe à Trevor de s'en aller, il posa son skateboard et traversa le parking en lui jetant un dernier regard signifiant qu'elle était la femme la plus cruelle au monde.

Nancy s'approcha de Zadie. « Qu'est-ce que Trevor Larkin faisait sur le parking des profs ?

— Il avait une question à propos de sa note de devoir.

— En tout cas, s'il a besoin de cours particuliers, il sait où les trouver... » Nancy lui donna un coup de coude, comme s'il était parfaitement naturel de plaisanter sur le fait de coucher avec Trevor. « Je rigole. Tu imagines ? Je n'oserais plus jamais me montrer au lycée. Ni nulle part ailleurs, maintenant que j'y pense ! »

Zadie fit une grimace. Elle imaginait très bien. Grey débarqua au lycée à l'heure du déjeuner. « Tu savais, pour Cancún ? »

Elle était installée dans la salle des profs en compagnie de Nancy, Dolores et M. Jeffries, le prof de gym ; elle décida que la conversation serait peut-être plus adaptée aux tables de pique-nique dans la cour. Elle s'excusa et entraîna Grey à l'extérieur.

« Je l'ai appris pendant l'enterrement de vie de jeune fille. Gilda m'a tout raconté dans les toilettes du club de strip. C'est à ce moment-là que j'ai attrapé Helen par les cheveux et qu'on l'a ramenée à l'hôtel.

« — Trois mecs ?! La même nuit !

— Quand te l'a-t-elle raconté ?

— Hier soir. »

Zadie se demandait combien de temps ça prendrait. Elle avait appelé Grey tous les jours pour vérifier les progrès de la réconciliation. Jusque-là, tout allait bien. Ils parlaient. Elle avait passé deux fois la nuit chez lui. Puis il y eut Cancún.

« Alors toute cette histoire de virginité, de "je n'ai jamais bu une goutte d'alcool"… c'était du flan. Une imposture du début à la fin, dit-il.

— Apparemment.

— Quel genre de personne fait ce genre de choses ?

— Ta copine.

— Si elle n'avait pas fait tant de cinéma autour de sa virginité, je m'en foutrais, mais elle s'est créé un personnage complètement faux. Pourquoi mentir ? Pourquoi ne pas omettre d'en parler, tout simplement ?

— Elle essayait peut-être de se convaincre elle-même. » Zadie voyait Trevor de l'autre côté de la cour, qui la regardait. Il faisait une partie de foot avec un groupe de copains et ne la quittait pas des yeux.

Grey s'assit sur un banc et vint poser ses coudes sur ses genoux. Zadie se joignit à lui, en gardant un œil sur Trevor. « Manifestement, elle avait honte de ce qui s'était passé, alors elle a décidé de recommencer à zéro en brodant un peu.

— On peut dire ça comme ça, soupira Grey.

— Y a-t-il quoi que ce soit dans ce scénario qu'elle ait fait pour te blesser délibérément ?

— Non.

— Et étant donné que tu as dû coucher avec au moins trente femmes, es-tu vraiment horrifié qu'elle ait connu trois hommes avant toi ?

— Ça aurait été mieux si ça n'avait pas été en une seule nuit…

— Tu avais bien dit que tu voulais qu'elle se lâche… »

Il leva les yeux vers elle. « Écoute-toi. On dirait que tu négocies un marché.

— J'essaie juste de mettre les choses en perspective. »

Grey plissa les yeux en direction de l'autre côté de la pelouse. « Pourquoi ce gosse n'arrête pas de nous regarder ?

— C'est une longue histoire.

— C'est lui ton mannequin ?

— Oui. Ne t'occupe pas de lui.

— Je crois qu'il en pince pour toi. Il me fixe comme s'il avait envie de me casser la gueule.

— Comme je disais, c'est une longue histoire. » Elle se leva. « Rentrons. »

Grey sourit. « Oh, c'est pas vrai. Tu as couché avec lui. »

Zadie lui fit signe de baisser d'un ton. « Je ne discuterai pas de ça sur mon lieu de travail. » Elle le força à quitter le banc et le poussa jusqu'au parking des visiteurs.

« Ça s'est passé quand ? Après le Deep ?

— Au revoir, Grey.

— Allez…

— Je te raconterai ça une prochaine fois. »

Il déverrouilla sa voiture. « Alors, je fais quoi pour Helen ?

— Tu sais déjà ce que tu vas faire.

— Ah bon ?

— Au revoir, Grey. »

Elle repartit en direction du lycée, certaine que Grey et Helen continueraient de former un couple. Bien qu'elle y ait été opposée depuis le début, elle était désormais leur plus grande championne. Pour des raisons qu'elle n'arrivait pas bien à cerner. Elle savait seulement que moins Helen était parfaite, plus elle l'appréciait.

Et qu'elle préférait de beaucoup voir Grey heureux que dévasté.

La sixième heure arriva et Trevor s'assit au dernier rang, l'air boudeur. Après le cours, elle lui demanda de venir la voir. Il approcha, feignant l'indifférence. « C'était ton mec ?

— Mon ami. Grey. Le futur mari de ma cousine. Celle avec le gode-ceinture. » Le fait qu'Helen serait à jamais décrite comme « celle avec le gode-ceinture » amusait énormément Zadie.

— Ah. D'accord. » Il lui sourit. Se croyant toujours dans la course.

« J'ai quelque chose pour toi. » Elle lui tendit une enveloppe. C'était la lettre de recommandation de Betsy pour Stanford. Zadie l'avait appelée à son bureau en lui demandant de la lui faxer, non sans lui avoir donné un dernier point sur la situation entre Helen et Grey. Betsy voulait partir en chasse de Jimbo et l'attaquer en justice, mais personne n'était capable de se souvenir de son nom de famille.

Trevor l'ouvrit et la parcourut rapidement. « Cool ! C'est génial. T'es vraiment canon. » Il la rangea dans son agenda et, la regardant dans les yeux, il baissa la voix, bien que la classe fût vide. « Je peux te voir ce soir ? »

Zadie le regarda, soupira. Consciente qu'elle ne devrait pas.

« Il y a encore une chose que j'ai toujours voulu faire avec toi. »

45

Zadie se hissa à califourchon sur son surf et dégagea ses cheveux de son visage. Ils étaient entre deux vagues, elle avait besoin de se reposer un peu.

« Je t'ai toujours imaginé en shortboarder. »

Trevor était à côté d'elle sur sa planche de neuf pieds. « Pas sur des vagues comme ça. »

Un après-midi parfait à Malibu. Du moins pour Zadie. Des vagues assez petites pour que l'océan ne soit pas envahi par les pros, mais assez grosses pour qu'elle puisse les prendre. La température de l'eau était assez agréable pour que sa combinaison de printemps, qui s'arrêtait aux genoux, soit suffisante. Trevor avait choisi de braver l'océan en caleçon de bain, montrant le torse qui devait lui rapporter plus en une seule séance photo que Zadie ne gagnait en six mois.

« Tu es doué. Tu as déjà participé à des compétitions ? demanda-t-elle.

— Nan. Pourquoi se stresser ? Moi je fais ça pour le fun.

— C'est une bonne philosophie.

— Tu n'es pas mauvaise pour quelqu'un qui vient de commencer. Tu es plutôt souple, aussi, alors ça aide. » Il lui sourit, se croyant malin d'avoir réussi à ramener la conversation sur le sexe.

« Trevor…

— Je ne vois pas ce qui nous empêche de remettre ça une fois. Au moins.

— Parce que j'ai l'impression d'être une vieille lubrique.

— Mais on l'a déjà fait.

— Oui, mais je suis sobre, maintenant.

— On peut s'arrêter acheter une bouteille de tequila en route. »

Une vague arrivait, elle la lui montra. « C'est parti. »

Trevor abandonna le sujet pour s'allonger sur sa planche et se mettre à ramer. Il prit une bonne vague, qui l'emmena jusqu'à la jetée. Zadie prit la suivante, mais un vieux lui tomba dessus et elle fut forcée de revenir à son point de départ, ce qui lui donna amplement le temps d'inventer une excuse pour Trevor pendant qu'il la rejoignait.

« Qu'est-ce que tu dis de ça ? proposa-t-elle tandis qu'il s'asseyait sur son surf à côté d'elle. Si je suis toujours célibataire quand tu seras diplômé de Stanford, je sortirai avec toi.

— Et si je ne veux plus de toi à ce moment-là ? la taquina-t-il.

— Tant pis pour moi.

— Tu auras quel âge ?

— Trente-cinq ans. »

Il fit semblant d'y réfléchir, puis haussa les épaules. « Alors il suffit que je me débarrasse de tous tes copains jusque-là ? »

Zadie l'éclaboussa. « De toute façon, tu reviendras sûrement d'Europe avec une top model dans ta valise, cet été.

— Ça m'étonnerait. Qu'est-ce que je ferais d'une copine qui

vit en Europe ? » Il ne manquait pas de logique, pensa Zadie. Comme sa vie serait plus simple si elle était comme lui.

Elle plissa les yeux en direction de la plage, face à eux, et observa un petit garçon qui entrait dans l'eau et en ressortait en criant. « Mon ex-fiancé est passé me voir il y a quelques jours. » Zadie n'arrivait pas à croire qu'elle lui racontait ça. Elle n'en avait parlé à personne. Pas même à Dorian, qu'elle avait pourtant eue au téléphone juste après. Elle avait l'impression de devoir prendre un peu de recul avant d'en parler. Trevor était peut-être le meilleur interlocuteur, parce qu'il en savait moins que les autres.

Il fronça les sourcils. « Que s'est-il passé ?

— Il voulait qu'on se remette ensemble.

— Après t'avoir plaquée le jour de ton mariage ? Il est grave, ce mec.

— C'est exactement ce que je me suis dit. » Zadie continua de regarder le petit garçon, qui lança une poignée de sable mouillé sur un pauvre chien.

« Alors tu l'as envoyé se faire voir ?

— J'ai sûrement été un peu plus méchante que ça, mais oui. » Une autre vague passa, mais ils demeurèrent sur leurs planches, la laissant passer.

« Et ça va ? demanda-t-il.

— Oui. Ça va bien. C'était tellement ridicule. J'avais l'impression de le voir à la télé.

— Moi j'ai vu le feuilleton une seule fois, un jour où j'étais stone, et je l'ai trouvé à chier. Alors à mon avis, tu ne vas pas rater de cérémonies des Oscar ni rien dans ce genre, crois-moi. »

C'était la première fois que quelqu'un la faisait rire à propos de Jack. Bon, ce n'était pas tout à fait vrai. Grey avait imité Jack ouvrant son colis UPS plein de merde de chien, ce qui l'avait fait mourir de rire. Mais les commentaires de Trevor n'en étaient pas moins charmants.

« Tu es la seule personne à qui j'en aie parlé. De sa visite.

— Comment ça se fait ?

— Je ne sais pas, fit-elle en souriant. Peut-être que tu seras chargé de tous mes secrets à partir de maintenant. » Elle lui donna un petit coup de pied sous l'eau et il lui sourit.

« Je suis désolée de m'être montrée un peu brusque avec toi au lycée, mais c'est juste que…

— Je sais, dit-il. Pas de souci. Je n'ai pas envie de te trouver au chômage quand je reviendrai te chercher dans quatre ans. » Un bout d'algues se coinça dans la lanière de Trevor. Zadie se pencha pour la démêler.

« Oh-oh. Je viens de penser à quelque chose, dit-elle. Et si ton groupe devient célèbre ? Je vais faire tellement vieille à côté de toutes tes groupies.

— À ce moment-là, j'aurai assez de fric pour te payer une opération de chirurgie esthétique. »

Elle lui donna une petite tape espiègle. Ils se mirent à ramer pour la vague suivante. Et la prirent ensemble.

46

Lorsque Zadie arriva chez Grey, il y avait déjà une douzaine de personnes dans le jardin : Bill, son associé et témoin, Betsy et son mari, Denise, son mari, son ventre de huit mois de grossesse, Marci, Kim et leurs maris bougons, Jane, trois garçons d'honneur dont Zadie n'avait jamais su les noms et bien entendu, Helen, radieuse comme jamais.

Tous les arbres avaient été décorés de guirlandes blanches et des torches de bambou étaient plantées dans la pelouse, envoyant leur fumée de kérosène dans la nuit. Grey lui tendit un verre de vin. « Bienvenue à la fête de re-fiançailles. » Zadie l'embrassa et parcourut le jardin du regard. Grey s'en aperçut. « Ne t'inquiète pas. Mike va venir.

— Je sais. » Elle sourit.

Après la réconciliation officielle, Mike avait appelé Zadie pour la féliciter de son pouvoir de persuasion. Ils avaient discuté trois heures. Durant lesquelles il n'avait pas dit le moindre truc agaçant.

Il l'avait rappelée quatre fois depuis. Elle avait même ressenti le besoin de parler de lui à sa mère. Mavis s'était montrée tellement excitée qu'elle avait failli en laisser tomber le téléphone.

Grey baissa la voix. « Et si tu es sage, je ne lui dirai pas que tu préfères les jolis garçons sans poil. » Elle lui pinça le bras. Après avoir rétabli leur rituel du jeudi soir chez Barney, Zadie avait tenu sa promesse et raconté à Grey tout ce qu'il y avait à savoir sur Trevor. Fréquence et taille comprises.

« Ne te moque pas de moi. Si ça ne marche pas avec Mike, Helen et toi vous serez condamnés à sortir avec Trevor et moi dans quatre ans.

— Pourquoi attendre ? Peut-être qu'il me trouvera une place d'assistant sur la tournée de son groupe. Je pourrais remplir les fûts de bière. »

Elle le laissa dire. « Vas-y. Défoule-toi. »

Apercevant son frère, Grey alla le saluer à l'instant où Helen remarquait Zadie et se précipitait pour la serrer dans ses bras. « C'est incroyable ? Je lui ai tout dit et regarde où on en est !

— Mais non, ce n'est pas incroyable, dit Zadie. Il t'aime. »

Helen leva sa coupe de champagne. « Ne t'inquiète pas. Juste un verre.

— Quoi ? Pas de strip-tease ce soir ? demanda Zadie.

— Peut-être en privé », dit-elle en faisant un clin d'œil à **Grey**. Puis elle attrapa la main de sa cousine.

« Je te dois tant.

— Je sais, fit Zadie. Et je m'en tiens à mes menaces précédentes. Si tu le fais souffrir, je te tue. »

Helen sourit et la serra à nouveau dans ses bras. « Si je n'avais pas de sœur, tu serais mon témoin.

— Tu te souviens de tous ces cadeaux d'anniversaire que je ne t'ai jamais offerts ? » Elle désigna Grey de la tête. « Eh bien on est quitte.

« — Si tu savais comme j'ai toujours été jalouse de toi », remarqua Helen. Leur étreinte était terminée, Zadie la regarda, perplexe. Helen, jalouse d'elle ?! « Tu es toujours tellement franche. Tellement toi-même sans t'inquiéter de ce que les autres vont penser. Jusqu'à aujourd'hui, j'en étais incapable. »

Eloise s'approcha d'elles avec une nouvelle coiffure bizarre et une nouvelle paire de lunettes aussi hideuse que la précédente. « Ça suffit, vous deux. Il est trop tôt pour parler de choses sérieuses. »

Helen embrassa rapidement Eloise sur la joue et se dépêcha d'aller s'occuper des amuse-gueule. Abandonnant Zadie seule avec Eloise.

« Zadie. Comment vas-tu. » Elle avait dit ça d'une façon qui ne semblait pas impliquer de question, aussi Zadie ne se donna-t-elle pas la peine de répondre. « J'imagine que tu es au courant que j'ai un nouveau mec. »

Non, elle n'était pas au courant. Contrairement à ce qu'Eloise pensait, les gens ne parlaient pas d'elle.

« Il est milliardaire.

— Évidemment, dit Zadie.

— La baise est incroyable.

— Je n'en doute pas.

— Pourquoi tu es aussi agréable ? demanda Eloise, soupçonneuse.

— Pourquoi ne le serais-je pas ? »

Eloise lui lança un regard et s'éloigna. Zadie n'en crut pas sa chance. Jane glissa jusqu'à elle, un verre à la main et contempla Zadie de la tête aux pieds. « Tu es superbe.

— Merci », dit-elle. Elle portait un haut moulant et une petite jupe noire. La première tenue sexy qu'elle avait enfilée depuis des mois.

« T'as besoin d'un boulot d'été ? demanda Jane.

— J'apprécie ta proposition, mais je passe mon tour », répondit-elle.

Lorsque Mike arriva dans la cour, il la chercha du regard un instant, ce qui lui donna le temps de se recoiffer et de se tenir droite. En la voyant, il sourit et approcha.

« Bon, tout va bien. Je n'étais donc pas trop bourré à la répétition. Tu es effectivement sexy. »

Zadie le regarda en haussant un sourcil.

« Je me suis dit que j'allais commencer avec mon commentaire le plus désobligeant, dit-il. Comme ça, je ne peux que m'améliorer au fil de la soirée. » Il l'embrassa sur la joue et tendit la main à Jane. « Je suis Mike, le colocataire de Grey à la fac.

— Jane, une amie de lycée d'Helen. »

S'adressant à elles deux, Mike s'interrogea : « À votre avis, quelles sont leurs chances d'arriver jusqu'à l'autel cette fois ?

— Bien plus fortes si Helen ne sort pas de chez elle la veille », remarqua Jane. Elle jeta un œil de l'autre côté de la pelouse et aperçut Betsy qui lui faisait signe. « Excusez-moi, je crois que Betsy veut me faire un sermon.

— Tu pourrais avoir une surprise, dit Zadie. Je crois que notre folle soirée a provoqué de vrais changements chez elle. Elle veut peut-être quelques conseils.

— Tant qu'elle ne demande pas à travailler pour moi. »

Tandis que Jane rejoignait Betsy, Mike demanda : « Elle est courtière ou quoi ?

— D'une certaine façon », répondit Zadie. Elle lui fit un sourire. Il était aussi joli garçon que dans son souvenir. Cheveux foncés, qu'on avait envie de toucher. Yeux brun doré. Fossettes. Larges épaules. Chemise bleue et jean. Chaussures appropriées – aucun orteil visible. « Tu as mis combien de temps pour venir ?

— Une heure quarante-cinq.

— Tu conduis comme une vieille.

— C'est un de mes points forts. »

Lors de leur discussion par téléphone, Zadie avait appris

qu'il vivait dans un loft, dans le quartier de Gaslamp et se rendait au travail à pied. Ce qui signifiait qu'il ne serait pas trop crevé par les aller et retour en voiture à la fin de la semaine pour venir jusqu'à L.A. le week-end. C'était indéniablement un plus. Elle avait aussi découvert qu'il surfait mieux que Grey, qu'il avait eu des relations de longue durée avec trois femmes, avec qui il était resté en bons termes, et qu'il n'avait jamais regardé une seule seconde *Les Feux de l'amour*.

« Alors tu as vraiment trois mois devant toi, sans rien à faire ? » demanda-t-il.

La remise de diplômes avait eu lieu la semaine précédente. Elle avait fait en sorte qu'Amy soit assise à côté de Trevor.

« Eh ouais. Tu as des suggestions ?

— Apparemment, le Crazy Girls cherche des filles.

— D'ailleurs, tu me dois toujours un strip-tease, maintenant qu'on en parle, dit-elle.

— J'hésite – il paraît que tu es radin sur les pourboires.

— Ça dépend de ce que tu vaux, le taquina-t-elle.

— T'as cinquante cents ? »

Il n'y avait rien de plus charmant qu'un homme assez sûr de lui pour se rabaisser. « J'irai même jusqu'à un dollar si tu te montres assez aguichant, dit-elle.

— Marché conclu. Laisse-moi m'enfiler quelques verres de cabernet et on se retirera discrètement dans le garage. Mon numéro nécessite l'utilisation d'outils. »

Zadie n'aurait pas pu le trouver plus à son goût qu'à cet instant. Le fait qu'il ait sa main dans le creux de ses reins le rendait encore plus attirant. Elle aimait les hommes qui ne craignaient pas le contact. Au moment où elle décidait qu'elle allait effectivement sortir avec lui, Grey monta sur les marches du patio et demanda l'attention générale. Helen, rayonnante, se tenait à ses côtés.

« On imagine que certains d'entre vous se demandent pour quelle raison on vous a tous rassemblés ici, étant donné que la dernière fois que vous nous avez vus, on se hurlait dessus dans le hall du Beverly Hills Hotel.

— Grey ! fit Helen en lui donnant une petite tape. On avait dit qu'on n'en parlerait pas. »

Il haussa les épaules. « On vous doit une explication, puisque vous avez tous loué des smokings et acheté des robes de demoiselles d'honneur – du meilleur goût, m'a-t-on assuré. Alors voilà… Helen et moi allons nous marier. »

Tout le monde applaudit.

« Cependant… »

Tout le monde hua.

« On va y aller un peu plus doucement cette fois. Comme certains ne l'ignorent pas, il faut du temps pour procéder à quelques vérifications de CV. »

Helen lui donna un autre coup et tous éclatèrent de rire.

« Mais je suis persuadé qu'à la fin de cette année, nous irons au bout de la cérémonie. Alors si vous pouvez réserver votre soirée du nouvel an, vous êtes certains d'assister à une super fête. »

Zadie sourit. Enfin une bonne raison de s'habiller pour le réveillon !

Mike se pencha pour lui murmurer à l'oreille. « Bon, je suis conscient que je m'y prends un peu à la dernière minute… Je sais qu'on n'est pas forcé de venir accompagnés au mariage, vu qu'on est demoiselle et garçon d'honneur, mais personnellement, je souhaite que ce soit toi, qui m'accompagnes, alors essaye de ne pas tout foutre en l'air d'ici là. »

Elle lui donna un coup de coude dans les côtes et se retourna vers Grey et Helen, qui s'embrassaient, tandis que tout le monde levait son verre.

Quoi de plus merveilleux que l'amour !

CET OUVRAGE
A ÉTÉ ACHEVÉ D'IMPRIMER
SUR ROTO-PAGE
PAR L'IMPRIMERIE FLOCH
À MAYENNE EN JUIN 2005

N° d'impr. 63335.
D.L. : juin 2005.

(Imprimé en France)